岩波講座　世界歴史　6

中華世界の再編とユーラシア東部

四～八世紀

岩波講座

世界歴史 06

中華世界の再編とユーラシア東部

四〜八世紀

岩波書店

第6巻【責任編集】荒川正晴

目次

焦点｜*Focus*

コラム｜*Column*

展　望 | *Perspective*

展望 *Perspective*

中華世界の再編とユーラシア東部

荒川正晴

はじめに

第六巻「中華世界の再編とユーラシア東部」は、第五巻を承けて四世紀の五胡十六国・東晋期から八世紀の唐帝国前半期までを主な検討対象とし、この間に中華世界はどのように再編されていったのか、これをユーラシア東部地域全体の動向から捉えてみようとするものである。本巻のユーラシア東部とは、具体的には中央ユーラシアの東部域に加えて、一般に東アジアや東南アジア・南アジアと呼ばれる地域を広く包含している［図1参照］。これまでユーラシア東部(東方)もしくは東部(東方)ユーラシアと言っても、主にパミール高原以東の中央ユーラシア地域に中国を加えた広がりを扱うことがほとんどであるが、ここではパミール以西のトルキスタンからインドにいたる地域を、ユーラシア東部の重要な構成要素とみなしている。また東アジア・東南アジア・南アジアまでを対象地域とするため、陸上部分だけでなく必然的にユーラシア東部南端~東端を囲んで広がる海域の動向も視野に収めることになる。ただしこの地域概念は、「ユーラシア東部世界」と呼べるような、「世界」を規定する特定の社会的・文化的ファクターが共有されている空間的なまとまりを示すものではない。本巻のテーマを検討するために設定した大まかな地理的枠組みで

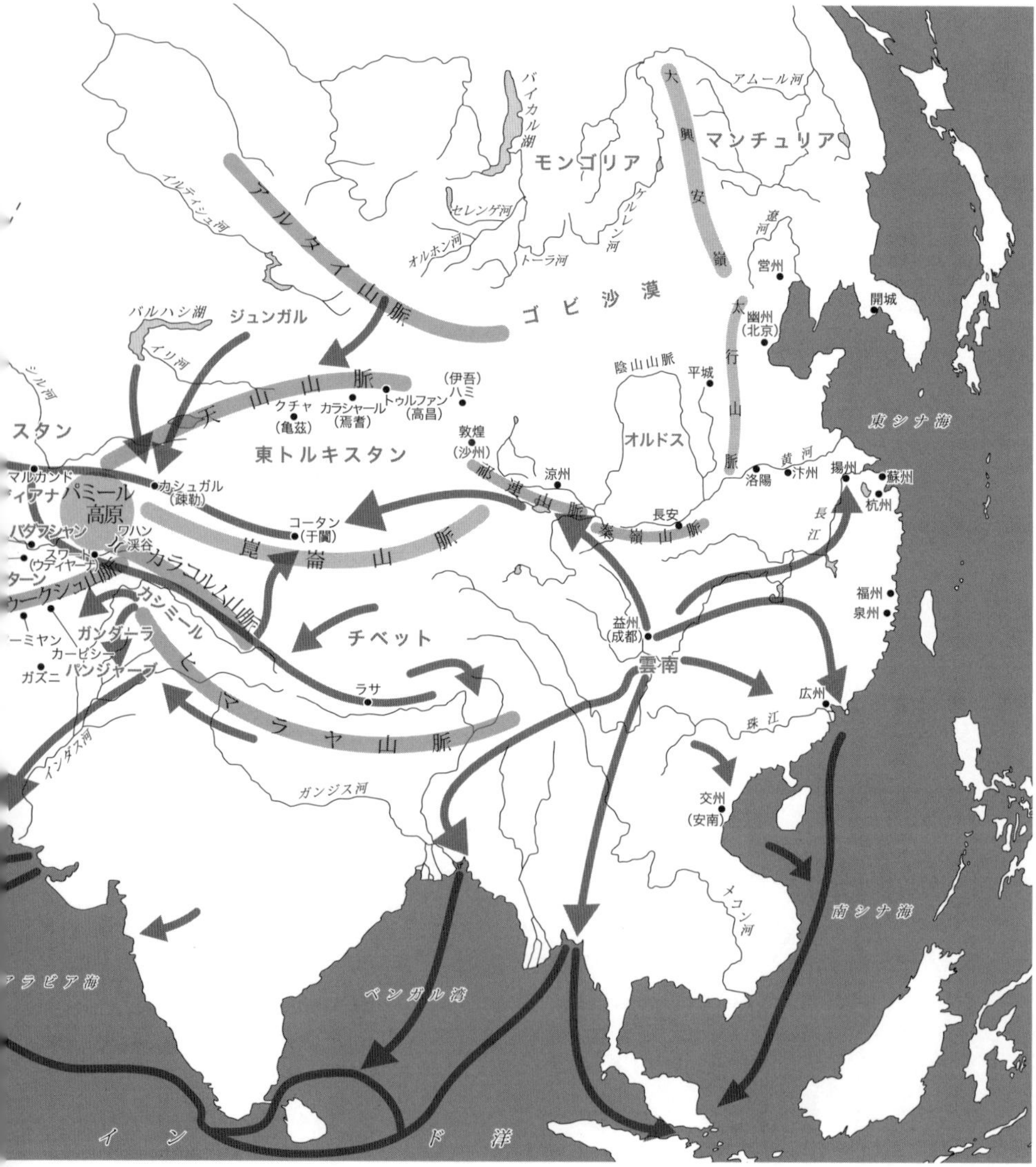

図1　ユーラシア東部の空間的広がり

図中の矢印はチベット・中国西南山岳地産麝香の西アジアに向けた主な流通経路を示す（家島 2006：547，図1に拠る）．点線はユーラシア東部の西端ラインを示す．

あるが、当該期における中華世界の再編を捉えるのに、この広域空間を踏まえる必要があると考えている。そこで始めに、何故この空間設定が必要なのか、改めて説明を加えておきたい。

一、何故、ユーラシア東部なのか

漢帝国の崩壊後、中華世界が隋唐帝国を生み出して再編されるにいたるまで、この時代はユーラシアサイズで多くの民族による移動と新たな地域形成、相互の接触・融合が認められ、中国の動きもこうした時代環境に大きく規定されていたと言えよう。そして、こうした時代の動きを牽引していたのが、草原地域に拠っていた遊牧勢力の存在であ

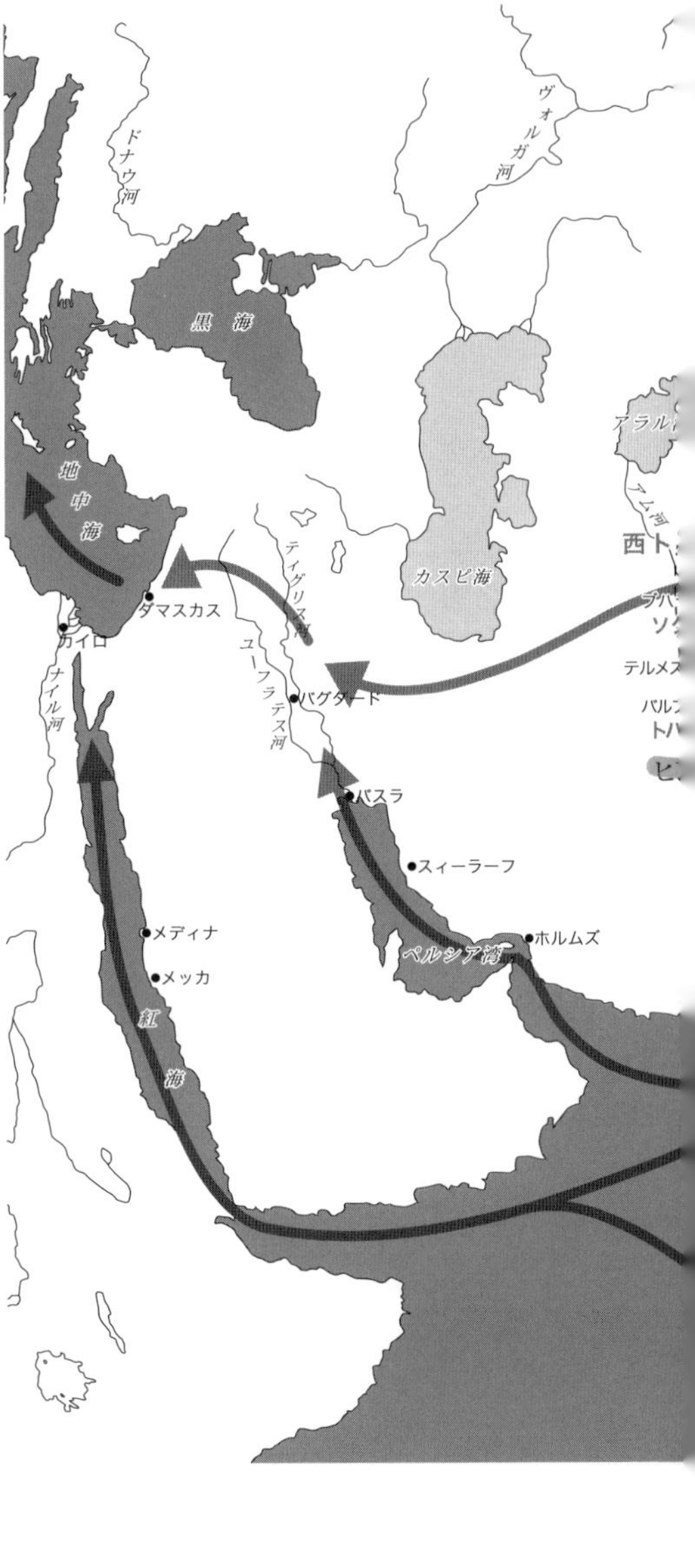

った。

当該期の初段階においては、中国内部の華北では後漢期以来、遊牧民・牧畜民であるフン系（匈奴《きょうど》）・モンゴル系（鮮《せん》卑《ぴ》）・チベット系の諸民族の動きがあり、また外部においてもフン系（キダーラ・クシャーン、エフタル）、およびモンゴル系（柔然《じゅうぜん》、吐谷渾《とよくこん》）の遊牧諸族が優勢となって相互に抗争や交渉を著しく展開させていた。そうしたなか後漢代に伝来していた仏教が浸透・定着するとともに、中華世界の北部に北魏は成立した。やがて六世紀以降にはトルコ系（高《こう》車《しゃ》、突厥《とっくつ》《とっけつ》）の遊牧諸族が優勢となって勢力を拡大させてゆくが、それと並行して北魏以来の北朝系諸王朝は南朝と競り合うなか、周辺諸国（柔然、高句麗、日本、エフタル、高車など）と外交関係を取り結びながら、「新たな中華」（第五巻の展望五七―五九頁参照）による帝国の樹立を目指すことになる。

他方、中国南部では、華北から華南へ移住した漢人と山の民、沿海の民との共存が始まり、南朝がそうした動きのなかで成立していった。この政治勢力も周辺諸国との外交を通じて北魏の封じ込めを目指し、長江下流域に都を置く独自の中華帝国を樹立するにいたる。またこちらは南海交易・仏教の積極的受容・外交関係などを通じて、東アジアとともに東南アジア・南アジアと密接につながっていたところがある。そうしたなか、最終的には隋唐政権を創る鮮卑主導の政治権力が、中国内で対峙していた南朝政権を取り込みながら中華世界の再編を果たしていったのである。

またユーラシア東部全体で捉えると、当該時代の政治動向で注目されるのは中華世界だけではない。本巻の鈴木宏節論文で詳述されるトルコ系遊牧民の拡大・発展に加え、パミール以西のインド西北部までの地域が、北方草原より南下した遊牧系勢力により全域もしくはその大半が統治されたことが挙げられる。クシャーン朝、キダーラ・クシャーンに続くエフタルの台頭である。インドでも、この時期に北部を中心に広域を支配する王朝が成立している。

そもそもパミール以西の西トルキスタンからインドにおよぶ地域は、中華世界を中心とするユーラシア東方と西アジアからさらにヨーロッパ（地中海・北アフリカを含む）世界にわたるユーラシア西方に両属する境域であり、双方の西端と東端部を構成する地域となっていた。後に詳述するように、この境域地帯の動きは、当該期における中華世界に陸域・海域を通じて大きな影響を与えていた。本巻で規定するユーラシア東部という広域空間から中華世界を捉えることが求められるのは、そのためである。すなわち当該期の中華世界の再編を捉えるにあたり、中央ユーラシアの草原地帯だけでなく、ユーラシア東部西端の境界地帯で展開していた諸動向も決して見落とすべきではない。

広域の視点に立脚すると、中国の北部地域は中央ユーラシアの乾燥地帯の東端部を形成し、東西トルキスタンにおける諸民族と深く関わりあいながらその歴史を刻んできたことが分かる。当該期はその関係がきわめて濃密で一体化の方向に進んだ時代であった。同時に中国の南部地域は東南アジアだけでなく南アジアの動きとも関係しており、一面でここが南方世界の北端を構成していたと捉えることができる。そしてこの空間の広がりから、陸域部分だけでなく、必然的に海域の動向も重要になる。さらに中国の南北ともに、東アジアの陸域・海域を通じて朝鮮半島・日本とも密接に関係していた。

もちろん問題の立て方によっては、より限定された地域空間を設定する必要があることも事実である。ただ本巻は強い求心力を有する中華の直接的な文化的影響下にあった地域を越えて、「中心性」をもつ他の文化やその影響を受けていた地域を包含したユーラシア東部の広域空間のなかで、中華世界の再編を捉えてみようとするものである。以下、まずは本巻が対象とする四－八世紀における中華内部の歴史動向を政治的な推移を軸として概観し、そのうえで改めてユーラシア東部の広がりのなかで新たな中華世界の「姿」を捉えてゆきたい。

二、中華内部の動向

ここでは対象とする時代を取り敢えず大きく二つに分け、前期として「新たな中華」の基が形成されてゆく過程を示す五胡十六国―北朝期およびこれと同期の東晋―南朝期を、また後期として中国南北が統合して創成された「新たな中華」帝国、隋唐の時期を設定する（全体の興亡表は本巻佐川英治論文、八五頁に掲載）。鮮卑拓跋部《たくばつぶ》の代国や北魏に始まる北朝系諸王朝から隋唐朝の国家を総じて「拓跋国家」と呼び、これら諸国家が三世紀初めに崩壊した漢帝国の再生復活ではなく、遊牧的性格を内包する国家であることを敢えて示すことがある（杉山 一九九七：二〇二―二〇三頁ほか）。換言すれば、隋唐帝国は「漢人中華」の基本理念を受け継ぎつつも、制度や文化などの内容には胡族的秩序なり遊牧的な要素がなお息づいていたのである。

中国北部における胡漢二重支配体制（五胡十六国）

i　五胡十六国時代の始まり

五胡十六国時代の諸民族・諸国の興亡は、華北を主な舞台として、漢族を含む多くの民族が激しく交錯するなかで展開しているが、華北に拠点を構える非漢族の存在は、この時代で一気に増大したわけではない。後漢時代より始まる、周辺諸民族の華北への長期間にわたる移動・移住がその元にある。

いわゆる五胡のうち、羯《けつ》や鮮卑（一部を除く）以外の諸族は早くも一世紀の段階で華北内部に移住し、後漢の辺境防衛や荘園の耕作作業を担うなど、武力や労働力を補うものとして機能していた。たとえば匈奴については、四八年に起こった匈奴の南北分裂を契機として、南に分裂した匈奴（南匈奴）が後漢に臣属して移住し、北匈奴に対する防波堤の役割を果たしていた。また、人口が激減していた後漢期の関中に向けて、西方の多くの羌《きょう》族や氐《てい》族が徙民《しみん》されていた。その後も、五胡十六国期にいたるまで、同様に武力や労働力を提供する存在として重宝され、その移住は関中を中心に華北内部の広範囲に及んでいた。その結果、三世紀末には既に、胡・漢の人口は相半ばしていたともいわれる（西晋の江統『徙戎論』）。

他方、匈奴については、彼らの移動・移住が、中国だけでなく西方へも広く及んでおり、当該期のユーラシアにおける歴史動向に大きな影響を与えていたことがよく知られている。ゲルマン民族の大移動の契機を作ったフン族が匈奴であったかどうかについてはなお議論を必要とするが、北匈奴は少なくとも西方のアラル海辺りまで移動していたことが推測できる(林俊雄 二〇〇七：三一八―三二一頁)。これと関連して注目されるのは、四世紀以降、ソグディアナから西北インドにおよんで建国していた政権(キダーラ・クシャーンとエフタル)の支配層がフンと呼ばれる人々であり、これこそ東から移動して来た匈奴部族の一派であったと推定されていることである(De la Vaissière 2007: 121-122; 吉田 二〇一一：二一―二四頁、Balogh 2020)。また四世紀初めのソグド語書簡から、ソグド人が匈奴のことをフン Khun (xwn) と呼んでいたことも確認できる(吉田 二〇一一：二一頁)。なおこれらフン族の広域移動の背景として、四世紀当時に起こっていた寒冷化・乾燥化という気候変動が深く関わっていた可能性は高い(妹尾 一九九九：二二頁)。

さらに後に述べるように、エフタルは五世紀半ば以降、積極的に柔然・北魏・南朝との多面的な外交関係を構築し、ユーラシア東端の勢力関係に大きな影響を及ぼしていた。つまり匈奴は南方に向かった一派だけでなく遠く西方へ移動した勢力も含めて、当該期における中華世界再編の動向と深く関わっていたことになる。

同じく四世紀、西晋末期の八王《はちおう》の乱により中原の権力が揺らぎ始めると、五胡の諸種族はそれぞれに自らの政治権力を打ち立てるべく動き出していた。そのなかで三〇四年の匈奴の動きは、それまでの西晋の政権を真っ向から否定するものであり、五胡十六国時代はここから始まるとされることが多い。すなわち、三〇四年に匈奴の劉淵《りゅうえん》が匈奴大単于《ぜんう》を名乗り、国号を漢と定めて漢王朝の復興を大義名分とするとともに、南郊に祭壇を設けて漢王(三〇四―三一〇年)に即位した。漢魏以来、前朝において爵位を臣下の最高位である公爵から王号に昇らせ、そのうえで授与された爵位をあらたに建国した王朝の国号とするのが政権交代のパターンとなっていたが、これもその伝統に従ったものであった。また同年には、巴《は》族(氏の一種か)とされる李雄《りゆう》が成都王を名乗って西晋より独立し、いち早く四川地域に国家を形成した。いわゆる成漢《せいかん》国である。その後、劉淵が漢の皇帝を名乗り、平陽（山西省臨汾《りんふん》市）に遷都すると、三一一年には劉淵の四男、劉聡《りゅうそう》が洛陽を落とし、西晋を事実上滅亡させた（永嘉の乱）。

ii　五胡十六国期における諸段階

三〇四年以降、魏国（北魏）の成立にいたるまでの期間、諸国・諸民族により複雑な興亡を繰り返したが、五胡十六国時代は大まかに次の四つの段階にまとめられる。

・第一段階　前趙《ぜんちょう》・後趙《こうちょう》の対立と後趙の隆盛（三二〇―三四〇年代）

三二〇年代は、まさに匈奴の前趙（祖は劉曜《りゅうよう》、三一九―三二九年）と羯の後趙（祖は石勒《せきろく》、三一九―三五一年）が対立する構図であった。両者の対立は華北の二大枢要地である、長安を中心とする関中と、南から北へ鄴《ぎょう》（河北省邯鄲《かんたん》市）・襄国（河北省邢台市）・中山（河北省定州市）と、要となる都市が並ぶ関東との抗争でもあった（三﨑 二〇一二：五〇頁）。ただし両者が並び立っていても、皇帝と称するのはあくまでも前趙のみであり、後趙は単于号に留まっていた。前趙が滅亡した後にようやく後趙が皇帝を称して臨漳《りんしょう》（鄴）に遷都し、そこを都として関中をも押さえる体制を取った。その結果、華北の主要部分は後趙に帰した。

・第二段階　前燕《ぜんえん》・前秦《ぜんしん》の対立（三五〇―三六〇年代）

三五〇年代に入ると、後趙はほぼ壊滅的な状態になり、氐族の苻健《ふけん》や漢人の冉閔《ぜんびん》により衰亡した。苻健が長安を都として前秦を建国したが、既に華北の東北部では鮮卑慕容部《ぼようぶ》が前燕を立国しており、同族の段部《だんぶ》・宇文部《うぶんぶ》や夫余《ふよ》・高句麗を打ち負かして強大化していた。前燕はこの段階で本格的に南下を開始し、慕容儁《ぼようしゅん》が皇帝位に就くとともに、三五三年に龍城（遼寧省朝陽市）から薊城《けいじょう》（北京市）へ、さらに三五七年には鄴に都を遷した。ここに前秦と前燕は明確に東晋と関係を断ったうえで皇帝を称し、華北の支配権を争った。

第一の段階と同様に関中と関東の対立構図を形成するが、皇帝は一人ではなく二人の皇帝が並び立つようになっていた。ただし前燕の鮮卑族は匈奴や羌などとは異なり、華北への遷都は単に交易拠点の形成であったという(峰雪 二〇一六)。あくまでも華北周縁の地が本拠地として継続していたのである。また、二人の皇帝が並び立つといっても、中華の正統意識という面では大きな違いがあり、前秦が後趙を受け継いで中華の正統王朝を継ぐ意識が当初より鮮明であったのに対して、前燕は中華の正統を本格的に意識してゆくのは、東晋から洛陽を奪取した後(三六五年)のことであったという(佐川 二〇一八a：二〇八頁)。

• 第三段階　前秦による華北統一と、東晋との抗争(三七〇―三八〇年代前期)

関中と鮮卑族との対立の構図は、強大化してゆく前秦(苻《ふ》堅《けん》〔在位三五七―三八五年〕)により打ち砕かれ、三七〇年には前燕が、三七六年には代国も前秦の苻堅に一時滅ぼされ、華北の統一(三七六年)が達成されていった。そして天下分け目の戦いとなる前秦と東晋との淝《ひ》水《すい》の戦い(三八三年)が起こることになるが、結果的に前秦は敗北し滅亡への道をたどる。

• 第四段階　前秦滅亡後の華北の割拠と魏国の誕生(三八〇年代中期―三九〇年代)

この段階では、佐川が中国史を分かつ画期と評するように、中華の昇華ないし相対化と中国周辺へのその拡散が本格化しており(第五巻の展望および本巻所収の佐川論文と李成市論文参照)、それまで中華の正統を意識する皇帝が基本的に一人に限定されていたものが、皇帝や天王を称する多くの政権(後秦・後燕・魏国〔北魏〕など)が並立するようになってゆく。そのなかで後に述べる周縁の鮮卑諸政権のうち、山西北部に拠点を構えた魏国(北魏)が対立する慕容部を抑え、皇帝として中華世界に君臨することを目指す体制に入ったのである。このことにより、時代は新たなステージに移行する。いわゆる北魏の時代の始まりである。

iii　華北周縁(農牧接壌地帯)を拠点とする鮮卑諸勢力の台頭

華北周縁には、いわゆる農牧接壌地帯(農耕地域と遊牧地域の境界地帯。妹尾 一九九九:一〇頁等参照)が帯状に広がっており、それに沿って鮮卑の部族がそれぞれ独立国家を打ち立てていたことに注目される。東より東北部に慕容部(前燕)、中央部に拓跋部(代国)、西北部(蘭州辺り)に乞伏部《きっぷくぶ》(西秦)、西部(青海辺り)に慕容部(吐谷渾国)と並んでいる。

各勢力の形成は西晋時代以来であり、多くは西晋より官爵を授けられており、前掲の第二段階後半には鮮卑族の動きが活発化している。とりわけ中華世界の動向に大きな影響を与えている前燕と代国は、時に協力関係を構築するも鋭く対立する関係でもあり、慕容皝《ぼようこう》が燕王に即位すると(三三七年)、西晋より代王を授けられていた鮮卑の拓跋部(代国)は、建国という独自の元号を制定するに至っている(三三八年)。鮮卑族でも拓跋部は、原住地である大興安嶺の北部より、後漢期の段階で移動を繰り返し、三世紀前半には君長である拓跋力微《りきび》のもと、モンゴル高原南部に部族連合国家を建てている。その後、君長の拓跋猗盧《いろ》(在位三〇七―三一六年)が晋の懐帝から大単于・代公に封ぜられて、さらに三一五年には愍帝《びんてい》から代王に封ぜられた。ここに代国(三一五―三七六年)が建国された。

両勢力ともに、もともと西晋に従属していたが、前燕は東晋よりの封号を受け容れていたのに対して、代国はこれに従属することを拒否する立場をとっていた。さらに代国は、自らの元号を制定することで、東晋の皇帝に臣属しない自らの立ち位置を明確にしている。

中国北部における胡漢二重支配体制の新展開(北魏前期)

北魏は五世紀に華北の統一を遂げた後、孝文帝により洛陽へ遷都したが、これを北魏の中国統治の画期を象徴する施策として遷都までを前期、それ以降を後期と位置付けて捉えることが多くの研究者により共有されているので(窪添二〇二〇)、ここでもそれに従う。

i　平城への遷都

拓跋珪《けい》は、三九八年に盛楽(内モンゴル自治区フフホト市南)から平城(山西省大同市)に遷都すると、皇帝を称した(道武帝、在位三九八―四〇九年)。ここで注目されるのは、本巻の佐川論文で明確にしているように、五胡期の皇帝は単于号を併称できなかったが、この道武帝以降は皇帝が可汗《かがん》号を併せもつ立場に変化したことである。これは佐川によれば、五胡期においては漢代の天下観と皇帝観、すなわち「夏は内、夷は外に置かれ、皇帝はその天下の一元的な中心」とする観念を受け入れ、夷を支配する単于号は皇帝が名乗るものではないという認識を共有していたのに対して、北魏の皇帝は夷を支配する可汗号を併称し、それまでの天下観・皇帝観を打破したものとする。漢人と胡族との優越・差別意識や反感・対立感情は根深く残るものの、両者は中華世界を共に支える対等な存在であるという五胡期に芽生えていた意識が、中華世界のトップリーダーの称号に具体的に反映されるに至ったとも言える。

こうした新たな天下観・皇帝観のもと、道武帝は五胡期以来の部族民と漢族に対する二重統治を基本とする国家体制の整備を進めるとともに、皇帝および可汗権の強化を目指した。その推進はモンゴル高原南縁部の諸部族を次々と征討し、さらに後燕《こうえん》(三八四―四〇七年)を攻略していった点に負うところが大きかった。とくに人材補充という面で、それは大きく貢献しており、後燕の都であった中山からは、漢人・鮮卑・高句麗など三六万人、「百工伎巧《ひゃくこうぎこう》」一〇万人、合わせて四六万人以上を平城に徙民している(三﨑 二〇一二:一九五頁)。この時、平城は膨大な人口を抱えることになったが、坊牆《ぼうしょう》制により城内を方格状に区画したのも、こうした多くの移住民たちを管理するための施策であったと推測される。また、後燕の并州《へいしゅう》や首都中山の平定時(三九六―三九七年)に、後燕に仕えていた多くの漢人官僚を吸収したことは、北魏の中国式制度の整備と維持にとって大変に有意義であった。すなわち、百官を設置し、行政官である尚書郎《しょうしょろう》以下の官吏に漢人を中心とした文書行政能力をもつ「文人」を用いたほか、甸服《でんぷく》(京畿の範囲)や律令を定めるなど種々の施策を実行している。

他方で道武帝は、部族民に対する改革を行ったとされる。部族を再編成する政策であり、ここにこの時期における北魏の胡族としてのあり方が強く反映されている。彼は皇帝に即位すると、拓跋部のもとに内属した諸部族を取り込むために、すべてを部族単位に解体して、それを国家が指定した土地（畿内および郊甸《こうでん》）に居住させた。それら部族を統治した機関が俟勤曹《しきんそう》（部大人《ぶたいじん》もしくは部大人官）で、道武帝はそこに「八部大人」を置いたとされる。これを八部（八国）制と呼んでいる。この部族統治機関は、孝文帝の太和一二年（四八八）に廃止されて、部族民らが州郡制のもとに一律支配を受けるまで存続したという（松下 二〇一四）。北魏前期には部族民を統治する俟勤曹と漢人を統治する機関（尚書）という胡漢二重体制が一貫して存在したことになる（尚書に対応する鮮卑語が俟勤地何《しきんちか》（俟勤曹）。俟勤は古代トルコ語のirkin）。そして、そのなかで畿内に居住した部族民らは『魏書』に「代人」と表記され、特別な社会集団意識をもって北魏の支配層を形成した（松下 二〇〇七）。

どこまで実現したかは不明ながら、それまで諸種族の部族長が有していた部民に対する統治権は、部落体制を維持したまま、次第に可汗皇帝のもとに集約されていったが、高車は例外として自らの部族統治が容認され自立していたという（佐川 二〇一八b：二九九頁）。

こうした支配体制と密接に関わって、可汗皇帝に近侍する侍臣集団である内朝官という固有な官を設置し、これに部族の子弟を充てている。その具体的な官職名は、山西省で発見された和平二年（四六一）の「文成帝南巡碑」（山東行幸の帰途に行われた射撃大会の記録）や『南斉書《なんせいしょ》』巻五七 魏虜伝からうかがい知ることができる（たとえばモンゴル語のjarγučin「断事官、裁判官」に相応する「折紇真《せつこつしん》」（南巡碑）、「折潰真《せつかいしん》」（魏虜伝）など）。

道武帝の統治末期に後燕が滅亡した頃、匈奴の赫連勃勃《かくれんぼつぼつ》が夏后《かこう》の子孫を名乗り、大夏天王・大単于と称して国号を大夏に定めた(四〇七年)。その後、後秦が滅亡すると(四一七年)、赫連勃勃は皇帝となり、ここに魏国(三九八—五三四年。鮮卑、拓跋部)と夏国(四〇七—四三一年。南匈奴の後裔)が農牧接壌地帯上で相争う体制となった。五胡の最初期を飾った匈奴は忽然と消えたわけではなく、羌と同様に次第に広く混住していった。夏の建国は、匈奴の部族が依然として確固とした勢力を保持していたことを明示するものであった。

そしてこの抗争を制したのが、太武帝《たいぶてい》であった。彼は、夏国を滅ぼす(四三一年)とともに、北燕を征伐した後、太延五年(四三九)には北涼《ほくりょう》を平定した。この平定により、一般には華北を統一したとされ(正確には四四二年の氏族・後仇池《ごきゅうち》国の滅亡で華北は統一)、これ以降、隋の統一以前を南北朝時代(四三九—五八九年)と呼ぶ。

注目されるのは、この北涼の平定時、都であった涼州から平城に商人だけでなく、多くの「沙門仏寺」(仏教僧侶)・ゾロアスター教の変種(後の祆教《けんきょう》)の祠祭・「楽人」や「舞工」などが強制移住させられたことである。おそらく、その主体は数万戸のソグド人コミュニティーの住人であったと考えられる。そもそも涼州は遅くとも四世紀初めには、商売仲間を華北の洛陽や鄴などの有力都市に派遣するソグド商人の重要拠点となっていたことが前掲のソグド語書簡からうかがえる。また北魏の国家的発展にとって後述する「境界都市」である涼州を自らの支配領域に組み込んだ意義は大きい(本章第三節五四—五五頁参照)。

他方、おそらくはこうした技術者の強制移住と関連し、五世紀中葉以降に平城内の宮室と都城の本格的な整備が進むとともに、各地でも瓦葺き建物が次々に建設されていたことが指摘されている。そこで使われた瓦当《がとう》は、東晋や三燕(前・後・北燕)の蓮華紋瓦当ではなく、より古い文字瓦当が採用されていたが、「魏」を称する北魏にとって、模範とすべき対象は十六国や東晋の都城ではなく、それ以前の中原の都城であったという(向井 二〇〇九：一三二頁)。

太武帝の時代は、中華的な文化や制度の取り込みを徐々に深化させていった段階であったと見られ、夏国を滅ぼした段階で、漢人官僚の崔浩《さいこう》に命じて律令を制定させている。既に道武帝が平城に遷都した際に法典の編纂を行い、過酷な法を除かせていたが、この時の編纂では鮮卑の刑罰理念が新たに導入され、胡漢融合による大きな変化が認められる。その一つが死刑制度に絞殺刑が新たに加えられたことである。冨谷至によれば、これはそれまで死刑と言えば斬刑しかなかった中華の制度に、新たに鮮卑族の刑罰理念が加わり変化した結果であるという。またこれは、以降の中華における死刑制の基本のかたちとなったことから大きな画期と言えるが、他方で威嚇と予防を目的とした中国刑罰の理念そのものは不動であった(冨谷 二〇一六:二四一—二六三頁)。

なお華北を統一したあたりから、後に詳述するように北魏と柔然や南朝宋との外交や抗争が本格化していった。北方遊牧世界の覇権をめぐる可汗と可汗との抗争であると同時に、中華世界の政治的中心を確立するための皇帝と皇帝の戦いでもあった。

iii 孝文帝期の諸改革——部族制の「克服」

北魏の部族制を「克服」する動きは、孝文帝(在位四七一—四九九年)の時代に始まっているが、長期にわたる在位期の大半は馮太皇太后が政務を執り、その没後に孝文帝の親政が始まった(期間は一〇年ほど)。この間、周知のように洛陽への遷都が行われ、それまでに左記のような様々な制度・儀礼等の改革が断行された。本巻の佐川論文に詳述されるように、こうした諸改革や遷都の背景には、献文帝(孝文帝の父)が即位した四六五年を契機に北魏が黄河を越えて淮北の地を併合し、領土を大きく拡大させたことがあった。

四七三年、戸口調査の実施と戸籍の整備。

四八四年、俸禄制の施行。

四八五年、均田制の発布。

四八六年、三長制の施行。地方存留財物の中央化。

四九一年、五徳の改定（土徳としていた王朝の徳を水徳に変更し、漢〔火徳〕・魏〔土徳〕・晋〔金徳〕と続く中原の正統王朝を継ぐ意識を表明）。宗廟制の改革。

四九二年、封爵制の改革。

四九四年、西郊における祭天儀礼の廃止。

北魏では道武帝の変革以降、先に触れたように積極的に中国の諸制度や文化の取り込みが行われたが、それでも北魏前期では部族的秩序に基盤をおく体制は生き続けた。それが孝文帝期になって部族的な体制を止揚し、強力な君主権を構える正統な中華王朝の建設が目指されたのである。それまで維持し続けた鮮卑族の西郊の祭天儀礼が廃止され、南郊の郊祠《こうし》に一本化されたのは、そうしたシフトチェンジを象徴する政策であった。またこれと並行して内朝官も廃止されたが、それは部族制度の解体と深く関連する施策であったと見られる（川本 二〇一一：二頁）。こうした諸改革を敢行した孝文帝は、遂に農牧接壌地帯に拠った平城を去り、中原の洛陽に遷都するにいたった（四九四年）。

部族的秩序の内在化と新たな中華王朝の萌芽（北魏後半─北朝）

i　北魏後半期における政治と外交

洛陽への遷都後も、部族的秩序を克服する改革は進められた。象徴的なのは、鮮卑族の姓を漢人の姓に変えてゆく「姓族詳定《せいぞくしょうてい》」が実行されたことである。これは、北魏の鮮卑諸族を中心とする支配者集団（代人）に中国の姓の制度に基づき、一字の姓（単姓）を賜与し、さらに彼らを一定の基準に基づいて分別したうえで、北魏の建国以来およそ三世代にわたって五品以上の官位あるいは爵位を有した人々を北魏の新たなる支配者層（当時の呼称は「姓」と「族」）に再編するものであった。この施策は代人に大きな不満を与えたものの、胡・漢は中華を支える対等な存在であるという北魏前期の観念を具体化させ、両者の別を融解させる方向に進ませることになったと考えてよい。北魏政権としては、部族的秩序の解体とともに州郡県のもとに胡・漢の別なく人々を掌握する体制が目指され、そのもとで中原の洛陽を都とする中華の正統王朝としての意識を高めていた。そのため洛陽は中華世界の中心として多くの外国が朝貢に来る都市でなければならなかった。

他方で北魏北縁にあっては、六鎮《りくちん》の軍事要塞化が進み、対柔然の防衛拠点となったという(佐川 二〇一八b:二九〇―二九一頁)。このことは、それまで支配者集団を構成した代人が、単なる地方の軍兵に落ちたことを示唆する。そして「姓族詳定」以来、蓄積されてきた代人の不満が遂に爆発するかたちで、いわゆる六鎮の乱が勃発した(五二三年)。この動乱が北魏を衰退させ、東西に分裂してゆく結果をもたらすことになったのである。

ii 北魏の東西分裂と北周による華北統一

① 東魏から北斉へ

懐朔鎮《かいさくちん》出身の高歓《こうかん》(四九六―五四七年)は、六鎮の乱で頭角を現すと、五三四年に孝静帝(元善見《げんぜんけん》、在位五三四―五五〇年)を擁立し、鄴を都とする政権を打ち立てた。この結果、北魏が東西に二分されたことから、この政権を東魏と呼ぶ。この時、二〇万と評される北魏の禁軍のほとんどは高歓に従って東魏の軍士となったという。そして、高歓の子の高洋が孝静帝の禅譲を受けて皇帝(文宣帝、在位五五〇―五五九年)位に就き、北斉《ほくせい》(五五〇―五七七年)を建国した。北斉の国家制度は、いわゆる孝文帝が構築してきた胡族的秩序を止揚した中華の王朝体制を継承するものであったが、同時に宮廷内だけでなく官界で出世するにも鮮卑語を話す必要があったという。当該政権における実際の政治の場で鮮卑の優越性が持続していたことがうかがえる。当該期の「中華」というものの性格の一端が示されている。

② 西魏から北周へ

こうした東魏に対して、長安を都として西魏が成立した。同政権で実権を握っていたのが、武川鎮《ぶせんちん》出身の宇文泰《うぶんたい》(五〇五―五五六年)であった。この政権の支配層は、長安を中心とする関隴《かんろう》地方に移住した武川鎮出身の鮮卑系武人と在地土着の漢人豪族とが融合して形成された集団より成ることから、これまで「関隴集団」と呼ばれてきた。

そもそも西魏は、東魏に比べ軍事力が圧倒的に劣っていたことから、宇文泰は北魏前期のような強力な中央軍の再建を優先させる国家作りに励んだ。「丁兵制」による一般編戸からの軍役徴発も行われていたが、五五〇年にいわゆる二十四軍制を立て中央禁軍を強化した。これは十二大将軍をトップとして二四軍・一〇〇府からなる中央軍を編成するものであり、その基盤として胡・漢の地方豪族を通じて郷兵を募り、それを軍団・軍府として組織した。ソグド人の移住集落もこのなかに取り込まれ郷兵として活躍していた(山下 二〇一四)。平田陽一郎によれば、この二十四軍制は北魏の内官の系譜に連なる、ケシクテン(モンゴル帝国の親衛組織)的な側近集団(親信《しんしん》・庫真《こしん》。遊牧国家の側近集団については本巻の鈴木論文第三節参照)に支えられた擬制的部落兵制であり、遊牧軍制の系譜に位置づけられるという(平田 二〇一二)。また宇文泰は、孝文帝が行った漢人姓への変更を拒絶する政策を取っている。すなわち二十四軍制の設立前年に「代人」の姓を胡姓に戻したり、その後も胡・漢の軍将に胡姓を賜与するとともに、軍将に従う軍士も軍将の胡姓に改めさせたりした。

宇文泰は五五六年、『周礼』に基づく六官制を設けると間もなく没し、その子の宇文覚《うぶんかく》が西魏・恭帝の禅譲を受けて皇帝(孝閔帝、在位五五七年)となった。北周(五五七―五八一年)の誕生である。その第三代皇帝である武帝(宇文邕《うぶんよう》、在位五六〇―五七八年)が、五七七年に北斉を破り、ここに華北は再び統一された。

五胡十六国―北朝期の国制・社会・文化

i　五胡期の国制

五胡十六国期の国制は、敢えて単純化して捉えるならば、胡族を部族制により、また漢族を郡県制により統治しようとする、いわゆる二重支配の体制を基本的な構図としていた。もちろん諸政権を構成する人々の生業や生活・文化の状態は多様であり、こうした二重支配の体制を取らないもしくは取れない政権も存在したことは言うまでもない。また徙民や流民は必ずしも郡県の戸籍に編入されたわけではなく、多くの国家は拠点周辺に集めた徙民や流民からの収取を主たる財政的な基盤とし、軍事力の多くは主権者の一族や同じ族類の部族、さらには征服・投降などを通じて獲得した部族らが連合して担う体制が取られていた。

ii　北魏前期の国制

二重支配の構図は基本的には北魏でも継続するが、先に述べたように皇帝号は、モンゴル・トルコ系遊牧民を統括すると見られる可汗号と併称されるようになった。このことは、中華世界における胡漢の対等性を示すばかりでなく、北魏政権が中華世界とともに北方遊牧世界の覇者であろうとする意識を持っていたことを示唆している。佐川が明らかにしたように、北魏前期において部族民たちは遊牧的な秩序のなかで生きており(佐川　二〇〇七)、それは少なくとも洛陽遷都まで続いた。そういう意味では、部族民に対しては、中華の皇帝としてではなく可汗として臨んでいたと見られよう。

他方で道武帝期から北魏では、君主権を強化するかたちで国家作りが行われていた。先に見たように部族に対する統制を強めるとともに、中国的諸制の大幅な導入がはかられたのである。多くの制度が制定されていくが、川本が指摘するように国制創作の特徴として五胡期に続き、『周礼』を重視していた(川本　一九九一：三七五―三八六頁)。要するに孝文帝期までは、部族的秩序が強固に保たれると同時に、中華的な文化や制度を『周礼』主義のもとに積極的に導入していた。これが平城を都とする北魏前半における国家作りの基本であった。法制・官制など諸方面で部族的秩序と中華的秩序が併存する体制が取られた所以である。

こうした体制を取った背景の一つとして、華北の統一を推進した軍事支配集団の維持と、支配領域の急速な拡大に伴う軍事・財政面での強化対応を必要とした北魏前期の状況があったと見られる。華北統一後も、かなり長く軍事優先体制が敷かれていたのである。ただし、このような部族的秩序と中華的秩序が併存する体制を、中華的秩序に移行する過渡的な段階と捉えるのは正しくない。中華的秩序へ収斂されてゆくのは必然的な結果でもないし、そもそも中華と言ってもそれはかつての「漢人中華」ではなく、胡族的要素が溶け込んだ鮮卑の「中華」であった。

iii　孝文帝以降における「新たな中華」への歩み

北魏後期は、それぞれの胡漢の要素が取捨選択のうえ融合された北魏前期を踏まえ、洛陽を都とする「新たな中華」の正統王朝の創造を目指す段階にあった。先に述べたように孝文帝期に淮北地域への領土拡大を契機として、既に四七〇年代頃より一連の改革を断行している。改革の大きな柱の一つとなったのは、国家を支える担税層《たんぜい》となる、州郡県の戸口を戸籍により確実に把握し、そのうえで徴収する税役を中央に吸収して再分配しようとしたことであった。四八四年に俸禄制を施行したのも、一任されていた地方経費の徴収を止めさせ、田租や戸調などを確実に中央に上納させるためである(渡辺 二〇〇二：三〇四—三〇八頁)。均田制はそれを承けて四八五年に発布されている。また翌年の四八六年には地方で徴収される税物がすべて国家財政の直接管理下に置かれ、財政運営における中央主権が成立したことが明らかにされている(渡辺 二〇〇二：三一五頁)。

このほか陵《りょう》制にも大きな変化が認められ、邙山《ぼうざん》の陵墓群は孝文帝の目指した皇帝を頂点とする集権的な身分秩序を体現するものであったという。墳丘規模だけでなく墓室構造においても方山永固陵《ほうざんえいこ》が以後の陵墓を規定していた如くである(向井 二〇〇九：一三七頁)。

これらの改革を経て敢行された洛陽遷都の後、さらに胡漢の融合が進むなか、皇帝を中心とした支配体制の構築が進められた。物資・人力の中央収斂体制の確立という、財政の集権化を進めるとともに、部族体制に拠る軍事力の解消と州郡県体制による地方統治を実現しようとしたのである。ただし実際には軍事などの諸方面で胡族的・遊牧的な要素は保持され続けた。そうして形成された新たな国家体制のかたちが、基本的に隋唐国家に引き継がれたことを考えれば、北魏前期末から後期および北周・北斉にかけての時期は、それ以降の中華世界の土台を作る揺籃期となったと見てよい。

iv　社会と文化の特徴

①　徙民政策の多様性と地方の自立的状況

この時代の特色として、多くの流民が発生するとともに、各政権が数多くの徙民政策を施行し、膨大な数の人々が移住を余儀なくされたことが挙げられる。徙民で見れば、全体でおよそ一五〇〇万規模の数に達するとも言われる(三﨑 二〇一二：一九六頁)。こうした徙民の目的は様々であるが、もちろん各政権の財政基盤を充実させるためのものも多い。ただ流民だけでなく、こうした人々をどのように州郡県の戸籍に編入してゆくかは大きな問題であり、実際にもどれほどのものが戸籍により掌握されていたのか明らかではない。おそらくは州郡県による支配を忌避し、要地に配置された諸王の軍営や地方の豪族など有力者のもとに逃げ込んだものも多かったと考えられる。北周の二十四軍制の兵力を構成した多様な在地の軍事集団は、こうした状況に基づいて形成されたものが少なくなかったと見られる。

② 新たな伝統の創造

西晋末以降の政治的混乱のなかで失われた中華の諸制度、とりわけその根幹となる礼楽制・法制については、南・北両朝においてそれぞれ新たな制度の創造が行われた。なかでも注目されるのは、戸川貴之が明らかにしているように、南朝の梁や北朝の北斉・北周および隋の雅楽が『周礼』によるカモフラージュを経ることで、中国の新たな伝統として確立したことである(戸川 二〇二〇、本巻戸川論文参照)。

そもそも『周礼』の重視は、「魏晋批判」とセットにして北周の政策について言われることが多かったが、この志向は先述したように北魏に既に認められ、とくに孝文帝はこれを明確に打ち出して国策決定の基準としていた。孝文帝の諸改革として挙げた先の諸制度なども、根底において周制を意識しそれを模範としていたところがある。ただし重要なのは、北魏で形成された多くの制度の元が中華に求められ、これと胡族的要素との融合が行われたものの、漢文化に対する劣等意識はなく、これを自らの文化と受容する感覚が、少なくとも孝文帝以降の胡族支配者層の意識の基底にあったと考えられることであろう(川本 一九九七：三九〇─三九六頁等参照)。

なお三世紀末の段階で、関中では胡・漢の人口比率が相半ばする状態になっていたことは既に述べた通りであるが、その結果、制度面だけでなく「漢人」の基本となってゆく文化もハイブリッド化した。たとえば漢字音の変化のほか、絶句形式の漢詩文が生まれたり(小川 一九五九)、在来の作物と外来種を組み合わせた輪栽農法が確立したりした(古賀 一九七二)のも、胡漢文化の接触と融合の表れであった。

中国南部における漢人支配――亡命政権（東晋）から江南中華王朝（南朝）へ

i　亡命政権としての東晋政権

①　東晋政権の構造

永嘉の乱（三一一年）の後、三一七年に愍帝（司馬鄴《しばぎょう》）が死去したことを受け、瑯邪王《ろうやおう》（司馬睿《しばえい》）は建康《けんこう》（南京市）で即位し、元帝（在位三一八―三二二年）となった。これが東晋と呼ばれるが、あくまでもこの王朝は江南にできた晋朝の亡命政権であり、支配層の意識は晋そのものであった。というのも、東晋政権では先住の江南豪族を抑え、瑯邪の王氏、陳郡の謝氏など、魏晋以来の華北の名族（いわゆる貴族）層が政権の中枢に据えられた（貴族という概念を用いて当該時代を分析する点に日本の六朝史研究の特色がある。これまでの議論については、中村 二〇一三、川合 二〇一五ほか参照）。当初、こうした華北から移動してきた人士（北人）に対して、江南豪族が強く反発していたことは言うまでもないが、それを抑えて北人優位の中央政権の体制を巧みに構築していったのが、瑯邪出身の名族、王導《おうどう》（二七六―三三九年）であった。

彼らのような名族は、都である建康とその周辺に拠り、中央政府の要職を占める勢力となったが、これに対して貴族ほどではないが一定の経済的社会的な力量をもつ在地有力者や一般農民は、有力者に率いられるかたちで集団で移住することが多く、移住先も淮水流域から長江以南にいたるまで広範にわたった。

また彼らは自衛のため武力を蓄えたことから、そうした集団の統率者（塢主《うしゅ》・行主）を刺史や太守に任命して、北方に対する防衛や政権強化など、東晋王朝に軍事力を提供する存在とした。なかでも長江下流域南岸の京口《けいこう》（江蘇省鎮江《ちんこう》市）には、徐州出身の有力者層と農民らが集住しており、かれらによって軍団が形成されたが、やがてこれが東晋政権を支える強力な軍事集団となっていった。これが、いわゆる北府の軍団である。

他方で、長江中流域方面での平定活動では、王導の従兄弟である王敦《おうとん》が活躍したが、南方土着の人士（南人）が有する軍事力に依存するところが大きかった。当初は、中流域のコントロールもままならず、王敦や蘇峻《そしゅん》が反乱を起こすなど、建康政府も崩壊の危機を迎えることがあったが、何とか南人の軍事力を取り込みながら、その統治を維持させた。やがて中流域にも江陵や襄陽を拠点に、北府と並んで東晋を支える強力な軍団が置かれるようになった。これを西府と呼ぶ。ただし、西府はなお建康の中央政府とは距離を取ることが多く、時に鋭く対立することがあった。

軍事的に脆弱な東晋政権のもとでは、これら北府と西府の軍団を掌握するものが、東晋の政局を大きく左右する存在となる構図を作り出している。つまり東晋の政治動向は、西晋の皇族の血を引く君主とその中央政府が示す権威と、北府・西府に集中的に保持された武力とによって規定された。そして、正統な中華の支配者として東晋政権は、国内の政治状況に応じて、何度も北伐を繰り返した。そのなかで最も活躍したのが、西府の軍団を掌握した桓温《かんおん》(三一二―三七三年)であった。

② 東晋政権の華北侵攻

(a) 桓温と謝安の政権掌握と北部侵攻

桓温は、三四七年に成漢国を討滅し、さらに前秦軍を撃破して洛陽を回復した(三五六年)。彼は北府の兵をも掌握し、東晋の実権を掌握した。三七一年には、皇帝の司馬奕《しばえき》(廃帝、在位三六五―三七一年)を廃して司馬昱《しばいく》(簡文《かんぶん》帝、在位三七一―三七二年)を擁立、さらに簡文帝に代わった孝武帝(在位三七二―三九六年)に対して禅譲の前段階の礼遇を要求したが、直前で命運が尽きた(三七三年)。その後、名族である謝氏の一員であった謝安《しゃあん》(三二〇―三八五年)が、三七七年に北府軍を掌握して東晋政権の実権を握って朝政を主導したが、軍事面では桓温の幕府に仕えた甥の謝玄が活躍した。

この間、前秦の苻堅が次第に強力となり、三七三年には東晋の領土となっていた益州《えきしゅう》を奪還するとともに華北を統一した(三七六年)。さらには先に見たように、淝水の戦い(三八三年)で東晋軍と相対することになるが、謝玄がその戦いに勝利すると謝氏一族の地位は不動のものとなった。その後、謝玄は前秦の領域深く攻め込んでいくことになる。

(b) 皇帝の専権と劉裕の北伐

謝安の没後、孝武帝の専権に反発した貴族層を支持基盤とし、桓温の子である西府軍団を率いる桓玄《かんげん》(三六九―四〇四年)が一時期、政権を簒奪した(楚の建国、四〇三年)が、その桓玄を倒し東晋を復活させたのが、北府司令官であった劉裕《りゅうゆう》であった(四〇四年)。彼は寒門《かんもん》(官員になり得る身分ながら貴族とは区別される存在。これに対して寒人《かんじん》は官とは無縁の庶民を指す。榎本 二〇二〇参照)の出身であり、東晋の北府軍団に属して、五斗米道《ごとべいどう》の信者を中心にした孫恩の乱を収めるなど、武人として軍功を重ねることによって身を立ててきた。さらに四一〇年には北伐を開始し、同年に南燕を、四一七年には後秦も滅亡させ、一時的ではあるが洛陽・長安を奪還した。この功績により、四一九年に宋王に封じられた彼は、翌年、東晋皇帝の禅譲をうけて皇帝にまで登りつめた(武帝、在位四二〇―四二二年)。

ii 南朝政権の性格

劉裕が創始した宋朝以降、合わせて四つの王朝が建康を都として興亡を繰り返したが、これを南朝と呼ぶ。まさに、宋朝は寒門の軍人上がりが創始した王朝であるが、このことは続く、斉《せい》朝や梁《りょう》朝も共通している。南朝期は、東晋の時代と異なり、次第に皇帝権力が強化されてゆくとともに、寒門・寒人が台頭してゆく状勢にあった。さらには皇帝権力を支える存在としての寒人の活動も活発化している。もちろん既得権益の維持を図る貴族層がなお力を保っていたが、これと軍人上がりの皇帝や軍事力をもつ寒門・寒人層との三者相互の利害関係が複雑に絡むなか、政治面での不安定さが目立つ。そして最後は帝室内部の権力争いが激化して衰亡してゆくことになるのが、南朝期における政治展開のパターンとなっている。そうした南朝政権のもと、遂に江南の建康を都とする中華の正統王朝が新たに創設された。

①南朝政権(前期)――宋朝と斉朝

(a)宋の対外政策

宋朝では、武帝の後、幼帝を間に置いて、三代目の皇帝に就いたのが文帝(在位四二四―四五三年)であった。彼による統治は、元嘉《げんか》の治と呼ばれ、宋の安定と全盛をもたらしたと評価されている。この間、皇帝の権力強化への姿勢を示すとともに、対外的には先に見たように西の吐谷渾や東の高句麗・百済・倭と冊封関係を結ぶとともに、柔然とも連携して、北魏を囲い込むかたちになるように積極的に外交関係を構築していった。また南海方面にも積極的に関与し、東晋に続き四四六年に林邑《りんゆう》の国都を陥落させている。結果として同国の朝貢は宋・斉・梁と継続し、国王は諸政権により冊封された(本巻の桃木至朗論文参照)。しかしながら北魏が華北の統一を終え、南征の準備が整ってくるのに応じて、文帝の治世にも陰りが見え始める。その末期、四五〇年の文帝の北伐と敗北により、太武帝による南伐を招き、亡国寸前まで追いつめられた。こうした状況のなか、文帝は息子たちを広州刺史に赴任させようとしたことが注目される。建康政権が如何に広州を頼みにしていたかをうかがうことができる。結局はいずれも実は結ばず、最後、文帝は皇太子により暗殺された(四五三年)。

(b)江南を拠点とした華夷秩序の形成と皇帝権の強化

その後、皇太子一派を掃討し、孝武帝(在位四五三―四六四年)が即位すると、皇帝権の強化を積極的に推進した。まず中央では政務を統轄していた録尚書事《ろくしょうしょじ》を廃止して、貴族勢力を抑え込むとともに、地方では地方官の権限を縮小して徴税監督機構(台使《だいし》)を設置し、自立的な地方勢力を支配下に置こうとした。他方で注目されるのは、建康を含む揚州を中心として王畿が設定され、国家儀礼が改革された(本巻の戸川論文参照)。これは江南を拠点とした華夷秩序の形成であり、正統なる中華王朝を江南に樹立しようとしたといえる(藤井 二〇一八:二四六頁)。

東晋時代は、基本的には亡命政権としての建前を外すことはできず、華北に残った漢人政権である前涼などは、当然、元に居た華北に戻ることを期待していた。それが宋朝の成立により、名実ともに建康を中華の中心とする帝国を築くことを目指すようになったと言える。

(c) 斉朝の成立

宋朝の最後は、皇帝が短期間に目まぐるしく変わり、宗室間の激しい権力争いによる内紛と報復が繰り返された。そこに台頭してきたのが、近衛軍団を掌握していた蕭道成《しょうどうせい》であった。

彼は四七九年、宋の順帝の禅譲を得て皇帝に即位し(高帝、在位四七九―四八二年)、新たな王朝を打ち立てた。劉裕と同じく寒門出身の武人であり、宋朝とほぼ同じような政治状況が続く。政治的に安定した期間はごく短く、すぐに宋朝末期のように宗室間の激しい権力闘争が繰り返された。とくに第六代東昏侯《とうこんこう》(蕭宝巻《しょうほうかん》。廃帝、在位四九八―五〇一年)は、次々と重臣らを抹殺するなどの暴政を繰り返し、それに反発する挙兵が何度も起こった。最後は宗室傍流の出身で、兄を誅殺された蕭衍《しょうえん》が、追い込まれるようにして襄陽で挙兵した(五〇一年)が、彼が長江中流域の軍団を率いて東昏侯の弟である蕭宝融《しょうほうゆう》(和帝)を擁立して建康に進軍すると、東昏侯は衛兵により殺害された(五〇二年)。そして蕭衍は、パターン通り、和帝から禅譲を受けて皇帝に即位した(梁の武帝、在位五〇二―五四九年)。

② 南朝(後期)――梁朝と陳朝

(a) 天監の改革

梁朝を開いた武帝は、貴族と良好な関係を保つことを心掛けつつも、沈約《しんやく》や范雲《はんうん》に代表される寒門出身者を宰相の位に就け、当時の年号を取って「天監《てんかん》の改革」と呼ばれる多方面にわたる制度改革を行ったことで名高い。とりわけ任官に際しては、従来通りの家格が勘案されたものの、官吏となるための教養を身につけるために、建康に五つの学館を興して、儒教の教養試験による人材の登用を始めた。また貴族の安定した就官につながっていた九品《きゅうひん》中正法(九品官人法《かんじんほう》）に手直しを加え、従来の官品表を整理して新たに官職を一八班に再区分した。これらの改革は、貴族ではない寒門・寒人層で才能のある人物に官を割り当てようとする狙いがあったと見られる。そのほか、梁律の頒布や国家儀礼・楽制の変革、さらには地方官に対して監察機能を強化するとともに租税の軽減等の方面において実績を挙げた。また、土《ど》断法《だんほう》を実施し、流民対策でも有効的な施策を実施したとされ、四八年の長期におよぶ彼の治世は、比較的安定した状況にあったと評価されている。

そもそも彼は当代一流の知識人であり、彼の時代は南朝で最も文化が繁栄した時期でもあった。『文選《もんぜん》』を編纂した昭明太子《しょうめいたいし》（蕭統《しょうとう》）は、武帝の長子である。また熱心な仏教崇拝者であったこともよく知られており、個人レベルだけでなく、国家レベルでの儀礼に仏教的な要素を取り込んでいる。たとえば、祖先祭祀の供物から肉類を取り除き、果物などに変更したことは、国家儀礼を支える儒教の原則を無視する大きな変革であった。

(b)　梁武帝期の国際関係

当該期の著名な資料として「梁職貢図《しょくこうず》」があるが、これは梁の武帝期における朝貢使節の姿を描いたものであり、作成当初には三五か国の使者が描かれていたと言われる。本資料作成の背景については、武帝の仏教による国際関係構築説（榎　一九八七）など多くの議論があるが、鈴木靖民は梁の国際秩序なり国際意識が、本巻で規定する東南アジア・南アジアを含むユーラシア東部の広がりのなかで形成されていたことに求めている（鈴木　二〇一四）。

そもそも南朝の東方・南方の海域世界との関係構築は、三世紀の呉の時代に遡る。江南と遼東半島、さらには朝鮮半島を結ぶ海上交流を活発化させたり、広州や交州を掌握することに努め、東南アジアや南アジアの諸国との関係を構築したりしたのも呉の時代からであり、南朝はそれを継承したところがあった。ただ鈴木が指摘するように、梁武帝の世界観を把捉するにはユーラシア東部全体の動向を意識する必要があるが、この点は次節で触れたい。

(c)　侯景の乱と梁の滅亡

五四八年に東魏の武将である侯景《こうけい》が梁に投降してきた。侯景の軍団には、その中核に六鎮以来一貫して率いてきた親衛隊が存在していたが、武帝はこれを受け入れた。結果として、侯景は反乱を起こし、都城の建康を包囲して陥落させ、遂に武帝は幽閉され没した（五四九年）。次いで、簡文帝（蕭綱《しょうこう》）が侯景により擁立されるが、長江中流域を拠点としていた蕭繹《しょうえき》（湘東王《しょうとうおう》）はその即位を拒絶した。その後、侯景は梁朝内で自ら政権を樹立するが、五五二年三月には蕭繹に仕えていた王僧弁や寒門出身軍人の陳霸《ちんは》先《せん》らに迫られて建康より逃れ、遂には部下に殺害されて乱は終結した。乱の終結前に蕭繹は、江陵で即位して元帝（在位五五二―五五五年）となっていたが、乱の終結直後（五五二年四月）には、蜀に拠る武陵王蕭紀が皇帝を称した。彼は吐谷渾を介した西方交易の利益をソグド商人と提携して独占し、軍備を増強していた。こうした武陵王に対して元帝は、西魏の力を借りて討滅したことから蜀の地を西魏に奪われた。その後も皇族同士の諍いと西魏・北斉の対立状況が複雑に絡むなか、西魏は江陵を陥れ、昭明太子の三男である蕭詧《しょうさつ》を担ぎ上げて梁（後梁）の皇帝（宣帝）とした。

五五四年、元帝が西魏と後梁の軍により殺害されると、建康では王僧弁と陳霸先により敬帝（蕭方智《しょうほうち》）が擁立されたが、北斉の介入を受けるなど政情は安定せず、陳霸先が敬帝から禅譲を受けて皇帝に即位し（武帝、在位五五七―五五九年）、ここに梁は滅亡した。ただ成立した陳朝は、わずかに長江下流域を統治する小国家に過ぎなかった。しかも政権の基盤は同盟により結ばれた、いくつかの有力な軍団により支えられた不安定なものであった。長江中流域には西魏・北周の傀儡政権である後梁が存続しており、北斉を併合した北周やそれを継承した隋の文帝が南伐の兵を起こすと、わずか三〇年余り、五八九年には建康は陥落した。

こうした状況を踏まえてみれば、侯景の乱と梁の滅亡は、実質上、南北両朝の抗争の最終的な趨勢を定め、隋唐帝国の形成という大きな歴史的画期を導くものとなったと言えよう。

iii　東晋・南朝の社会・経済の特徴

多くの概説書や論著（中村 二〇〇六ほか）に示されるように、華中〜華南には八王の乱や永嘉の乱を契機に、多様な階層にわたる漢人が華北より流入したが、こうした彼らを如何に受け容れてゆくかが、東晋政権の大きな政治課題となった。なかでも豪族に率いられ郷里単位で集団移住してきた漢人たちが多く存在しており、彼らは州郡県の編戸として担税層となることが期待された。しかし、当然のことながらこうした人々は一時的な寄寓地として意識していた江南で、東晋の編戸としてフルに課税されるのを忌避したので、東晋も彼らが元居た州郡県を移住先に仮設し、戸籍も一般の戸籍（黄籍《こうせき》）と異なる白籍《はくせき》に付けた。こうした州郡県を僑《きょう》州、僑郡、僑県と呼び、彼ら僑民を特別扱いせざるを得なかった。また北来の集団のなかには、既存の州県城などには居住せずに、その郊外に村などの自前の集落を作り、これを拠点として周囲の農地や山林叢沢に開発を進めたものがあった。

そもそも東晋に先立つ呉の時代より、江南の開発は進められていたが、東晋以降南朝期にかけて、それは次第に本格化してゆく。とりわけ都である建康よりその周辺に開発は広がり、旧来・新来を問わず多くの佃客《でんきゃく》・衣食客《いしょくきゃく》・部曲《ぶきょく》を擁する漢人貴族や豪族が江南開発をリードした。当時の東晋―南朝政権下の社会は、こうした漢人貴族や豪族が強勢をほこったが、その経済基盤は基本的に開発により補強された荘園制による大規模な土地経営にあった。そうした荘園に、新たに流れ込んでゆく漢人移住者も多かったと見られる。

当該期の政権と貴族・豪族の関係で言えば、その特徴として、①貴族・豪族の大土地所有や山林叢沢の占有を規制できなかったが、貴族と言われるものでも不輸権《ふゆけん》をもたず、荘園が課税の対象となっていたこと、②西晋から続く東晋―南朝の時期は、九品官人制による社会身分の階層化と固定化の進行を共有したが、南朝にあっては北防の必要から、貴族の支持を得た軍人による易姓革命が行われたものの、王朝の興亡と貴族の家門の興廃とは必ずしも連動しないことなどが挙げられている（丸橋 二〇二〇ほか）。

また経済面では、貴族・豪族らの荘園経営は、周囲の山林叢沢を囲い込んで広域にわたる自給的な閉鎖空間を作り上げ、自営農民の没落を促進した側面もあるが、他方で山林叢沢からの豊富な産品（鳥獣・果樹・魚介の自然資源や炭・紙・青磁などの加工品）を採取・貯蔵・加工する施設（屯《とん》や伝《でん》など）を通して管理・販売させ、江南の流通経済を発展させるとともに貨幣（銅銭）使用を促していたという。そのため銅銭需要を満たすため私鋳銅銭、さらには鉄銭を発行するまでになっている（藤井 二〇一八：二五一―二五五頁）。さらに、呉の時代に続いて国内ばかりでなく、東南アジア～インド洋海域との南海貿易などの新しい経済基盤づくりを諸政権において推進した点も、この時期の経済を活性化する一要因となった。

iv 古典文化の継承と江南（六朝）文化

東晋―南朝期の江南文化については、北朝から隋唐期の社会や東アジア各地域に深い影響を与えており、その見直しが始められている（妹尾 二〇一四）。書聖・王羲之《おうぎし》の『蘭亭序《らんていじょ》』や昭明太子の『文選』などが唐代で流行したほか、太宗の勅命で作らせた儒学の基本文献の注釈書『五経正義《ごきょうせいぎ》』も、南朝で仏教の影響のもとに発達した義疏学《ぎそがく》の影響を受けたものとされる。中華世界が再編されてゆくなかで、当該期において胡漢の別を超えた多様な人々によりハイブリッドな文化が生まれていたが、同時に漢人の伝統文化の継承者を自負する貴族が担った江南文化が、当該期の文化形成に一定の重要な地位を占めていたことは疑いない。

他方、当該期から隋唐におよぶ社会面の特徴として挙げられるのが「婦の強さ」である。本巻の下倉論文に示されるように、「男尊女卑」という儒家的なジェンダー規範が強固に踏襲されていても、たとえば婚礼儀式の場合、経書に書かれていることと現実の社会での実態とは相反する部分がある。このほか当該期の中国でうかがえる女性の「開放性」が、鮮卑を始めとする胡族社会と根拠もなく安易に結びつけられるなど、追究すべき課題が多く残されている。

胡漢の融合と新たな蕃漢体制の構築(隋唐)

i　中国の再統一と隋帝国の生滅

北周第四代宣帝(宇文贇《うぶんいん》、在位五七八―五七九年)の外戚であった楊堅《ようけん》は、静帝(宇文衍《うぶんえん》、在位五七九―五八一年)から禅譲を受けて皇帝となり(文帝、在位五八一―六〇四年)、隋を建国した。文帝は五八九年に南朝最後の皇帝となる陳叔宝《ちんしゅくほう》(在位五八二―五八九年)を捕らえて陳を滅ぼし、三国時代以降続いた南北分裂の時代に終止符を打ったが、彼の政治的立場や隋の中央・地方官制と法制・軍制の改革内容については本巻の辻論文に詳述されている。

六〇四年に文帝が急死すると、その次男の楊広《ようこう》が皇帝に即位した(煬帝《ようだい》、在位六〇四―六一八年)。彼の治世は、大土木事業(東都となる洛陽城の建設、大運河の開鑿、長城の修築)と頻繁な外征(六世紀中葉に台頭したトルコ系遊牧国家の突厥や高句麗・吐谷渾との戦い)がよく知られている。この結果、最大の版図と最大戸口数を記録している。とくに注目されるのは、文帝に続いて突厥を抑え込むとともに、北魏以来の念願であった吐谷渾を大きく衰滅させたことである。河西を越えてタリム盆地にまで、中原王朝で初めて直轄郡を設置しており、隆盛していた中央アジア地域に一撃を加えることができたが、他方でこうした大規模な外征や土木事業に関わる役務で人々が疲弊する状況のなか、全国土で反乱が頻発した。そうした混乱のなか煬帝は、六一八年に江都で部下に殺害され、隋は短期間で滅亡した。

ii　唐帝国の政治的展開

①　李淵の興起と唐朝創業

隋末の混沌とした時期に、太原《たいげん》を守っていたのが唐を創業することになる李淵《りえん》であった。彼は、六一七年七月に太原で挙兵し、わずか四か月で長安に入城し、翌年の五月には隋の皇帝から禅譲され、唐の初代皇帝(高祖、在位六一八―六二六年)に即位した。まだ各地には群雄が割拠していたが、唐は遊牧民の軍事力を借りるために突厥の可汗に臣属したほか、国内でも宗教勢力や匈奴・ソグド人などの諸集団と提携し(石見 一九八二、山下 二〇一四)、一〇年ほどの間に各地の割拠勢力を平定していった。そうした動きの中心にあったのが、李淵の次男、秦王李世民《りせいみん》である。

② 太宗の治世(貞観の治)

李世民は六二六年七月に玄武門の変を起こして兄の皇太子(李建成《りけんせい》)と弟を殺害し、即座に皇太子となったうえで第二代皇帝(太宗、在位六二六―六四九年)に即位した。注目されるのは、この時、秦王李世民の側近の一人で庫真となっていたソグド人の武力援助があったことである。この庫真あるいは親信は「家人《かじん》(家奴《かど》)」とともに皇帝の側近集団をなし、律令に規定された「公」の官員とは比較にならない親密な関係が皇帝との間で構築されていた。北魏の可汗皇帝以来、引き継がれた体制でもある。またこの太宗の治世は「貞観の治」と呼ばれその善政が称えられているが、政治的な安定と充実という観点からすれば、治世初期の段階で最大の敵国であった東突厥が六三〇年に滅亡したことは決定的に重要である。東突厥が滅びた諸因については種々考えられるが、最近では自然現象との関係に関心が注がれている。すなわち七世紀(六二六年)の火山爆発による噴火の影響(Jie et al. 2007)と、続く六二七―六二九年にわたる大雪・霜害、飢饉などの諸現象(片山 一九九六)である。この二つの自然現象の関係はなお不明瞭ではあるが、東突厥滅亡と自然環境変動との連関性について今後、十分な検討が求められる。なお太宗の政権は、「関隴集団」と称されてきた勢力、特に「八柱国《はっちゅうこく》・十二大将軍」家が排他的に政権中枢部を構成していたとする見解が取られることがあったが、近年ではそもそも「八柱国・十二大将軍」家というのは唐初に作られた後付けの創作物であったこと、さらに太宗は関隴系・山東系・南朝系など出身氏族を問わない幅広い人材を受け容れた普遍的体制を指向していたことが指摘されている（山下 二〇〇二）。

③ 高宗・武周期における帝国領の拡大と縮小

太宗の後を継いだのは、第三代皇帝の高宗（李治《りち》、在位六四九―六八三年）であった。早く（六五七年頃）より皇后である武曌《ぶしょう》が朝政に臨んでいたが、後に見るように高宗の治世期に、唐の版図を最大限に拡大した。とりわけ西突厥が滅亡するとともに、西北インドの罽賓《けいひん》（時代により指す地域が異なり、唐代の罽賓はカーピシー／カーブル辺りを指すことが多い。ただ罽賓の地域比定は個々の史料ごとに逐一検討しなければならない問題なので、以下、とくに断らない限り、本論ではガンダーラ・カシミールからカーピシー／カーブル辺りを指す語としておきたい。詳しくは第五巻の拙論を参照）辺りにまで羈縻府州《きびふしゅう》を置いている。この間、並行して朝鮮半島でも顕慶《けんけい》五年（六六〇年）に百済を滅ぼし、その旧域に熊津都督府《ゆうしんととくふ》を設置し、さらに龍朔《りゅうさく》三年（六六三年）四月には新羅の版図に鶏林州都督府《けいりんしゅうととくふ》を設置している。同年一〇月には白村江の戦いにより唐・新羅の連合軍が、倭国と百済遺民の連合軍を破るとともに、高句麗に対しても攻撃を激化させていた。

六六六年に久方ぶりに敢行された封禅《ほうぜん》の儀（天地に帝王の即位を知らせ、天下太平を謝する報天祭儀《ほうてんさいぎ》）は、多くの外国の使節を参加させているが、こうした新たな中華世界の広がりを可視化し、それを誇るものであったと考えられる。しかしながら六八三年の高宗没後、急速にモンゴル高原や中央アジアに対する唐の支配情勢が悪化していった。突厥の復興とチベットの吐蕃帝国の中央アジアへの進出、突騎施《テュルギシュ》の台頭などが起こり、支配の要となっていた草原地帯に設置していた都護府《とごふ》が消失していく。この間、政治的には李顕《りけん》（中宗）と李旦《りたん》（睿宗《えいそう》）が皇帝位を継いでいたが、高宗の皇后である武曌（武則天）が、六九〇年に皇帝位に就いた。自ら聖神皇帝（在位六九〇―七〇五年）と称し、国号を周に改め、唐朝を中断させた。また女性であることから、皇帝の権威を発揚させるため男性中心の儒教ではなく仏教を重視したとも言われる。ただし中央アジアにおよぶ全領域の州府に大雲寺の建立を徹底させ、太宗などと並んで最上の転輪聖《てんりんじょう》王《おう》である「金輪王《こんりんおう》」を自ら称する一方で、儒教的称号を敢えて冠し、「天冊金輪聖神皇帝」として封禅の儀(六九五年)に臨んだことに注目しておく必要がある。

④ 玄宗期の政治動向

七〇五年に武則天が没すると、中宗(在位七〇五—七一〇年)が復位して唐を復興したが、七一〇年に彼が韋后《いこう》に毒殺されると、武則天の孫である李隆基《りりゅうき》はクーデターで皇后一派を一掃し、父の睿宗(在位七一〇—七一二年)を復位させた。程なくして李隆基が父を継いで皇帝位(玄宗、在位七一二—七五六年)に就いた。長期にわたる治世のうち、前半の開元《かいげん》時代は善政を施し、開元の治と称えられた。

先述したように、高宗没後には北方草原世界に対する支配を消失し、辛うじて中央アジアに点在するオアシスを保持する状況に陥っていたが、玄宗はこれに対して中央アジアに駐留する軍隊の人馬を増強した。そのために、こうした駐留軍を維持する必要から、国庫を傾けて莫大な量の軍需物資を毎年送り続けることになった(本章四〇—四一頁参照)。

また唐の制度の基盤となっていた律令に基づく給田制、課役制、兵制などが機能不全に陥ってくると、特に担税層を成す百姓の把握や税制および軍制面で、唐後半期の統治体制を規定してゆく諸改革を断行した。しかしながら、玄宗の治世晩年には楊貴妃とその一族、とりわけ楊国忠《ようこくちゅう》(?—七五六年)を周りに侍らすと、同じく玄宗に寵愛されていた安禄山《あんろくざん》と鋭く対立するようになり、遂には安禄山や史思明《ししめい》が反乱を起こすことになった。この反乱は「早すぎた征服王朝」と評されることもあるほど、大きな時代的分岐点となった(森安 二〇〇二：一五七—一六三頁)。これを契機に、すでにタラス河畔の戦い(七五一年)でイスラーム勢力の圧迫を受けていた唐は、中央アジアから完全に撤退することになる。

iii 隋唐帝国の国制・社会

① 中核となる軍事力

隋唐国制の底流に認められる『周礼』の影響については、本巻の辻正博論文に詳述する通りである。また佐川論文では、均田制・都城制を取り上げ、これら制度のなかに北魏本来の遊牧的要素に由来する性格が多く残されていることを明示している。唐の軍制についても辻論文で論じられるが、兵力の供給源という点では、曹魏《そうぎ》以来、兵戸に依存してきた体制が、隋唐代に編戸農民からの軍役徴発に頼る体制に移行していったとするのが通説的な理解である。一般的には府兵制として知られる兵制への移行であり、その制度の淵源を前掲の西魏・二十四軍とその兵力基盤となる軍府制に求めることが多い。これに対して平田は、府兵制という概念は唐代後半期になって虚構性を伴いながら初めて成立し、宋代で大いに喧伝されて今日に及んでいることを看破している(平田 二〇〇二)。また注目すべきは、唐代「府兵制」を支える軍府(折衝府)が、唐に服属した遊牧部落民の「羈縻州」に設置されていたことである(森部 二〇〇二:七八—八六頁、平田 二〇二一:五〇八、五四九頁。ただし「羈縻州」については後掲四九—五三頁参照)。この事実を踏まえ、平田は西魏に始まる軍府の設置が基本的に同心円的拡大を続け、唐代にはユーラシア東部に広く展開したこと、また「府兵制」が編戸民からの軍役徴発だけでなく、従属関係に基づく人的関係を基盤とした面を保持しており、そこに遊牧世界特有の組織原理が働いていたことを主張する(平田 二〇二一:五五三—五五七頁)。

また遊牧部落民の「羈縻州」が有する兵力を束ねていたのは「蕃将《ばんしょう》」と呼ばれる武将であったが、彼らは当初、皇帝直属の親衛軍である北衙《ほくが》禁軍《きんぐん》の将軍号を授与され、皇帝と密接な関係を結ぶかたちで唐朝に取り込まれていた(林美希 二〇一七)。そもそも唐皇帝の親衛軍は、先の二十四軍制にも見える親信・庫真といったケシクテン的側近などの統轄・指揮を受けていたという(平田 二〇一四)。こうした親衛軍に限らず、唐帝国の軍事力の主力として遊牧軍制に支えられた蕃兵軍団が存在し、行軍時に臨時的に召集される兵募(辻論文参照)とともに、帝国の領域拡大活動や辺境防衛を支えた。北魏以来、胡漢融合が進む方向性とは別に、六世紀頃より台頭してきたトルコ系遊牧勢力を取り込むことにより(山下 二〇一一)、皇帝支配のもと「蕃漢の百姓」による新たな蕃漢体制が構築されていったのである(本章第三節のⅲ五二頁参照)。

② 皇帝号と天可汗号の併称

基本的には、唐帝国は州県制に基づく皇帝の一元的な支配体制を取ると同時に、既に述べたように遊牧部族民の軍事力に依存する体制を改めて構築した。それは太宗・高宗期に北方遊牧世界の覇者ともなった唐帝国にとって至極当然のことでもあった。

もちろん隋室楊氏《ずいしつようし》・唐室李氏《とうしつりし》は、漢人門閥を標榜して、中国の皇帝として統べているが、太宗は中華世界(天下)を拡大した結果、可汗を君主に戴く遊牧国家の民から天可汗の号を贈られた。それ以降、唐前半期にあっては唐のトップリーダーは、皇帝号とともに天可汗号を併せ持っていた。皇帝は漢人に対しては天子として、また北アジア・中央アジアの民に対しては天可汗として君臨していたのである。

これが唐帝国により完成する新たな中華世界を象徴するものであった。モンゴル高原や中央アジア、東北アジア、ベトナムにまで都護府《とごふ》を設置して支配を拡大し、それまで行われていた統治を実質上、容認しながらも、形式の上では各地の君主を皇帝のもと州府を統治する臣下として組み込んで行く体制を取っていった。新たに組み込んでいった勢力の族的秩序を保持させながら、形の上では皇帝支配下の州府としていたのである。ただし唐が支配する中央ユーラシアの草原・高原地域には、チベット地域は最初より加えられておらず、やがて七世紀末にはモンゴルや天山以北の草原地帯から、北庭を除く唐の都護府が撤退するにいたった。ここに唐はチベットと北方遊牧勢力を隔てるタリム盆地周縁のオアシス国家を、安西都護府《あんせいとごふ》のもと唐の軍隊が駐留する州府として死守する必要があった。この点については、唐の帝国支配の構造問題とも関わるので後で改めて述べたい。

iv 隋唐期の社会・経済

① 州県郷里体制に基づく戸籍による管理と本貫地主義

隋による州県制の確立以降、とりわけ唐前半期において州県郷里体制に基づく戸籍による管理が、地域的な偏差を伴いながらも強力に推進されていった。唐代には全部で三一五(三一六)州が置かれていたが、基本的には州のもとに二―五県ほどが属し、さらに規定では県ごとに郷と里が置かれ、一郷は五里(五百戸)。一里は百戸)から成る。ただし、郷里はあくまでも人為的に設定された行政区画であり、自然に形成された集落(城・村など)とは異なる。トゥルファン出土文書で見ると、唐が設置した西州では唐中央から下達される符《ふ》については県から郷に下されているが、日常的な案件などは郷名ではなく、城の責任者(父老・城主など)に対して県の指示が下達されていた。トゥルファンでは唐支配以前の高昌国《こうしょうこく》で領内に点在する二四城邑を単位とした支配体制が取られており(荒川 一九八六)、唐の郷里制と言っても実態は従来の統治システムを継承していた側面が認められる。戸籍は、毎年、里単位に里正が手実を提出し、それを郷ごとにまとめて県で戸籍が作成されるのが制度上の建前であるが、トゥルファンでの実態は西州属下の五県が領内二四城邑の戸口データを戸籍にまとめていた可能性が高い。

唐では、こうした編籍《へんせき》主義のもと在地の良民を百姓として掌握していた(山根 二〇〇七)。彼らは唐の担税層となっていたため、容易に戸籍や帳簿から外れて州県外に移動することは困難であった。これを本貫地《ほんがんち》主義という。したがって、後にこの体制による管理が弛緩してくると、逃戸《とうこ》と呼ばれる戸籍から外れた百姓が多く登場し、大きな問題となっていた。八世紀初めの宇文融《うぶんゆう》による括戸《かっこ》政策により、逃戸は寄住している州県であらためて客戸《きゃっこ》として編籍された。

他方、唐では商人などは農工民と同様に州県郷里の戸籍に付けられていたが、当初より交易や従軍などで移動を余儀なくされている人々には移動を認め、特別に本貫となる州県ではなく、他の州県の客籍民《きゃくせきみん》となることが公認されていた（荒川 二〇一〇：三四三頁）。これには行客《こうきゃく》という肩書が与えられていたことが知られており、前掲の客戸とはまったく異なった存在である。ただし、この商人の移動を保証していたのは、国家が発給する過所《かしょ》と呼ばれる通行証であった。地方では州・都督府と都護府が発給権限を有しており、審査のうえ国家が認定するものに対して過所は与えられた。特徴的なのは、この通行証は外国商人にも同じように発給されていたことである。ユーラシア東部において、州府体制の拡大により中華世界を新たに構造化していた唐帝国の支配体制とも関わる問題であり、後で改めて述べたい。

② 課役徴発と財物輸送

唐の基本税役は、租・調という物納と正役《せいえき》という労働力の供出（労働力を絹布で代納したものを庸《よう》という）から成っていた。したがって、本来これを租調役と呼ぶのが適切であるが、開元二〇年（七三二）を前後して、百姓からの正役・兵役徴発はほとんど停止され、庸物の代替納入が一般的となって租庸調という世界史教科書にも見える表現が定着した（渡辺 二〇〇九：四五三—四五五頁）。渡辺によれば、力役供出の柱となる正役は州の管轄領域外で行われる労働とし、その多くは租庸調として収取した租賦税物の輸送であったこと、さらにその租賦税物を供出する州（一四二州）とそれを免除されている辺州《へんしゅう》（一七四州）があり、両者の間には機能分担がなされていたという。すなわち、供出州で徴収された租賦税物が、首都へ貢納されるとともに、特定の都督府を中継地として辺州に財物が軍需物資や行政費として振り向けられていたのである（渡辺 二〇〇九：四三〇—四四四頁）。

唐前期におけるこの財政運用により、河西・中央アジア地域の支配を確保するために、毎年、税物が西北辺に送られ続けていたが、それが開元期以降になってくると駐屯する軍兵の増強とその養兵費用の急増のために膨大な数量の庸調絹布が毎年、必要となった。河西の涼州都督府を中継地として輸送された庸調絹布の主体は練《ねりぎぬ》や生《き》絹《ぎぬ》で、主に河《か》南道《なんどう》や剣南道《けんなんどう》で徴収された絹帛《けんぱく》が大半を占めていたと見られる。具体的な量としては、八世紀の天宝年間で河西地域を含めると五四〇万疋《ひき》に達する。年間の庸調の国家収益が二五〇〇万疋余り、そのうち長安・洛陽以外に振り向ける庸調の布帛は一三〇〇万疋であったので、地方に回す庸調布帛の半数近くは、中央アジアを含む西北辺に毎年振り向けていたことになる。この段階になってくると、中継点から先の輸送にも、徭役ではなく客商に依存した運搬が主流となっていった(荒川 二〇一〇：四七七―四九二頁)。

この大胆な周辺域への税物輸送の体制は北魏に淵源を有し、唐代に引き継がれたものであるが(渡辺 二〇〇二：三一四頁)、唐前半期とりわけ開元・天宝期は、そうして送られる大半の税物が中央アジア・河西を死守するための「西北経営」に注ぎ込まれたと言える。

③ 均田制の施行と中国内地の社会

本貫地主義の体制は、州県郷里制に基づく戸籍による百姓の管理を前提に成立していた。建前的には均田制に基づいて施行される国家の田土《でんど》還授《かんじゅ》のシステムが、戸籍に付けられる百姓の生活を保証し、それによりこの本貫地の体制が安定的に維持された。

均田制は北朝期を経て隋に受け継がれ唐で整備されたが、田土占有限度額を規定しつつ、それぞれに提供できる労働力に応じた土地所有を実現させ、効率的に土地生産力を上げることが目指されていた。実際にもトゥルファン文書の存在から、田令《でんれい》の規定額には遥かに及ばないものの、公権力による一定基準に基づく給田と退田(田土の返還)が実施されていたことが明らかにされている(西嶋 一九五九等)。さらに敦煌文書の分析からも、均田農民を対象にした田土の給授が県を単位として実施されていたことが知られる（土肥　一九八三）。土地売買の契約文書も、唐前半期においてはトゥルファン・敦煌では作成を確認できない。

中国内地における均田制施行の実態は明らかではないが、法規（田令）通りではないとしても、各地の状況に応じた何らかの給田基準に従って、田令規定額を全く充たさない貧下の戸に対して田土の還授を実施していた可能性は高い（土肥　二〇一七）。少なくとも華北では均田制の施行により多くの小農が確保され、他方で富豪層や官人らの土地経営は極力抑えられていたと見られるのである。

④　在地社会における小農の生活実態

実際に出土した戸籍関係文書のデータによれば、大半の戸は八等戸《はっとうこ》と九等戸《きゅうとうこ》（財産評価により戸が九段階にランク分けされる戸等のうち最低戸層）で占められているのが実状である。戸等の決定は各県において実施されており、西州都督府下の蒲昌県では、六等戸ともなると複数の奴婢や牛馬などを有する富裕戸であった。その数はおよそ一郷でも数パーセントにも満たない状況であった（池田　一九七九：六八頁）。ただし戸等は公課負担の軽重とも直結するので、その決定には各戸と県役人との激しい駆け引きがあった。

また大半を占めることになる最下層の八・九等戸は、推測されている敦煌百姓の生活モデルからすれば、その生活は自作農業だけでは十分な水準を確保できず、それ以外の経済的な補塡（小作や雇用労働など）を常に必要としていた（菊池　一九八〇：一二七―一三四頁）。この敦煌の例をどこまで一般化できるか知る由もないが、少なくとも華北で狭《きょう》郷《きょう》と言われる地に定居する小農の実態に近いものであろう。

三、ユーラシア東部のなかの中華世界の再編

ユーラシアサイズの視点に立脚すると、西トルキスタンからインドにおよぶ地域はユーラシア東部と西部が重なる境域地帯であり、ここが一つの政治権力により広域的に支配されることは稀であった。中華世界が再編された当該期は、それが成立した数少ない時代であり、中央ユーラシアの草原地帯とともに、この地域は短期間ながら「新たな中華」の帝国領を構成してゆく。本境域出身のソグド人が当該期の中国の政治・軍事・社会・経済・文化・宗教面に大きな影響を与えてきたことも見逃せない（森安 二〇〇七：八八―一三六、三一二―三四三頁参照）。紙幅の関係もあり、ここではユーラシア東部から見た中華世界再編の「姿」を、政治・経済・宗教の側面に絞って捉えてみたい。

唐帝国の構造と中華世界の「姿」

i 洛陽遷都の背景

北魏の洛陽への遷都は、中国北部で部族的秩序を克服し、「新たな中華」王朝の建設へ向かう動きを象徴するできごとであった。ただ北魏が平城を離れ洛陽遷都に踏み切るためには、ユーラシア東部西端に当時生起した政治変動を無視することはできず、それに対処する必要があった。すなわち強力な遊牧国家エフタルの出現である。

エフタルの出自については、学界において長い間、論争が闘わされてきたが、今では彼らがアルタイ方面より移動してきたフン（匈奴）の一派であることが研究者間に浸透しつつある（Balogh 2020）。彼らフンが西トルキスタンに移動してきたのは四世紀の半ば頃とされ（ドゥ・ラ・ヴェシエール 二〇一九：八〇頁）、キダーラ・クシャーン政権を経たのち、五世紀半ば頃にエフタル（漢籍に言う嚈噠《ようたつ》、挹怛《ゆうたつ》、白匈奴《はくきょうど》など）が勃興している。

先に見たように、北魏は五世紀前半の太武帝期より長い間、北は柔然、南は南朝に挟まれる状態に置かれ、西の吐谷渾や東の高句麗などもその地理的な位置から、それぞれ柔然と南朝を結びつける役割を果たしていた。これに対して太武帝は、太延元年(四三五)に「西域」に「使者二十輩」を、さらに続けて太延二年(四三六)にも「西域」に「遣使六輩」と「高麗、東夷諸国」に「使者十余輩」を派遣し、積極的な外交施策を展開している。その結果、北魏は高句麗との関係を修復し、南北勢力が東方でつながる脅威を取り除いたが、西の吐谷渾は紆余曲折はありながらも結局は北魏と敵対し、柔然と南朝との連携を取り計らう危険な存在となり続けた。

こうしたなか、先に見たように五世紀中葉頃にフン族のエフタルが台頭し、イラン(サーサーン朝)と鋭く敵対するとともに、インドに進出してグプタ朝を圧倒し、さらには中央アジアへ進出してゆく強大な国家を形成していった。こうしたエフタルの登場により、支配領域内の交通の安全が確保されたことから、これを「エフタルの平和」と呼ぶこともある(吉田 二〇一一:二五頁)。とりわけ、東方では早くも四五六年の段階で北魏に対して使節を派遣していたが、後には柔然とも通じたばかりか、婚姻関係を結んでいたことが伝えられている。北魏にとっては、このエフタルが柔然・吐谷渾・南朝の包囲網ラインに深く結びつくようになる状況を、何としても阻止する必要があった。

時に柔然は、五世紀半ばにトゥルファンに高昌国が建国されて以降、このオアシス国家を支配下に置いており、匈奴と同様に、ここを中央アジア経営の重要拠点としていた。それだけでなく、高昌国は柔然が諸外国とつながるうえで、結節点としての機能を提供していた。このことは、トゥルファン文書(「闞氏《かんし》高昌国永寧九年・十年(四七四・四七五)送使出人・出馬条記文書」97TSYM1:13-4,5v)に具体的な状況を示す文書がある。文書の分析から、柔然と諸外国との使節の往来に際して、柔然支配下の高昌国が諸使節を送迎していたことが確認できる(栄 二〇〇七)。この使節のなかには、南朝の宋(呉客《ごきゃく》)だけでなく中央アジアの国家(焉耆《えんぎ》 Karashahr や子合国《しごうこく》 Karghalik)、および西北インド(烏萇《うちょう》 Uddiyāna)やインド(婆羅門《ばらもん》)の諸国までが含まれていた。まさにエフタルの勃興期に柔然と中央アジアおよび西北インドやインド本体、さらには中国の南朝が活発に交流しており、その柔然の窓口としてトゥルファンが機能していたのである。柔然の後に中央アジアを支配した突厥の可汗に向けて、インドから僧侶が送られていたのも、そうした交流が突厥勃興後も継続していたことを示している。

河西を押さえていた北魏が孝文帝期に、柔然と吐谷渾およびエフタルとの連携を阻止するために、高昌国を支配下に置くことを図ったことは十分に考えられる。結局、柔然のトゥルファン支配に打撃を与えたのは、四八五―四八六年の柔然の支配下にあったトルコ系遊牧国家の高車の反乱・自立であり（四八五―四八六年）、この過程でトゥルファンは柔然に替わり高車により支配されることになった。この時、高車王であった阿伏至羅《あふくしら》は太和一四年（四九〇）にソグド商人の越者（Warč or Wātč）を孝文帝のもとに送り、柔然に対抗する提携関係を結ぶことを申し出ている。

この結果、北魏は阿伏至羅の高車と提携して、柔然と諸外国との連携構築の体制に楔を打ち込むことに成功した。これにより柔然の中央アジア進出は頓挫し、南朝・吐谷渾との連携ばかりか、エフタルとの提携もその芽は断ち切られた。四九四年に北魏が洛陽へ遷都するに際しては、北魏の北辺に並置された六鎮を柔然に対する防衛拠点として強化したばかりでなく、高車と提携して柔然からトゥルファンを奪い、柔然と南朝・中央アジアの提携ラインを断ったことも、遷都を挙行する環境を整えるうえで重要なポイントとなったと見られる。

ただ洛陽遷都後、柔然はトゥルファンの覇権を取り戻し麴氏《きくし》高昌国（五〇一―六四〇年）を建てさせたが、再び高車がその支配を奪取するなど、両者はトゥルファンを巡って火花を散らした。こうしたなか、高昌国は北魏に内附《ないふ》しその冊封を受けることになる。北魏宣武帝が高車王の弥俄突《やがとつ》に下した詔（五〇八年一〇月以降）には、「蠕蠕《じゅじゅ》（柔然）・嚈噠（エフタル）・吐谷渾（および南朝）が往来するにあたっては、路はすべて高昌国（トゥルファン）を経由している。今回、高昌国が北魏に内附したので、柔然が吐谷渾へ通ずる道は断たれた。よって高車王の弥俄突は高昌国と共に警戒して、柔然が高昌国を侵さないようにさせよ」（『通典』巻一九七　高車伝ほか）と書かれており、高車王に対してくれぐれもトゥルファンを柔然に取られないように訓告している。

先に見た、同時代における梁武帝とエフタルとの濃密な外交関係や建康を中心とした天下観も、洛陽に遷都した北魏孝文帝や宣武帝政権の中央アジア情勢を睨んだ前述の施策や動向と密接に関係して構築されていたと見てよい。

六世紀は草原地帯を中心に中央アジア地域が隆盛化した時代であり、匈奴の撤退後に中央アジアへ進出したクシャーン朝が三世紀に衰亡して以降、これほどこの地域が活性化したことはなかった。ユーラシア東部におけるエフタルの存在感がきわめて大きくなっていたのである。エフタルは、西のペルシアや南のインドにも圧力を加え、大きな政治勢力として存在していたが、こうしたエフタルを挟撃して衰退させたのが、ペルシアと手を組んだ突厥であった。すなわち突厥が六世紀半ばに勃興し、サーサーン朝と協力してエフタルを撃退すると、今度は突厥がエフタルに替わり西トルキスタンからアフガニスタン(罽賓)辺りまでを押さえながら、中央アジアを支配した。ジナグプタの伝記(『続高僧伝』巻三 闍那《じゃな》崛多《くった》伝)のなかに、五五五年にガンダーラを出発した彼がトハーリスターンのエフタルの王庭で「時難」に遭遇したという記事があり、これが突厥木杆可《もくかんか》汗《がん》によるエフタル攻撃に対応するとみなされている(桑山一九九二:四二一頁)。こうした状況に、北魏以降の諸政権は、常にモンゴル高原だけでなくパミールの東西にわたる中央アジア地域の状況を注視し、それに対応せざるを得なかった。当該期の「新たな中華」王朝の創設は、遊牧国家がモンゴル高原からパミール以西におよんで隆盛を誇る状況のもとで進められたのである。

ii 唐のパミール以西地域の州府化

隋の文帝期に東西に分裂した突厥は、その東方部(東突厥)は唐の太宗期(六三〇年)に衰滅したが、投降してきた突厥の諸部族に対して唐は都督府と州を設置していった。いわゆる羈縻府州である。これと並行して、太宗は中央アジアの征服に乗り出しており、ハミ(伊吾国《いごこく》、六三〇年)、トゥルファン(高昌国、六四〇年)等のタリム盆地周辺のオアシス諸国を征服していった。この時、トゥルファンの征服時点で安西都護府が設置され、漢代の西域都護による西域支配を再現することになった。さらに都護府はモンゴル高原にも設置されていった。すなわち、鉄勒《てつろく》諸部の討滅と投降に合わせて、モンゴル高原に拠る遊牧国家の中心地であるウチュケン山に燕然都護府《えんぜんとごふ》(貞観二一年〔六四七〕)が置かれ、都護バリク(城)が造られるとともに、著名な「参天可汗道《さんてんかがんどう》」と呼ばれる貢道《こうどう》(駅道)と駅が設置され、都護府と長安とを結ぶ公的ルートが整えられた。

さらに突厥の西方部(西突厥)については、唐はクチャ(亀茲)討滅(六四八年)後に西突厥を実質的に屈服させ、その中心地である砕葉《さいよう》に軍鎮を駐留させたほか、高宗の永徽元年(六五〇)にはソグディアナのサマルカンドに康居都督府《こうきょととくふ》を置き、パミール以西に初めて唐の州府を設置した。この状態は、阿史那賀魯《あしながろ》によって大きく乱されるが、乱が終結した顕慶三年(六五八)には、天山以北の草原地域に濛池都護府《もうちとごふ》と昆陵都護府《こんりょうとごふ》が設置された。都護は遊牧民の可汗が兼任する名目的なものではあるものの、天山以北を貫通する貢道(駅道)が同様に整備され、これも都護府と長安を結ぶ役割を有していたと見られる。

高宗は、同時に吐火羅道置州県使《とからどうちしゅうけんし》の王名遠《おうめいえん》を派遣し「吐火羅道」(トハーリスターン)方面の現地情報を収集させるとともに州府の設置を行った。ただそれらは西突厥の反抗により中断され、六六一年に改めて州府が設置された。具体的には以下のようであり、主にアムダリヤ流域周辺からヒンドゥークシュ山脈辺りにおよぶ地域を対象としている(宮本 二〇一五:六〇—六四頁、Miyamoto 2019 など)。

1. 月支都督府《げっしととくふ》 遏換城《あつかんじょう》(Qal'a-ye Zal 吐火羅国《とからこく》の治所、以下「治所」の語は省略)
2. 太汗都督府《たいかんととくふ》 活路城《かつろじょう》(Baghlān Ghōrī 嚈噠部落《えんたつぶらく》)
3. 條枝都督府《じょうしととくふ》 伏寶瑟顛城《ふくほうひつてんじょう》(Ghazni, Zābulistān 訶《か》達羅支国《たらしこく》)
4. 天馬都督府《てんばととくふ》 數瞞城《すうまんじょう》(Shūmān 解蘇国《かいそこく》)
5. 高附都督府《こうふととくふ》 沃沙城《ようさじょう》(Khuttal 骨咄施国《こっとつしこく》)
6. 修鮮都督府《しゅうせんととくふ》 遏紇城《あつこつじょう》(Kāpiśī 罽賓国《けいひんこく》)

7. 写鳳都督府《しゃほうととくふ》　羅爛城《らランじょう》(Bāmiyān 帆延国《はんえんこく》)
8. 悦般州都督府《えつばんしゅうととくふ》　鬒城《えんじょう》(Chagāniyān 石汗那国《せきかんなこく》)
9. 奇沙州都督府《きさしゅうととくふ》　遏蜜城《あつみつじょう》(Gūzgān 護時犍国《ごじけんこく》)
10. 姑墨州都督府《こぼくしゅうととくふ》　怛没城《たつもつじょう》(Termez 怛没国《たつもつこく》)
11. 旅獒州都督府《りょごうしゅうととくふ》　摩竭城《まけつじょう》(?　烏拉喝国《うらかつこく》)
12. 崑墟州都督府《こんきょしゅうととくふ》　低寶那城《ていほうなじょう》(Tālaqān 多勒建国《たろくけんこく》)
13. 至抜州都督府《しばつしゅうととくふ》　褚瑟城《ちょひつじょう》(Khumedh 倶蜜国《ぐみっこく》)
14. 鳥飛州都督府《ちょうひしゅうととくふ》　摸逵城《ばくきじょう》(Wakhkhān 護蜜多国《ごみったこく》)
15. 王庭州都督府《おうていしゅうととくふ》　歩師城《ほしじょう》(Qubādiyān 久越得犍国《きゅうえつとくけんこく》)
16. 波斯都督府《はしととくふ》　疾陵城《しつりょうじょう》(Zarang〔アフガニスタン南西部〕波斯国《はしこく》)

この復置のタイミングは、滅亡したサーサーン朝の亡命王子であるペーローズ(卑路斯)が同年に高宗へ軍事救援を要請していたことに基づいたものと見られ、結果としてペーローズは当地の州府の一つである波斯都督府の都督に任命されている。この州府設置が、エフタルや西突厥の支配領域であったパミール以西の故地を唐が押さえようとしたものであると同時に、変動するユーラシア西部の政治情勢に対応するものであったことがうかがえる。

これらの州府は、タリム盆地を管轄していた安西都護府が統括することになり、ここに唐の西域経営の対象がパミール以西の地域にまで拡大したことになる。漢代の西域経営も、第五巻の拙論で論じたように西北インドを含めたパミール以西の諸地域との結びつきを強固にするものであったが、その体制が唐代にはより明確なかたちで構築されたと言えよう。

高宗期には、こうした西・北方面の都護府と州府設置を踏まえて、東北(河北道)方面においても安東都護府《あんとうとごふ》(総章《そうしょう》元年〔六六八〕に高句麗を滅ぼして平壌に設置。この後、上元三年〔六七六〕に遼陽に移設、儀鳳《ぎほう》二年〔六七七〕には新城〔遼寧省撫順市〕に移転するなど置廃を繰り返した)が、また東南アジア(嶺南道)方面においても安南都護府《あんなんとごふ》(調露《ちょうろ》元年〔六七九〕に交州を安南都護府に改称し、ベトナムその他の南方諸国を統轄)が置かれ、都護府と「羈縻府州」の体制が整備された。

いずれの都護府も、都護府の治所から長安まで貢道(駅道)が延びていたと見られるが、後述の安西都護府での事例から明らかなように、都護府は地理志に言う羈縻州から入境してくる際の窓口になっていたと見られる。ソグド商人などは、正式な使節員ではなく個々の商人でも、長安までの通行証(過所)が都護府で発給されていた(荒川 二〇一〇：三五六頁)。

既に先に述べたように、唐は、中国内の直轄地を越えた地域をも州府支配の体制を拡大することによって組み込み、中華世界を新たに構造化していたが、その体制は「遠夷《えんい》」と呼ばれるような地域にまで及んでいた。この問題については、既に多くの議論がなされているので、以下、あらためて考えてみたい。

iii 内地・都護府管轄州府と遠夷の体制

唐の帝国支配の構造については、古畑徹が渡辺信一郎を始めとするそれまでの議論を踏まえて、唐の帝国支配の秩序として「内」と「外」、そして「内」「外」の二重性をもつ中間ゾーンという三重の構造があったことを提唱している。「内」「外」の二重性をもつ中間ゾーンというのは、古畑が提唱する二つの指標(貢納・租賦と元会《げんかい》儀礼における上計吏・朝集使派遣の有無)を基本に「内」と「外」を分別し、そのうえで「内・外」の要素が二つながら認められる地域のことを指している(古畑 二〇一三：五一九―五三三頁)。また、この中間ゾーンというのは、これまで羈縻州と呼んできたものと重なるが、羈縻州と言っても一枚岩ではなく、内地羈縻州と外地羈縻州に分けて理解すべきことが言われている(石見 一九九五)。

これに対して最近、これまでの羈縻州の理解を大きく塗り替える見解が西田祐子により提出されている(西田 二〇二二)。西田はこれまでの我々の唐の羈縻政策や羈縻州の理解は、北宋期に編纂された『新唐書』地理志の記事に引きずられたものであり、羈縻州とは唐朝との明確な支配関係が確立していない、西南夷のような叛服常ない状態の州を指したという。従って、トルコ系遊牧民部落のような皇帝に臣属した状態の州は羈縻州とは言えないことになり、西田はこれを「蕃州《ばんしゅう》」と捉える。

ただし羈縻州については、『大唐六典』尚書戸部巻三に「凡天下之州府三百一十有五、而羈縻之州、蓋八百焉」と見え、同史料によればこの膨大な羈縻州は天下の三一五州府に含まれる特定の州府(都護府・都督府・州)を通じて管掌されていた。八世紀前半段階では、羈縻州を管轄する州府は以下のように記録されている。

① 都護府　安西・北庭・安東・安南

② 都督府　夏州府・霊州府・原州府・慶州府・延州府・秦州府・鄯州府・涼州府・西州府・幽州府・営州府・広府・桂府・容府・邕府

③ 州　洮・甘・宕・岷州(隴右道)、丹州(関内道)、嵐・虢・忻州(河東道)、襄・均・房・商州(山南道)、姚・茂・静・文・悉・松・維・当・拓・翼、黎・戎・瀘・嶲州(剣南道)

前掲『六典』には、天下の三一五の州府とは別に「遠夷」として唐に「貢献」してくる国家(朝貢国)が挙げられているが、先述の内地羈縻州というのは①―③に挙げた州府が管掌する羈縻州に、また外地羈縻州というのは「遠夷」に設けられた羈縻州にほぼ相当する(古畑 二〇一三：五二五頁)。前掲の西田の見解に従えば、唐の羈縻州は③に一部(西南地域)含まれる以外は、外地羈縻州を指すことになろう。この西田の見解は、実質的に「遠夷」とみなされるパミール以西の地の羈縻府州(前掲四七―四八頁の州府)までも管掌している①の安西都護府について、『旧唐書』地理志ではパミール以東の管轄州府を「蕃府・蕃州」と呼び、パミール以西ではこれを「羈縻州」と表して区別していることからも傍証される。

パミール以東の「蕃府・蕃州」というのは、安西四鎮《あんせいしちん》として呼ばれるタリム盆地周縁のオアシス都市の国家に与えられた州府を指しており、これらの州府は国家として独立すると同時に唐の鎮守軍が駐留する状況にあった。出土文書から見ると、そうした州府のうち于闐《うてん》国(毗沙《びしゃ》都督府)については、形のうえではオアシス国家と鎮守軍との二重統治体制が敷かれていたが(荒川 二〇一〇：二九〇―二九一頁)、鎮守軍の長官である鎮守使が実質的な統治者となっていたと見られる。おそらくは、こうした事情が地理志において安西都護府下の州府について、パミール以東のオアシス諸国を敢えて「蕃府・蕃州」としていた背景にあろう。

また『六典』によれば、先に見たように唐は、「天下の直轄三一五州府」に含まれる前掲の特定州府を通じて、すべての「羈縻州」を管掌する体制を取っていた。そうした意味では、天下の三一五州府の民、いわゆる百姓は、理念的には羈縻州まで広がってゆく可能性を認め得るが、実際に百姓という肩書を民が帯びていたことを確認できるのは、①都護府では、安西都護府が管掌する蕃府・蕃州においてである。具体的には、地理志に言う安西都護府管下の「蕃州・蕃府」のうち、「蕃府」である于闐の毗謝都督府でも「百姓」という肩書が公文書で使われていたほか、漢語である「百姓」がコータン語に音写され借用語として取り入れられていたことが確認できる(吉田 二〇〇六：一二二、一五八頁)。文書行政も直轄州県に準じたシステムが採用されており、中央からの文書も都護府を通じて下達されていた。重要なのは、「蕃府州」では官印が捺された公文書が漢語だけでなくソグド語で作成されていたことである(吉田 二〇〇七)。

これに対して②の涼州都督府について見てみると、『旧唐書』地理志によれば涼州府下に多くの「羈縻」都督府・州とともに、州府名の無い部落が挙げられているが、実はこうした州府名が与えられていない部落は西州都督府でも確認できる。注目されるのは、この部落(処蜜《しょみつ》部落)に属す民が「百姓」を肩書として公的な上申書を官府に提出していたことである。つまり直轄州府の管掌下にあれば、名実ともに部落民のままであっても唐の百姓となっていたことがうかがえるのである。

さらに①・②が管掌する「内地羈縻州」に軍府が設置されていることは先述したように既に確認されているが、実質「遠夷」の地と捉えて不適切ではないパミール以西の羈縻州でも、安西都護府が管轄した前掲トハーリスターン辺

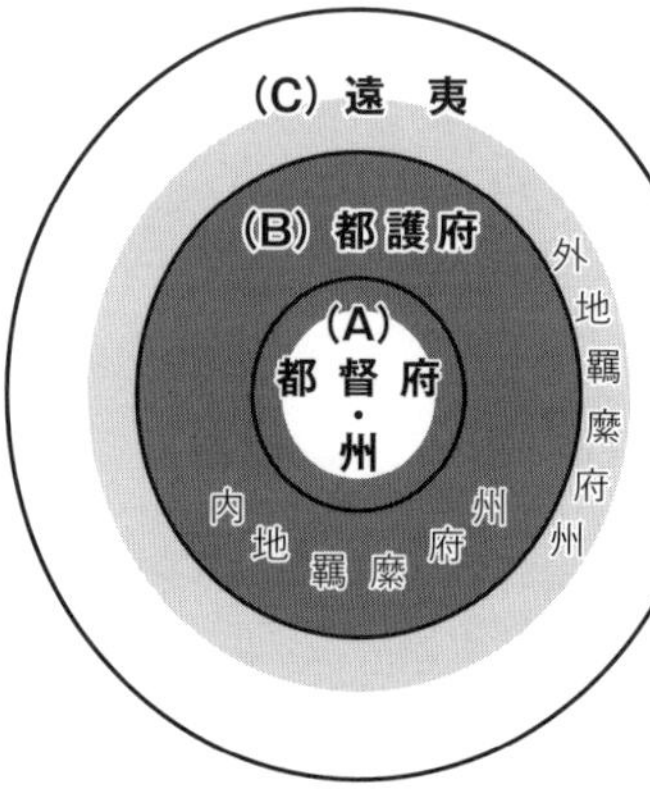

図2　唐帝国における州・府と羈縻府州
西田（2022）によれば，唐の羈縻府州は（A）に一部（西南地域）含まれる以外は，概ね外地羈縻府州のみとなる．

りの州府には同様に「軍府」を置く体制が取られていた（『旧唐書』地理志）。

なお先に見たように、「遠夷」で都護府管轄外の羈縻府州を授けられていた国家があったが（外地羈縻州）、なかでも注目されるのはソグディアナの康国の康居都督府と新羅国の鶏林州都督府や渤海国の忽汗州都督府である。唐帝国にとってソグド商人や新羅商人などは外国商人ながら特別に処遇されていたが、その背景には「遠夷」でも唐の州府になっていたことがあったと見られる。

ここで唐帝国を(A)「都督府・州」―(B)「都護府」―(C)「遠夷」とカテゴライズしている『六典』に従い羈縻府州の広がりを示すと**図2**のようになろう。ただしこれまで述べてきたように、(A)・(B)の羈縻府州（内地羈縻府州）は(A)の一部（西南部など）を除き「蕃府州」と理解すべきことが新たに提唱されている。そして唐の天下は、理念的には羈縻州のゾーンまで広がっていたと考えられるが、実質的には「百姓」の肩書が与えられ、唐の文書行政に組み込まれていた「蕃府州」までであったと見られる。まさに唐帝国は、蕃漢百姓による蕃漢体制を基盤とした国家であったことが知られる。なお(C)「遠夷」で「州府」が置かれていないのは、八世紀では突厥・大食《たいしょく》・天竺・吐蕃・日本などの国家であった。

七世紀末になると北方（関内道）や西方（隴右道）の草原地帯に置かれていた都護府が撤廃され、モンゴル高原の突厥帝国や天山以北の突騎施とチベットの吐蕃帝国に、安西都護府・北庭都護府が挟まれる状況が生まれた。そのため先述したように南北のトルコ・チベット勢力の連携を阻止するために、唐は安西都護府下のタリム盆地（四鎮）を死守する方向で軍備を増強したのである。その経済的な影響については後に述べる。やがて、安史の乱後、そのタリム盆地からも唐が軍事撤退すると、ウイグル帝国・吐蕃帝国・唐帝国の鼎立時代が到来することになり、中央アジアに大きく羽を広げた中華世界は急速に変質してゆくことになる。

ユーラシア東部交易圏の形成と中華世界の再編

本巻が対象とする四—八世紀は、ユーラシア東部西端に位置したソグディアナ諸国のソグド人が、「交易ディアスポラ」として積極的に本国を離れ東方に移住拡散した時代であった。広域的な交易活動の担い手としては、インド商人やバクトリア商人もいたが、五・六世紀以降はソグド人がなかば独占した。そうした彼らが各地に作った移住集落は草原地帯も含めて交易ルート上に点在し、彼らの諸活動を支える拠点となった(栄 二〇一五：二四三頁、森安 二〇〇七：三二八—三二九頁の図参照)。とくに集落を結んで構築された同族のネットワーク上を人・モノだけでなく各地の情報が行き交ったことは重要である。

また本節冒頭に述べたように、ソグド人の中華世界に対する影響力は政治・軍事・社会・経済・文化・宗教の多方面に及んでおり、その存在感は圧倒的である。北朝系および隋唐の諸王朝がソグド人らを積極的に取り込もうとした所以である。なかでも唐は、前項で検討したようにソグディアナを含むユーラシア東部西端の地域を帝国の州府とした。第五巻の描論で触れたように、前漢の西域支配に伴い中国・中央アジア・インドにおよぶ広域な交易圏が形成・発展したが、同様に唐代でも西域支配の開始とともにユーラシア東部交易圏が俄かに活発化したと見られる。こうした状況下に、ソグド商人は唐帝国の支配のもとユーラシア東部地域に広くわたる交易活動を展開したのである。

i　ユーラシア東部交易圏における涼州と広州

ユーラシア東部交易圏のソグディアナおよび点在するソグド集落の商人らにとって、交易活動の重要な中継拠点となっていた有力都市が、中国西北部に位置する河西の涼州と、東南部の沿海都市である広州であった。妹尾達彦の見解によれば、ユーラシア大陸は草原―農牧境界地帯―農耕地域―沿海地帯という層状構造を共有し、南北と東西の物流に基づく複数の世界システムを構築したと見る。そして境界都市は、このような層状構造をもつ各地域の境域に立地する交通幹線上の都市を指し、それぞれの地域の外縁に位置することにより異なる地域の人材や産物の流通を媒介する結節点となった（妹尾 二〇一八：一三頁）。前掲の涼州や広州は、まさにこうした境界都市に位置づけられる。

①　ユーラシア東部交易圏における河西の涼州

中華世界にとって農牧接壌地帯の広がりが、その歴史形成において重要な役割を果たしてきたことはよく知られているが、その一画を占める河西は、交通ルートにより強く結びつく青海地域とともに、有史以来、中国にとって中央アジア経由で西方からもたらされる文化・技術を受け取る窓口となっていた。加えて、河西はモンゴル高原と青海・チベット高原を結びつける地域でもあり、常に北方・西方の遊牧勢力に囲まれていた中華世界を支配する政権にとって、地政学的にきわめて重要な地域となっていた。そのため、前漢時代に中央アジアに進出しようとした武帝が、河西地域に漢人を移住させ漢人の支配する郡県を設置していったのも、ここを押さえてモンゴル高原と青海・チベットの遊牧勢力の連携を断ち、中央アジアの経営を安定させるためであった。一方で河西は、西方から見れば中原や関中やその他の華北地域、また四川地域へアクセスできる基地となるもので、この地理的特徴が中央アジアからの商人を惹きつけていた。

こうした河西のなかで、その東端に位置する涼州が人やモノが集まる交易センター（漢籍に見える「都会《とかい》」）となっていた。中国内地には既に漢代の時点でこうした「都会」が一五か所あり、七大交易圏が形成されていたというが（渡

辺 二〇一九：九二頁)、河西の涼州は西域に開かれた中国の「都会」であった。たとえば玄奘の『大慈恩寺三蔵法師伝』巻一によれば、涼州が「葱右《そうう》」(パミール以西)の商人、すなわちソグド商人やバクトリア商人らが集まる「都会」となっていたことを伝えている。先に掲げた四世紀初めのソグド語書簡には、ソグド本国と連絡を保ちつつ涼州(姑《こ》蔵《ぞう》)を拠点にして商売仲間を河西内や中国内地の諸都市に派遣していたことが記されているので、五胡期初期に涼州がソグディアナと中国内地をつなぐ要となる中継点となっていたことがうかがえる。六世紀になると華北内にもソグド人の集落が点在するようになるが、涼州のこうした立場に変わりはなかったと見られる。

中華世界を統括する王朝にとっては、こうしたソグド商人らを自らの首都に積極的に招致する政策は、王朝の威信にも関わる重要な施策であり、その方針は涼州を攻略した北魏以来、隋唐期にいたるまで一貫している。既に三国魏の敦煌において胡商に洛陽までの通行証を発給していたので、実はこうした誘致政策は三世紀にまで遡ることが知られる(第五巻の拙論参照)。

② ユーラシア東部交易圏のなかの広州

ユーラシア東部において広州は、中華世界の東南端に位置する沿海都市であり、南方の東南アジアや南アジアへの窓口であった。早くも二四〇年代頃に、南海交易へ積極的に関与するために呉の孫権《そんけん》は地方官であった従事の朱応と、中央官である中郎《ちゅうろう》の康泰《こうたい》を東南アジア各地に遣わし、南方の情報を収集する(『扶南異物志《ふなんいぶつし》』『呉時外国伝《ごじがいこくでん》』など)とともに、交州(南海郡、南朝期の広州)に長官として呂岱《りょたい》を派遣したほか、扶南や林邑等に使節を送り、両国の朝貢を実現させていた。さらに呉の時代のソグド人として著名な康僧会《こうそうえ》は、「天竺」に住んでいたソグド人の末裔で、彼の父が交易活動の関係で広州の南の交趾《こうし》を拠点にしていた。その父と母が死没した関係で彼は出家したと伝えられ、成人して都の建業に上京している。先の康泰も建業にいたソグド人であったが、彼は北から来たソグド人とは限らず、康僧会と同様に南方の天竺から交趾に来ていたソグド人であった可能性もある。少し時代は降るが、八世紀前半の南天竺（パッラヴァ朝）には米准那《べいじゅんな》（cwn'kk）というソグド人が王に仕える「将軍」となっており、著名な天竺僧「金剛智《こんごうち》」のお供として広州に来ていた（中田 二〇一四：五七―五八頁）。

広州は、南朝時代、しばしば訳経が行われたところであるが、斉の武帝（蕭賾《しょうさく》）、永明二年（四八四）の扶南国上表文によると、扶南国は広州を拠点にして船舶交易を行っていたこと、「天竺道人那伽仙《てんじくどうじんなかせん》」グループも広州で交易活動を行い「私財」を蓄積していたこと、そしてこの「天竺道人那伽仙」から中国（斉）の情報を獲得していたことが分かる。

広州が南海から来る商人たちが寄る交易の拠点であったことは唐の義浄《ぎじょう》の記録からも明らかであり、また時代は少し降るが鑑真の伝記である『唐大和上東征伝』に、鑑真が渡日に失敗して南方に流され、広州に滞在した際に、西アジアやインドからの貿易船がさかんに来航していた様子が記録されている。蘇木などの南方・西方産の品々が山積されていた状況も述べられており、広州が南方世界から中華世界に入る窓口となっていたことが分かる。そのような広州の交易都市としての重要性が、開元年間に中央より市舶使と後に呼ばれる外国貿易を管掌する使職を派遣させることになる。

中国への海上交易は、七世紀後半から一〇世紀半ばまで、ペルシア湾の海港スィーラーフを拠点とした商人や船主が活躍しており、東アフリカ・インド・マレー半島とともに広州などに航海と交易取引のための海外居留地を設けていた（家島 二〇〇六：四一四頁）。ソグド人のインドより東南アジアにおよぶ海上交易活動は、このスィーラーフ商人、なかでもペルシア系・アラブ系商人と一緒になって、もしくは依存するかたちで行われていたと見られる。なお第五巻の拙論で、シルクロードの幹線としてバクトリアからインドへ南下するルートが脈動していたことを指摘したが、そのルートの利用は五世紀以降になって弱まることが推測されているものの、ソグド人がインダス川沿いにインドへ進む状況は継続していたのである（ドゥ・ラ・ヴェシエール 二〇一九：一五七頁）。

ii　唐帝国の成立とユーラシア東部におけるソグド人の交易活動

①　中国領内におけるソグド人の交易ネットワーク

「交易ディアスポラ」であるソグド人の移住集落は、既に多くの論著に示されているように中国では華北に集中していた。もちろん華北以南においても集落は広がっており、たとえば五胡十六国期に既に河西に居た康氏《こうし》が長安南の藍田《らんでん》に集団で移住している。その一族の康因は前秦苻堅に仕え、またその子供の康穆《こうぼく》は後秦の姚萇《ようちょう》のもとで河南尹《かなんいん》の要職に就いていたが、南朝宋の永初年間（四二〇—四二二年）には、彼は郷里の一族三〇〇〇家あまりを率いて、襄陽の峴山《けんざん》の南に移住した。その孫の康絢《こうじゅん》は父を継いで華山郡太守《かざんぐんたいしゅ》を任じていたが、永元三年（五〇一）、蕭衍が襄陽で起兵すると、康絢は華山郡ごと蕭衍に呼応した。自ら勇士三〇〇〇人を率い、馬二五〇頭を連れて従軍している。このように五胡十六国の時期に藍田に移住した河西のソグド人集団が、五・六世紀には襄陽に移住し、南朝で活躍していた。

また河西や青海と密接な関係をもつ四川地域にもソグド人が集住しており、四川地域を支配下におく東晋・南朝政権とも提携していた。たとえば先に述べたように五五二年に帝位を称して元帝と対決して敗死した梁武帝の八男（武陵王）は蜀を統治し、吐谷渾を介した西方交易の利益を独占して軍備を増強したといわれる。この武陵王のもとでその交易を管理したのがソグド人の何細胡《かさいこ》であった。この吐谷渾とソグド人の関係は、北斉に派遣された吐谷渾の使節団（大キャラバン隊）が数百人のソグド商人を率いていたことに認められる。時にエフタルは先述したように六世紀には柔然との連携が断たれ、北魏や南朝に朝貢使節を派遣していた。この時、南朝へのルートは岷山道《びんざんどう》（四川・甘粛の省境）を利用し、吐谷渾の通訳を引き連れて入貢していたことが明らかにされている（石見 二〇一四：九七—九八頁）。河西とともに青海地域が南北両朝の西の窓口となっていたことが分かる。

植民集落の広がりを見ると、南は襄陽のほか成都や揚州の都市に彼らの集落が点在しており、長江のラインまでが集落建設圏だったことがわかる。南北朝の分裂期にあっても、ソグド人の交易・交流ネットワークは両朝に跨る形で機能していたと見て良い。また先に見た南海交易に従事するソグド商人の存在を考えれば、長江ラインは陸・海両ルートからのソグド商人の活動が重なる場となっていた可能性は高い。

② 唐帝国の形成とソグド人の交易活動

唐帝国の成立は五世紀以降に活発化したソグド商人の交易活動を激変させた。というのも、唐は編籍による人の管理や交通・交易の統制を国家レベルで推し進め、その結果、中国内地に既に定住していたソグド人は百姓もしくは行客という肩書で、さらに外来のソグド人は興胡《こうこ》として国家に把握された(荒川 二〇一〇:三六五頁)。また唐帝国では駅伝制をはじめとする交通システムが整備され、支配領内を遠距離移動できる通行証(過所)が発給されていた。たとえば領内西北端のトゥルファンから東南端の福州へ移動するための通行証が発給されており、当時、唐領内における西北端から東南端への遠距離の往来がしっかりと担保されていたことがうかがえる。こうした唐の交通体制は、ソグド商人の活動を近距離・遠距離ともにサポートすると同時に、北方に重点が置かれたソグド人の交易ネットワークを中華世界の東南端の沿海都市にスムーズに結ばせていた。唐の天宝年間(七四二—七五六年)に、康謙というソグド商人(商胡《しょうこ》)を安南都護に任じていたのも、活発化していた南方の海上交易を中央のコントロール下に巧く取り込むべく、ソグド商人を都護に抜擢していたと見られる。

また前掲の興胡は遠く中華世界だけでなくパミール以西でも活動していた。八世紀前半には「識匿国《しきとくこく》 Shighnān」(バダフシャーン)付近やガンダーラに「漢地の興胡」が居たことが報告されているが(桑山編 一九九二:三八、四五頁)、これこそ唐内地に入り込んで活動するソグド人のことであった。先に触れた都護府での過所の発給により、唐領内での往来を保証された外来ソグド人の興胡らは、ガンダーラにまで活動の枠を広げていたことがうかがえる。そして後先するように、ガンダーラは中央アジアを経由する陸上ルートとも、インド・東南アジアを経由する海上ルートともつながっていた。

③ 唐帝国の経済圏への移行

唐代になって、河西を越えてパミール以東の地域を軍事支配するようになると、河西地域はその兵站基地として機能するようになった。そのため河西の涼州府は、軍需物資(主に将兵の給料と軍粮買上げの資金)として駐留地に送られる大量の庸調絹布(大半は練と生絹)をストックする中継基地となり、毎年、涼州府からそれが大量に輸送されていた。またこうした毎年の絹布輸送を担っていたのが、八世紀前半には「行綱《こうこう》」(官営輸送隊の統轄官)のもとに「駄主《だしゅ》」(実質的な輸送責任者。多くは客商)とそれが雇用する「作人《さくにん》」となっており、彼らは輸送の帰途、通行証をもらいながら活発に商業的活動を展開していた。その結果、練・生絹が商品貨幣として流通する中国内地の経済圏が中央アジアにまで拡大し、ソグディアナでも貴人らが大量の絹を保有するほどになっていたのである(ドゥ・ラ・ヴェシエール 二〇一九:二四五頁)。これにより、サーサーン銀貨が流通する西アジア経済圏に属していた中央アジアを、八世紀以降、唐の経済圏に転換させた。他方で、中国南部や東南アジア・南アジアでは、絹布は流通せず、コインを含む金・銀類が依然として経済行為の媒介手段となっていた。

このように唐帝国のもとユーラシア東部北域では、唐朝の赤字覚悟の西域経営とそれにより作られた軍需景気に沸いていたとも言えるが、この特殊な状況を利用しつつ、ソグド人は唐帝国の交通・交易を始めとする管理システムと自ら構築した交易・交流のネットワークを駆使しながら、ユーラシア東部全域で(陸上を主体としながらも、七世紀以降は海上交易ルート沿いでも)アクティブな活動を展開していたのである。

iii　ユーラシア東部地域の中の河西・沿海都市とソグド人の交易活動

①　遠距離を移動するソグド商人の交易活動

ソグド人の東方進出は、後述するように仏教の東伝と期を同じくしており、仏教の定着・浸透とともに彼らが盛んに取り扱ったのが麝香・沈香・白檀・丁香《ちょうこう》と言った香薬類であった（家島 二〇〇六：五〇九頁参照）。これらは何れも高額で取引され、価格順に麝香・沈香・白檀・丁香と並ぶ。八世紀におけるトゥルファンでの公示価格を見ると、麝香・沈香・白檀・丁香の高級品グループと甘松香《かんしょうこう》・硇砂《のうしゃ》などの通常品グループでは価格に雲泥の差があり、また高級品のなかでも麝香は飛びぬけていた。従ってソグド商人にとって貴金属（金・銀・銅）や絹製品とともに高級香薬類は主要取引品となっていた（荒川 二〇一九：三二一―三三三頁）。

また国際商人と言われるソグド商人であるが、多くは彼らのコロニーに居住する商人で広くても数百キロメートルほどの範囲を往来するような活動を主体にしていたと考えられる。たとえばトゥルファン文書には、トゥルファンを拠点に、東は瓜州《かしゅう》（敦煌の東に位置するオアシス都市）から西はクチャまでを交易圏としていたソグド商人の存在が知られるが、まさにこれなどは典型的な例であろう。ここでは基本的に自らの交易圏の範囲で商品を買い入れて売りさばく行為を定期的に繰り返してゆく交易形態が取られた。これに比べ、遠距離を移動してゆくソグド商人は少数派であったと見られ、彼らが扱う商品も相違していたと考えられる。こうした遠距離商人の多くは町々を渡り歩きながら、軽量かつ少量で高額となる商品を買い集めては、涼州や広州など特定の中継集積地まで運んで転売するような形態が中心的となったと見られる。中華世界での場合、そうした商品の代表が麝香であり、このようなソグド商人の姿が「中国とインドの諸情報」と呼ばれるアラビア語史料に伝えられている（家島 二〇〇七：六一―六二頁）。

麝香と沈香・白檀の産地・流通ルートについては家島の詳しい研究（家島 二〇〇六：五〇五―五三二頁）があるが、後者の香木については産地である東南アジア・南アジアから陸上（内陸回り）ルートと海上（海域回り）ルートが想定できる。

「内陸回り」ルートの場合、中近距離間の往来を交易活動範囲とするソグド人同士の取引を基本としていたことがトゥルファン文書よりうかがえ、中近距離間の小まめな取引の積み重ねにより、中国本土(華北)辺りまで香木が出回っていたと推定される(荒川 二〇一九:四二頁)。

これに対して、麝香の産地は北方の遊牧世界を含めて広域にわたり、八世紀の唐領内では剣南道・関内道などの州の貢納物に指定されているが、高級品質の麝香はチベットから貴州・雲南・四川にかけての山岳地帯に生息するジャコウジカから採取されるものであった。中華世界からは陸・海上両ルートを経て西アジア方面にまで運ばれ交易されていた(家島 二〇〇六:五四七頁の図1参照)。すなわちチベットの麝香は直接、ソグディアナに送られる一方で、中国西南山岳地帯産は長江河口の揚州や珠江河口の広州へ運ばれたほか、雲南ルートで東南アジア方面に向かったり、涼州を中継集積地としてソグディアナに送られたりしていたと見られる。ソグディアナからはさらに西方へ転買され、こうした麝香は俗に「ソグド産麝香」と呼ばれた(家島 二〇〇六:五三九頁)。また広州は海上ルートによる交易の集積場であり、そこから商人らにより西方へ運ばれていた。要するに遠距離をわたるソグド商人により、中国でかき集められた麝香は、境界都市である涼州と広州を集積中継ポイントとして多くは西アジア方面へ送られていたと見られるのである(荒川 二〇一九:三七頁)。ただし留意すべきは、広州より以北の沿海都市の存在であり、とりわけ長江河口の海港都市は東アジア海域の交易圏とつながっていたことである。

② 長江河口の海港都市と東アジア海域の交易

(a) 揚州という都市の重要性

長江河口の海港都市として揚州が名高いが、これは隋代に開かれた大運河により物資の集積地として繁栄した都市であった。ここにはソグド人の集落が置かれていたが、唐代には南の広州経由で来ていたペルシア人やアラブ人などが集まっていたことが知られている。

揚州は長江上流域の成都や運河経由で洛陽などと結ばれていた可能性は高い。六世紀の「梁・周の際」に「往来呉蜀、江海上下」していたソグド商人(後に僧侶)の存在が伝えられているが(『続高僧伝』巻二六 釈道仙伝)、これなどは長江沿いの呉と蜀を往来していたソグド商人の例であろう。彼はさらに「江海を上下」していたとあることから、揚州や蘇州などの河口部の有力貿易港を拠点とする東アジア海域の交易活動とも関係していた可能性がある(河口部の末端に位置する明州は後に重要な交易都市となっていくが、八世紀の状況は不明)。

揚州については、先に述べたようにソグド人のほか、ペルシア系・アラブ系のスィーラーフ商人と見られる人々が既に八世紀には滞在していたので、広州から駅伝をたどって陸上ルートで、また東アジア海域を北上する航路(おそらく中国の沿岸航路の延長)を使って往来していた可能性は高い。とりわけ後者では、南シナ海交易圏と東シナ海交易圏との連動を捉えるうえで、福州や泉州などの海港都市は中継拠点として重要な役割を果たしていたと見られる。やがて九世紀になると東シナ海交易圏における新羅商人や渤海商人の活動が本格化し、日本との交易に活躍することになったと考えられる。なお九世紀におよぶ朝鮮半島の歴史展開については、本巻の李論文で新たな視座から分析が加えられている。

(b) 日本とユーラシア東部の交易活動

八世紀の段階で、日本の寺院に多くの外国産の香木や香料が所蔵されていたことは、「法隆寺伽藍縁起幷流記資財帳」(天平一九年〔七四七〕)からよく知ることができる。実物として法隆寺に伝来したソグド語の焼き印とペルシア語の刻文が付けられた香木(白檀)が残されているが、前掲の「資材帳」には「香」として白檀が、「薬」として麝香が記録されている。麝香は宮廷からの賜りものであるが、白檀については何も注記はなく、富裕な有力勢家からの寄進品であったと見られる。八世紀にペルシア人が日本まで来ていたのは間違いなく、九世紀に降るが渤海の使節のなかにソグド人が参与していたことも知られている。当時、山東半島から長江下流域にかけての中国沿海地域と朝鮮半島・日本とを結ぶ海上交流が活発化していたことを考えると、ソグド人やペルシア人が新羅商人などとの提携を前提に日本までを商圏として意識していたことは十分に考えられる。八世紀、鑑真とともに来日した安如宝《あんにょほう》は、揚州で鑑真より受戒したソグド人仏教徒であったが、彼などは後述する遊行僧と行動をともにする仏教に「改宗」したソグド商人であった可能性は高い。ただし当時はまだ、中国から日本への「舶来品」は、個々の商人の私的交易ではなく、主に遣唐使や新羅との頻繁な使節交換に伴い、使節に同行した商人らによって持ち込まれていたと考えられる。

そうした意味で、日本で発行された貨幣が、私鋳ながら七世紀後半(近江朝期、六六七—六七二年)の無《む》文銀銭《もんぎんせん》の鋳造に始まっていることは大変に示唆的である。当時、使節の往来が活発化するとともに、先述の中央アジア・河西だけでなく東南アジアでも銀銭が広く流通していたのである。ちょうどペルシア湾の海港スィーラーフの商人による海上交易が活発化し始める時期であり、日本も本巻の冨谷論文に指摘されるように、「日本」「天皇」という語を掲げ、中国との臣属関係を清算して独立した立場を表明した天武天皇の時代に入っていた。また九世紀初めに山東半島を統括していたソグド人節度使(康志《こうし》睦《ぼく》)が、渤海使を通じて日本との通交を求めてきたらしいことが指摘されている(大日方二〇一九：五七頁)。これらのことからも、日本も国家体制が固まってゆく七世紀後半以降、ユーラシア東部に展開した交易活動の動向と密接につながっていたことを念頭におかなければならない。

そもそも、高額な香木・香料を対象とする海上ルートも含む遠隔地交易は、七世紀以降に成立してくるイスラーム交易圏との関係を考えねばならず、ユーラシア東部に限定してこれを述べるのは適切ではない。ソグド人自身もユーラシア西部でも活動しているが、それでもソグディアナと河西の涼州、東南沿海都市の広州などを拠点に展開した香木・香料交易は、ソグディアナがイスラーム勢力により取り込まれるまでユーラシア東部に圧倒的な存在感を示したソグド人の交易活動を象徴するものであった。吉田により解明された、「貫」(銅銭千枚)を意味するアラビア語の

fakkuj がソグド語形であったと見られる事実は(吉田 二〇二〇：一〇〇頁)、海上経由で進出してきたスィーラーフのアラブ系商人が如何にソグド商人を通じて中国方面との交易を展開していたかを示唆している。

ユーラシア東部における仏教と中華世界

i 罽賓と東方への仏教伝播

一般的には、中国には大乗系統の仏教が伝播したと説明されることが多い。大乗仏教・北伝仏教とも呼ばれることがある所以である。しかしながら当初においては、大乗と上座部系の仏教が区別なく混在するかたちで伝来しており、第五巻の拙論で触れたように上座部系の場合、説一切有部派《せついっさいうぶは》が有力であった。そして説一切有部派は、インドにおける仏教学の一大中心地であった罽賓(ガンダーラ・カシミール辺り)を中心に隆盛していたのである。中国への仏教伝播のルートや時期に関しては種々議論があるが、仏僧と商人との相互に依存した関係を踏まえると、後漢が西域から撤退し、クシャーン商人(ガンダーラのインド商人やバクトリア商人)やソグド商人らが東方への交易活動を本格化させていた二世紀辺りから、仏教の東方伝道活動も活発化していたと見るのが自然である(チュルヒャー 一九九五：五八―七二頁参照)。

ようやく大乗・上座部系が混在する曖昧な状況が修正されてくるのが、仏図澄《ぶっとちょう》の弟子である道安《どうあん》が登場してくる五胡十六国期、前秦と後秦の時代であった。前秦の苻堅は、罽賓周辺域から説一切有部派の僧侶(僧伽提婆《そうかだいば》 Saṃghadeva、僧伽跋澄《そうかばっちょう》 Saṃghabhūti、曇摩難提《どんまなんだい》 Dharmānanda など)を招いて仏典漢訳事業を推進した。その後も鳩摩羅什《くまらじゅう》が長安に来て大乗仏教に対する理解を深めていったが、そこにガンダーラから来たのが説一切有部派に属すブッダバドラ Buddha-bhadra(仏駄跋陀羅、三五九―四二九年)であった。彼は結果的には、長安を去って東晋の建康に移り漢訳事業を継続するが、この後も多くのガンダーラ僧や信徒が中国に流入した。北魏・文成帝期の僧侶を束ねた罽賓出身の師賢をはじめ、南朝の建康にも多くの罽賓出身の僧が入境した。その背景には、ガンダーラ方面の政治・経済環境の変化があったことがうかがえるが、罽賓地域と北魏は陸路で、また南朝とは海域を通じてつながっていたのである。

南朝には、東晋以来、都であった建康だけでなく、南方世界との窓口となる沿海都市である広州にも仏典翻訳場が設けられていた。建康では建業であった呉の時代より仏典漢訳が積極的に行われていたが、東晋期からは続く南朝期を通じて、広州も経典翻訳の中心地となり、多くの仏教寺院が建立されていたのである。その結果、仏教が民間に広く普及し、広州出身の僧尼が初めて出現するなど、めざましい発展を見せていた。建康・広州ともに東晋―南朝期を通じて海域ルートによる交易の重要拠点として機能しており、こうした両都市の南中国における仏教布教の拠点化は、遠隔地商人と仏僧が一緒になって中国に進出していたことを雄弁に物語っている。また興味深いのは、このように中国において仏教教派の別が明確になり仏教への信仰が普及・定着してゆく四・五世紀という時代が、本巻の桃木論文で指摘される「東南アジアのインド化」と時期的に重なり合うことである。中国南部・東南アジア・インドとの地域的連関性を強く推測させる。

その後も唐代前半期には、七世紀より始まるイスラーム勢力の東侵、サーサーン朝の衰滅状況のもと、罽賓辺りから多くの僧侶が唐に入朝している。なおこの時代の罽賓は、カーピシー辺りを指す語となっていたが、稲葉穣により当時の罽賓はトルコ系ハラジュ族のカーブルシャーの王国の支配下にあったことが明らかにされている(稲葉 二〇〇四)。このカーブルシャーは「罽賓王」として漢籍に現れ、王は仏教を奉じていたとされている。さらに稲葉はカーブルシャー王国は活発な外交戦略を用いて、カーブルを中心にヒンドゥークシュ北側のトハーリスターンやカシミールなどを密接に結びつけていたことを明らかにしているが(稲葉 二〇一〇)、そうした状況のもと、当時、カーブルシャー王国(罽賓)出身のバクトリア人僧侶が存在していたことが指摘されている(中田 二〇一一:一七三頁)。また桑山によれば、罽賓は、七二〇年前後から七五〇年前後に集中して唐への朝貢を活発に行っているが、これは単なる朝貢ではなく、イスラーム軍に対処するために唐朝に何らかの支援を求めた可能性があるという。また、中国に渡った僧侶のうち、インド僧は七世紀に集中するのに対し、八世紀になるとカーピシー出身の僧侶が集中するようになるが、これはカーピシーへのイスラームの影響もしくはヒンドゥーの影響が強くなったことと関わるという(桑山 一九九〇：二六九、二七四頁)。

このように中国への伝播初期より、罽賓は中国と深い関係をもち、その関係は南北朝およびそれを吸収した唐朝にいたるまで継続していた。中国仏教の形成は、ユーラシア東方西端に位置した罽賓とのつながりを抜きにしては考えられない。

ii 中国仏教の新展開とソグド人僧侶

先述したようにソグド人は六世紀以降、中国内地に移住集落を設置していたが、吉田豊によればディアスポラにおける「コロニアルな現象」として、七世紀には多くの移住ソグド人が仏教に改宗したという(吉田 二〇一一：四四―四五頁)。さらに中田はこうしたソグド人の仏教「改宗」が「生存戦略としての側面」あるいは「政治・経済的利益を見込んだ主体的な側面」のもとに行われていたことを提示している(中田 二〇一六：六一頁)。留意すべきは、隋唐帝国の成立とともに僧侶と寺院の中央管理が進んだことである。僧侶は度牒《どちょう》を得た国家認定の僧以外は基本的に排除し、領域内全州に勅命による寺院の建立と既存寺院の整理と国家管理が進められた。そうした状況のもと僧侶と寺院の社会的地位は高くなり、ソグド人としても仏教に改宗するメリットは高まっていたとみられる。仏教信徒となって寺院や遊行僧に寄り添うことは、領内各州を移動する彼らの経済活動に有利に働いたと見られる。

そもそもソグド本土が仏教圏に組み込まれていなかった状況のもと、ソグド人が信仰する宗教はゾロアスター教と言ってもその地方的な変種とされる独特なものであった。中国ではこれを祆教と命名している。とくにイラン本土のゾロアスター教と異なるのは、祆教が多神を拝する偶像崇拝と遺骨への信仰が著しかった点であり、そのため彼らが仏教を信仰することに大きな抵抗感はなかったと考えられる。このことは、仏教「改宗」と言っても実際には祆教を棄てずにいたことを示唆している。ソグド人の祆教が祀る祆神《けんしん》が、他の中国の土地神とともに在地の漢人社会に組み込まれていたのも容易に首肯できる。この点いわゆるイラン本土のゾロアスター教とソグド人の祆教は、基本的に大きく異なるものであった。

またソグド人は中国において世俗信徒となるだけでなく、僧侶となるものも少なくない。とくに注目されるのは、彼らは当該時代の様々な仏教宗派の形成に関わっており(三論宗《さんろんしゅう》の吉蔵《きつぞう》、華厳宗の法蔵《ほうぞう》、禅宗の四川浄衆寺《じょうしゅうじ》の神会《じんね》など)、インドを含むユーラシア東部西端から来華する仏僧らとともに隋唐代における中国仏教の新たな展開に資している。なお仏教だけでなく、東方シリア教会(ネストリウス派キリスト教)やマニ教の東方への伝播についても、ユーラシア東部西端地域は重要な役割を担っていたことも見逃せない。すなわち当地はユーラシア西部の東端地域でもあり、ユーラシア西部発の宗教も信仰されていた。とくにサーサーン帝国の東方境界の地としてトハーリスターンから罽賓におよぶ地域は、仏教とともに西方の多様な宗教が活発に信仰される場となっていた。また七世紀前半、イスラーム勢力の攻撃により多くのペルシア人が唐に亡命したが、彼らがまとめて安置されたのも「波斯都督府」であった。とりわけ東方シリア教会はトハーリスターンを活動の中心拠点としており、布教戦略として道教思想を積極的に受け容れつつ、「大秦景教流行中国碑」を長安で撰述した景浄も当地の出身であった(森安 一九八二:二七二―二七三頁)。

iii　インドにおける仏教の衰退と新たな仏教圏の形成

七世紀になると、先にも見たようにユーラシア東部西端の罽賓周辺から多くの仏教僧侶が唐に流入したが、この頃、インドでもハルシャ・ヴァルダナ王の後、仏教が次第に衰退していったことが言われる。同時期の中国に唐帝国が、またチベットに吐蕃帝国が誕生したことは、インドに代わる仏教の受け皿をそれぞれ準備するものとなった。

仏教の伝播という観点で捉えれば、新たな動きとして注目されるのは、中国もチベットも密教系の仏教が伝わっていたことである。とくに中国では、前掲の金剛智や母がソグド人とも言われる不空《ふくう》、カーピシー出身の般若らが入唐して密教を盛んにしたが、なかでも不空は宮廷を巻き込んで長安仏教界に絶大な影響力を及ぼしていた(中田 二〇〇七)。唐代におけるサンスクリット陀羅尼《だらに》の流行は、こうした密教の影響力の大きさを示している。

中国は、もともと仏教世界においては周辺に位置する存在であったが、それが唐代以降には次第にインドに並んでその中心に位置するように変化していった。その背景には、唐代の中国が仏教の教義や思想をさらに充実させ、センターとしてそれを周囲に伝播させる機能を担うようになっていったことや、中国独自の仏教聖地が形作られ、唐内外の仏教信徒が憧憬する巡礼地となっていったことなどが挙げられる。後者を代表するものが五台山《ごだいさん》である。

中田によれば、五台山が文殊菩薩信仰の聖山となり、新たな仏教信仰の霊場・巡礼地として大きくクローズアップされてくる契機を作ったのが、前掲の不空であった。すなわち、彼は安史の乱後の皇帝である代宗を金輪聖王《こんりんじょうおう》(もしくは普賢菩薩)に位置づけるとともに、唐の王権のために、また「民衆」のために五台山に金閣寺を建立し、文殊菩薩を拝する場としたという。皇帝と文殊信仰との関係は、次の徳宗の時期にも受け継がれていったが、このような王権と五台山文殊菩薩との関係が、東アジア仏教圏に広まり、その後のユーラシア東部各地域への五台山信仰の伝播に大きな影響を与えたとみられる(中田 二〇一三:八五頁、白須 二〇二〇)。

大局的に捉えれば、インドでの仏教の衰退後において、新たな仏教文化圏の形成が、中国とチベットを中心に進められていったことになる。やがて、これはユーラシア東部の仏教の広がりを、中華世界を中心とした東アジア仏教圏と、非中華のチベットおよびモンゴルにおよぶチベット仏教圏に截然と分けてゆくことになる(本巻の岩尾一史論文参照)。

iv　政治権力との提携関係

中華世界の政治権力者にとって仏教は外来宗教であるが、中国北部の胡族政権だけでなく、南部の漢族政権にとっても仏教勢力は積極的に取り込むべき対象であった。とりわけ南朝梁の武帝は「崇仏皇帝」として名高いが、彼は仏教信徒として菩薩戒を受け、自らも「菩薩戒弟子皇帝」と称していた。類似の表現は、陳の文帝と宣帝や北朝の皇帝、そして隋の煬帝へと受け継がれていった(河上 二〇〇五：一〇三―一二五頁)が、こうした君主を菩薩とみなすあり方は東南アジア・南アジアにおいてよく見られた。

唐代においても南朝より受け継がれてきた皇帝による受菩薩戒は続くとともに、周辺諸国の君主にも菩薩戒を受けるものが続いた。これに対して、皇帝を如来そのものとみなす北魏以来、いわゆる「礼敬問題」が続き、皇帝に対して仏教僧侶が拝礼し「王法」に従うか否かで、皇帝側と仏教側とで常に綱引きが行われていた。ただ対外的には、七二〇年代から七五〇年代にかけて唐は吐蕃やイスラーム勢力の侵略に直面した中央・南アジア地域から仏教的朝貢を集中的に受け容れており、河上によれば、玄宗が天宝《てんぽう》五載《ごさい》(七四六)に不空から灌頂を受けたのは、これら地域の盟主に相応しい仏教的正当性を獲得し、仏教を通じて自らの影響力を及ぼすためであったという(河上 二〇〇五：二三八―二四六頁)。

ユーラシア東部全体からすれば、仏教世界の中心に転換された新たな中華世界を支配する皇帝は、多くの朝貢諸国に対して、一面で自らの国土を支配する仏法守護者たちの中心に立つリーダーとしての立場と権威を身に帯びるものとなった。

結語

四世紀に始まる五胡十六国期以降、中華世界の再編は本格的に進み始め、その動きは七世紀に唐帝国が形成されることにより収束する。本章で示したように、新たな中華世界では皇帝は蕃夷を支配する君主の称号を併称するようになり(可汗皇帝)、百姓が居住する天下内の「蕃府・蕃州」では漢語だけでなく胡語(ソグド語)が公文書の言語として許容されていた。夏と蕃、漢と胡の垣根はほとんど意識されなくなっていたのではないか。「漢人中華」の基本理念を受け継ぎつつも、実際の内容は大きく変容したのである。とくに軍事面では、遊牧部族的秩序のもとに構築された軍事体制の本質は保持されていた。

唐帝国は、こうした中華世界を本体とし、最大のライバルであった北方遊牧勢力を撃破し、彼らが支配する草原・オアシス地域を自らの支配圏に組み込んでいった。この征討の過程で帰属してきた遊牧民は新たな軍事力として活用された。すなわち唐帝国では部族制を維持させたまま遊牧勢力を取り込み、彼らを皇帝に臣属する都護府管下の「蕃府・蕃州」の百姓とするとともに部落兵としたのである。この軍事力を束ねる「蕃将」は皇帝の親衛軍の将軍に任命され、唐の軍事を強力に支える存在となった。唐帝国の領域拡大と防衛にとって彼らの力は欠かせないが、その取り込みはあくまでも皇帝に直属する州府体制の拡大という形式が取られたのである。この結果、実質的に遠夷の地である西突厥の旧支配全域(パミール以西のアフガニスタン南部(罽賓)まで)を都護府管下に置くかたちとなった。皇帝が併称する可汗号は、こうした中央ユーラシアの遊牧・オアシス民に向けたものであった。

この政治体制は、唐の整備された交通体制を都護府にまで拡大させるとともに、ユーラシア東部の交易活動を大きく活性化させたが、その原動力になったのがパミール以西の境域地帯出身の商人たちであった。第五巻拙論で示したように、既に漢帝国の西域支配に伴い中国・中央ユーラシア・インドにおよぶ広域な交易圏が形成・発展し境域地帯の商人らが躍動したが、その構図はその後にあっても同様であった。なかでもソグド商人はエフタル勃興後の五世紀半ば以降、その中心的な存在となった。彼らは集団で移住してユーラシア東部各地に集落を設置し、交易・交流のネットワークを構築した。また当該期は、交易品のなかでも仏教の東方伝播とともに香木・香料類が主要商品の一つになり、チベットや中国西南地域で採れる高級品質の麝香や熱帯アジア産の沈香・白檀は、彼らにとってドル箱商品となった。とりわけ麝香はユーラシア東部だけでなく、ソグディアナと中国東南沿海部(広州)を拠点に、陸海双方の交易ルートに乗せてユーラシア西部に向け積極的に取引された。そして、こうしたソグド人の活動と存在は単に経済的な側面だけでなく、政治・軍事・社会とともに宗教面において大きなインパクトを中華世界に与えてきたのである。なかでも中国の社会や文化に大きな影響を与えたのは、彼ら商人とともに伝来した仏教の存在であった。

後漢以来、中国に仏教が伝来して中国仏教が形成されてゆくうえで、ユーラシア東部西端の罽賓は陸路・海路を通じて一貫して重要な役割を演じてきた。とくに唐代において中国仏教が社会に浸透し定着してゆくうえで、罽賓を中心とした地域出身の僧侶に加え、インド僧や七世紀に仏教「改宗」が進んだソグド人らが牽引的な存在となっていた。こうしたユーラシア東部西端などの多くの僧侶がイスラームの侵攻やチベットの吐蕃帝国の圧力などから唐朝に移り、中国仏教の新たな展開に貢献した。そのなかで唐朝はインドに替わり、ユーラシア東部に広がる新たな仏教世界の中心的な存在となっていったのである。

こうした広域の舞台に立つ「新たな中華」の皇帝は、天可汗の顔をもって中央ユーラシア世界に臨むとともに、都護府を設置してユーラシア東部陸域の大半を唐の州府に組み込む体制を作り上げた。同時に当該期の中華世界は仏教世界の中心に転換され、その皇帝は仏教世界の中心として君臨するようになった。すなわち、皇帝は多くの朝貢諸国に対して、一面で自らの国土を支配する仏法守護者たちの中心に立つリーダーとしての立場と権威を身に帯びるものとなったのである。こうした複数の顔をもつ君主のあり方は、以降の広域支配を実現した元朝や清朝の皇帝像の源流ともなるものであった。

八世紀中葉に勃発した安史の乱は、「新たな中華」の体制を根底から揺るがすものとなった。とくに唐の帝国支配の要となっていた「西域支配」の放棄は、その体制の大転換を迫るものであった。反乱により危機に陥った唐朝の救援要請に応じて、報奨目当てとはいえフェルガーナやトハーリスターンなどの「西域諸国」が中国に参集したのも、ユーラシア東部西端にまで広げた唐の支配が一面で単に名目的な関係ではなかったことをうかがわせる。やがて九世紀以降、唐の衰退とともに東北部をはじめとする周辺の諸族・国家が自己運動を始めてゆくなか、基本理念とは別に実質的にはすでに相対化・拡大化を果たしていた「中華」はまた新たな展開を示すことになる。「中華」のさらなる展開については第七巻で扱うが、ユーラシア東部の中国以外の諸地域(チベット・朝鮮・ベトナム)に関しては、「中華」の強い文化的影響下にあったか否かを問わず、本巻所収の関係論考において八世紀前半で区切ることなく時代を適宜延ばすことにより各地の歴史的な変遷を的確に捉えられるように著述されている。第七巻を補完するものとして、第七巻本体と併読して頂ければ幸いである。

参考文献

荒川正晴(一九八六)「麴氏高昌国における郡県制の性格をめぐって——主としてトゥルファン出土資料による」『史学雑誌』九五編三号。

荒川正晴(二〇一〇)『ユーラシアの交通・交易と唐帝国』名古屋大学出版会。

荒川正晴(二〇一九)「ソグド人の交易活動と香料の流通」『専修大学古代東ユーラシア研究センター年報』第五号。

池田温(一九七九)『中国古代籍帳研究』東京大学出版会。

稲葉穣(二〇〇四)「アフガニスタンにおけるハラジュの王国」『東方学報』七六冊。

稲葉穣（二〇一〇）「八世紀前半のカーブルと中央アジア」『東洋史研究』六九巻一号。

石見清裕（一九八二）「唐の建国と匈奴の費也頭」『唐の北方問題と国際秩序』汲古書院、一九九八年所収。

石見清裕（一九九五）「唐の内附異民族対象規定」『唐の北方問題と国際秩序』所収。

石見清裕（二〇一四）「梁への道――「職貢図」とユーラシア交通」鈴木靖民・金子修一編『梁職貢図と東部ユーラシア世界』勉誠出版。

榎一雄（一九八七）「職貢図の起源」榎一雄著作集編集委員会編『榎一雄著作集』第七巻、汲古書院、一九九四年所収。

榎本あゆち（二〇二〇）『中国南北朝寒門寒人研究』汲古書院。

小川環樹（一九五九）「敕勒の歌――その原語と文学史的意義」『東方学』一八輯。

大日方克己（二〇一九）『出雲に来た渤海人――東アジア世界のなかの古代山陰と日本海域』松江市歴史まちづくり部史料編纂課。

片山章雄（一九九六）「コラム　突厥」安田喜憲・林俊雄編『講座　文明と環境5　文明の危機――民族移動の世紀』朝倉書店。

川合安（二〇一五）『南朝貴族制研究』汲古書院。

河上麻由子（二〇〇五）「隋代仏教の系譜――菩薩戒を中心として」『古代アジア世界の対外交渉と仏教』山川出版社、二〇一一年所収。

川本芳昭（一九九一）「五胡十六国・北朝期における周礼の受容をめぐって」『魏晋南北朝時代の民族問題』汲古書院、一九九八年所収。

川本芳昭（一九九七）「胡族漢化の実態について」『魏晋南北朝時代の民族問題』所収。

川本芳昭（二〇一一）「北魏内朝再論――比較史の観点から見た」『東洋史研究』七〇巻二号。

菊池英夫（一九八〇）「唐代敦煌社会の外貌」池田温編『講座敦煌3　敦煌の社会』大東出版社。

窪添慶文（二〇二〇）『北魏史――洛陽遷都の前と後』東方書店。

桑山正進（一九九〇）『カーピシー＝ガンダーラ史研究』京都大学人文科学研究所。

桑山正進（一九九三）「六―八世紀 Kapisi-Kabul-Zabul の貨幣と発行者」『東方学報』六五冊。

桑山正進編（一九九二）『慧超往五天竺国伝研究』京都大学人文科学研究所。

古賀登（一九七一）「均田制と犂共同体」『早稲田大学大学院文学研究科紀要』一七輯。

佐川英治(二〇〇七)「遊牧と農耕の間――北魏平城の鹿苑の機能とその変遷」『岡山大学文学部紀要』四七号。

佐川英治(二〇一八a)「漢帝国以後の多元的世界」南川高志編『378年失われた古代帝国の秩序』山川出版社。

佐川英治(二〇一八b)「北魏道武帝の「部族解散」と高車部族に対する羈縻支配」宮宅潔編『多民族社会の軍事統治――出土史料が語る中国古代』京都大学学術出版会。

白須淨眞(二〇二〇)「五臺山騎獅文殊尊像群の東漸と西漸――五臺山・比叡山・敦煌の尊像群から」荒見泰史編『仏教の東漸と西漸』勉誠出版。

杉山正明(一九九七)『遊牧民から見た世界史』日本経済新聞社(増補版二〇〇一年)。

鈴木靖民(二〇一四)「東部ユーラシア世界史と東アジア世界史――梁の国際関係・国際秩序・国際意識を中心として」鈴木・金子編『梁職貢図と東部ユーラシア世界』。

妹尾達彦(一九九九)「中華の分裂と再生」『岩波講座世界歴史9 中華の分裂と再生』岩波書店。

妹尾達彦(二〇一四)「江南文化の系譜――建康と洛陽(2)」『六朝学術学会報』一五集。

妹尾達彦(二〇一八)『グローバル・ヒストリー』中央大学出版部。

チュルヒャー、エーリク(一九九五)『仏教の中国伝来』田中純男ほか訳、せりか書房。

ドゥ・ラ・ヴェシエール、エチエンヌ(二〇一九)『ソグド商人の歴史』影山悦子訳、岩波書店。

戸川貴行(二〇二〇)「華北における中国雅楽の成立――五~六世紀を中心に」『史学雑誌』一二九編四号。

土肥義和(一九八三)「唐代均田制下における燉煌の田土給授について」『燉煌文書の研究』汲古書院、二〇二〇年所収。

土肥義和(二〇一七)「唐代における均田法施行の史料雑抄」『燉煌文書の研究』所収。

冨谷至(二〇一六)『漢唐法制史研究』創文社。

中田美絵(二〇〇七)「不空の長安仏教界台頭とソグド人」『東洋学報』八九巻三号。

中田美絵(二〇一一)「八世紀後半における中央ユーラシアの動向と長安仏教界――徳宗期『大乗理趣六波羅蜜多経』翻訳参加者の分析より」『関西大学東西学術研究所紀要』四四輯。

中田美絵(二〇一三)「八世紀における唐朝と仏教」『日本史研究』六一五号。

中田美絵(二〇一四)「唐代中国におけるソグド人と仏教」森部豊編『ソグド人と東ユーラシアの文化交渉』勉誠出版。

中田美絵(二〇一六)「唐代中国におけるソグド人の仏教「改宗」をめぐって」『東洋史研究』七五巻三号。

中村圭爾(二〇〇六)『六朝江南地域史研究』汲古書院。

中村圭爾(二〇一三)『六朝政治社会史研究』汲古書院。

西嶋定生(一九五九)「吐魯番出土文書より見たる均田制の施行状態——給田文書・退田文書を中心として」『中国経済史研究』東京大学出版会、一九六六年所収。

西田祐子(二〇二二)『唐帝国の統治体制と「羈縻」——『新唐書』の再検討を手掛かりに』山川出版社。

林俊雄(二〇〇七)『興亡の世界史02 スキタイと匈奴 遊牧の文明』講談社(講談社学術文庫、二〇一七年)。

林美希(二〇一七)「唐代前期における蕃将の形態と北衙禁軍の推移」『唐代前期北衙禁軍研究』汲古書院、二〇二〇年所収。

平田陽一郎(二〇〇二)「唐代兵制=府兵制の概念成立をめぐって——唐・李繁『鄴侯家伝』の史料的性格と位置づけを中心に」『隋唐帝国形成期における軍事と外交』汲古書院、二〇二一年所収。

平田陽一郎(二〇一一)「西魏・北周の二十四軍と「府兵制」」『隋唐帝国形成期における軍事と外交』所収。

平田陽一郎(二〇一四)「皇帝と奴官——唐代皇帝親衛兵組織における人的結合の一側面」『隋唐帝国形成期における軍事と外交』所収。

平田陽一郎(二〇二一)「隋唐時代の「府兵制」と軍府」『隋唐帝国形成期における軍事と外交』所収。

藤井律之(二〇一八)「江南開発と南朝中心の世界秩序の構築」南川編『378年失われた古代帝国の秩序』。

古畑徹(二〇一三)「唐王朝は渤海をどのように位置づけていたか——中国「東北」工程における「冊封」の理解をめぐって」『渤海国と東アジア』汲古書院、二〇二一年所収。

松下憲一(二〇〇七)『北魏胡族体制論』北海道大学出版会。

松下憲一(二〇一四)「北魏部族解散再考——元萇墓誌を手がかりに」『史学雑誌』一二三編四号。

丸橋充拓(二〇二〇)『シリーズ中国の歴史2 江南の発展——南宋まで』岩波新書。

三﨑良章(二〇一二)『五胡十六国——中国史上の民族大移動(新訂版)』東方書店。

峰雪幸人(二〇一六)「慕容政権遷都考——五胡十六国時代における胡族「侵入」の一形態」早稲田大学長江流域文化研究所編『中国古代史論集——政治・民族・術数』雄山閣。

宮本亮一(二〇一五)「トハーリスターン行政地理研究序説」『東方学報』九〇冊。

向井佑介(二〇〇九)「北魏の考古資料と鮮卑の漢化」『東洋史研究』六八巻三号。

森部豊(二〇〇二)「安史の乱前の河北における北アジア・東北アジア系譜族の分布と安史軍の淵源」『ソグド人の東方活動と東ユーラシア世界の歴史的展開』関西大学出版部。

森安孝夫(一九八二)「景教」前嶋信次ほか共編『オリエント史講座3 渦巻く諸宗教』学生社。

森安孝夫(二〇〇二)「ウイグルから見た安史の乱」『東西ウイグルと中央ユーラシア』名古屋大学出版会、二〇一五年所収。

森安孝夫(二〇〇七)『興亡の世界史05 シルクロードと唐帝国』講談社(講談社学術文庫、二〇一六年)。

家島彦一(二〇〇六)『海域から見た歴史——インド洋と地中海を結ぶ交流史』名古屋大学出版会
家島彦一(二〇〇七)訳注『中国とインドの諸情報 第二の書』〈東洋文庫七六九〉、平凡社。

山下将司(二〇〇二)「唐初における『貞観氏族志』の編纂と「八柱国家」の誕生」『史学雑誌』一一一編二号。

山下将司(二〇一一)「唐のテュルク人蕃兵」『歴史学研究』八八一号。

山下将司(二〇一四)「北朝末~唐初におけるソグド人軍府と軍団」森部編『ソグド人と東ユーラシアの文化交渉』。

山根清志(二〇〇七)「唐代「百姓」身分に関する諸問題」『唐王朝の身分制支配と「百姓」』汲古書院、二〇二〇年所収。

吉田豊(二〇〇六)『コータン出土8—9世紀のコータン語世俗文書に関する覚え書き』〈神戸市外国語大学 研究叢書三八〉、神戸市外国語大学外国学研究所。

吉田豊(二〇〇七)「ソグド人とトルコ人の関係についてのソグド語資料二件」『西南アジア研究』六七号。

吉田豊(二〇一一)「ソグド人とソグドの歴史」吉田・曽布川寛編『ソグド人の美術と言語』臨川書店。

吉田豊(二〇二〇)「九世紀東アジアの中世イラン語碑文二件——西安出土のパフラビー語・漢文墓誌とカラバルガスン碑文の翻訳と研究」『京都大学文学部研究紀要』五九号。

渡辺信一郎(二〇〇二)「北魏の財政構造」『中国古代の財政と国家』汲古書院、二〇一〇年所収。

渡辺信一郎(二〇〇九)「唐代前期律令制下の財政的物流と帝国編成」『中国古代の財政と国家』所収。

栄新江(二〇〇七)「闞氏高昌王国与柔然、西域的関係」『絲綢之路与東西文化交流』北京大学出版社、二〇一五年所収。

Balogh, Dániel (ed.) (2020), *Hunnic Peoples in Central and South Asia: Sources for their Origin and History*, Groningen, Barkhuis.
De La Vaissière, Étienne (2007), "Is There a 'Nationality of the Hephtalites'?", *Bulletin of the Asia Institute*, New Series, Vol. 17.
Jie, Fei, Zhou Jie & Hou Yongjian (2007), "Circa A.D. 626 volcanic eruption, climatic cooling, and the collapse of the Eastern Turkic Empire", *Climatic Change* 81-3/4.
Miyamoto, Ryoichi (2019), "Étude Préliminaire sur la Géographie Administrative du Tukhāristān", *Studia Iranica* 48.

コラム｜*Column*

中華世界における胡語の漢字音写

吉田 豊

E. Pulleyblank は安史の乱に関する有名な専論（*The Background of the Rebellion of An Lu-shan*, London, Oxford UP, 1955, p. 15）中に、イラン学者の W. B. Henning からの教示を引用する。彼によれば禄山はソグド語の rwxšn「明るい」の発音を漢字で表記したものであるという。アレキサンダー大王のバクトリア人妻の名前 *Ρωξάνη* も同源であると添えていた。これは多数のソグド人名が在証されるムグ文書がまだ一部しか発表されていない時点のことだった。唐以前のシルクロード交易を事実上独占していたソグド人は中国内地にも多数居住していたから、漢文の記録の中にも彼らの名前は見出される。史思明《ししめい》のような中国風の名前を持たない場合は、ソグド語の名前を漢字で表記していた。五七九年に長安で死んだソグド人のバイリンガルの墓誌は、原語の名前と漢字表記を同時に見ることができる珍しい例である。夫婦合葬で夫は wyrk'k、妻は wy'wsyh と言った。漢文版では夫は出身オアシスであるキッシュ（史国）にちなんで史君と呼ばれ、妻は康氏とあるだけだが、祖父、父、そして三人の息子の名前は音写されている。例えば父親の名は wn'wk で漢字では阿奴伽と表記される。この墓誌では、史君は涼州の薩保という称号を帯びていて、ソグド語版では srtp'w と綴られている。薩保は唐代には薩宝と表記され祆《けん》教徒の管理者の官職名であった。その原語をめぐって多くの提案がなされていたが定説となるに至らず、東洋史上の謎の一つであった。一九八九年になって筆者は四世紀初めのソグド語の手紙の受取人の称号に s'rtp'w「キャラバンのリーダー」という語が見られることを発見し、それが薩宝の原語であると指摘していた。史君墓の srtp'w はそのバリアント形である。

ソグド人を巡る謎の音写語にもう一つ昭武がある。『隋書』『旧唐書』『新唐書』には、ソグド人は本来、酒泉と張掖《ちょうえき》の間にあった昭武城（現在の高台付近）にいたが、匈奴《きょうど》（あるいは突《とっ》厥《くつ》）に追われてソグドの地に移動したとある。ソグド人はそのことを忘れないために昭武という姓を名乗るのだとしている。中国のソグド人が出身のオアシス国家にちなんで帯びた康、安、史、石、曹、何などの姓は昭武九姓と総称された。ソグド人はイラン系の民族で、アケメネス朝以前から現在のサマルカンド周辺に居住していたから、この記事は荒唐無稽である。それにしても昭武とは何なのか。これについても多くの提案があった。有力だったのは、突厥碑文に見られる altï čub sogdaq「6 čub のソグド人」の čub と比較する説であったが、後にこの表現は「六州胡」に比定され、čub は「州」を写したものであることが明らかになった。昭武は隋の時代には*čæumiu（*は推定音であることを示す）のような発音だったと考えられる。これと類似するソグド語の単語は見当たらないが、当時のソグドの王には、七世紀のペンジケント領主 cmʾwkyʾn「原義：cmʾwk の恩恵」のように cmʾwk を要素とする名前を持つ者が複数いる。イスラム時代に書かれたブハラ史には古い時代に cmwk（アラビア文字で jmwk）という首領がいたと伝える。この名前はソグド語ではないので、ソグドを支配した異民族の支配者の人名か、人名にも転用される神格名であったのであろう。この時期であればエフタルの可能性が高い。ソグド人は張掖や酒泉に限らず河西地方に多数居住していた。『隋書』によるとそこでは西方の金銀銭が流通し国家も禁止できなかったという。ソグド人は往時の月氏のようにむしろここが出身地で、後に遊牧民に追われて西方に移動したというような伝説が成立したのであろう。当時のソグド人の間でなじみのある名前である cmʾwk と昭武の発音の類似をもとに、中国での立場を有利にするために、したたかなソグド人自身が捏造した伝説なのかもしれない。この種の根拠のない記事には、やはり『隋書』『旧唐書』『新唐書』に康国の王の本来の姓は温であったというものがある——「康国者……其王本姓温」。こちらは『魏書』の「粟特国」（ソグド）の条にある「一名温那沙」に基づいている。温那沙の原語は匈奴の一派であったキダーラ族出身のサマルカンド王 ολαρρο の封泥《ふうでい》が発見されるに及んで明らかになった。封泥にみえるギリシア文字表記のバクトリア語の名号の一部に υοναυο þαο「hunān shā フンの王」とあり温那沙によく対応する。

シルクロード沿いの敦煌やトルファン出土の漢文文書には相当数のソグド人名が見つかる。一九六五年、池田温は敦煌にあったソグド人聚落従化郷の七五〇年頃の差科簿について重要な論文を発表したが、多くの漢字表記の名前をムグ文書をはじめとするソグド語文献に現れる人名に比定するという画期的な貢献もした（「8世紀中葉における敦煌のソグド人聚落」『ユーラシア文化研究』一号、四九–九二頁）。差科簿には安禄山と同名と見られる何阿禄山も登録されている。それから半世紀後の現在、ソグド語資料から確認できる人名の数は飛躍的に増えたが、不思議なことに rwxšn あるいはそれを含む人名は見つかっていない。鉄案と思われた Henning の説は証明できない。差科簿には羅阿了黒山という人名が見える。これは容易に rywxšyʾn というソグド人名に還元できる。ちなみに「阿」は中国語に無い初頭の r-音を写すための便宜である。禄山はこの名前の簡略化した表記ではないかとも疑っているが、これとて証明はできない。

問題群 | *Inquiry*

問題群｜*Inquiry*

十六国北朝隋唐政権と中華世界

佐川英治

はじめに――中国史の分水嶺としての四世紀

四世紀の華北では五胡と呼ばれる諸民族の政権があい継いで誕生し、五世紀には鮮卑拓跋《たくばつ》氏の北魏によって華北の統一が成し遂げられた。六世紀から七世紀にかけては、北魏の後継国家のなかから隋唐政権が立ち上がって中国を再統一し、東部ユーラシアの世界帝国へと発展する。本章ではこの時代の諸政権がどのような性格をもち、いかに中華と向き合い、どのように中華を変容させたのかについて見ていく。

東洋史学の泰斗である内藤湖南は、中国史の発展段階を考えるにあたって、当時一般に考えられていた上古は開闢より夏殷周、中世は両漢六朝、唐宋と元明清をそれぞれ一時代と見るような時代区分を批判し、「真に意味ある時代区分を為さんとするならば、支那文化発展の波動による大勢を観て、内外両面から考へなければならぬ」（内藤 一九六九：一〇頁）として、次のような時代区分を示した。第一期の上古は中国に発生した文化が徐々に発展して四方に広がっていく後漢の中頃までと、その後しばらく外部発展が停滞する西晋までの過渡期、第二期の中世は外部の民族の自覚によりその勢力が中国の内部に及んでくる五胡十六国から唐の中葉までと、その勢力が頂点に達する唐末より五代までの過渡期、そして宋元が近世前期、明清が近世後期であるとした。

内外両面から考えるという歴史観には、まだ内藤が遼金を中心に近世史を論じていた頃の影響が見られ、この時代区分は、内藤がいうところの「民族より見て漢族を主とすると、勢力の強大なるものを見る方法」(内藤 一九六九：五三〇頁)のうち、後者の方法によるものといえよう。しかし、この見方はその後十分には展開されず、宋を中心にして近世を君主独裁の時代、それに先んずる中古を貴族政治の時代とする歴史観の下、中古の範囲は「大体後漢の末頃から唐の末頃まで」(内藤 一九六九：二四九頁)とされるにいたった。この間にも東晋の末頃(五世紀初め)には、古代から継続してきた中国文化が「自己の文化の中毒により」いったん崩れてしまい、その後新たに「自分の国にも芽生え、外国からも入って来た文化」によって一種の新しい文化が生まれてくるという変化は認められたが、その変化の位層は中古の時代区分の下位に位置づけられることになった。

しかし、中国史を広く東アジアや東部ユーラシアのなかで把握することが目指されるようになった今日、内藤が中国史を内外両面から考えてその展開を見たことは改めて注目する価値がある。

実は十六国期に中国史の画期を見出したのは内藤だけではない。中国における世界史・文明史研究の草分けである雷海宗は、三八三年の淝《ひ》水《すい》の戦いをもって中国史を二分し、淝水の戦い以前を「古典中国」、淝水の戦い以後を「胡漢混合」「梵華同化」の「新中国」または「総合的中国」とし、四世紀をもって中国が多元化していく画期とした(雷 一九三六)〔八五頁**図1**参照〕。こうした中国文化の多元化という点から見れば、ウィットフォーゲルが十六国の前趙・後趙や北魏を遼・元に代表される「征服王朝」に先行する「浸透王朝」と見たことにも目を向けなくてはならない(Wittfogel and Fêng 1949: 14-25)。もっとも、ウィットフォーゲルはその間の隋唐を典型的中国王朝に分類したのであるが、モンゴル史の杉山正明は十六国の代国から北魏をへて唐にいたるまでの諸政権を「拓跋国家」として一つの視野におさめる見方を提唱している(杉山 二〇一一：二四九頁)。

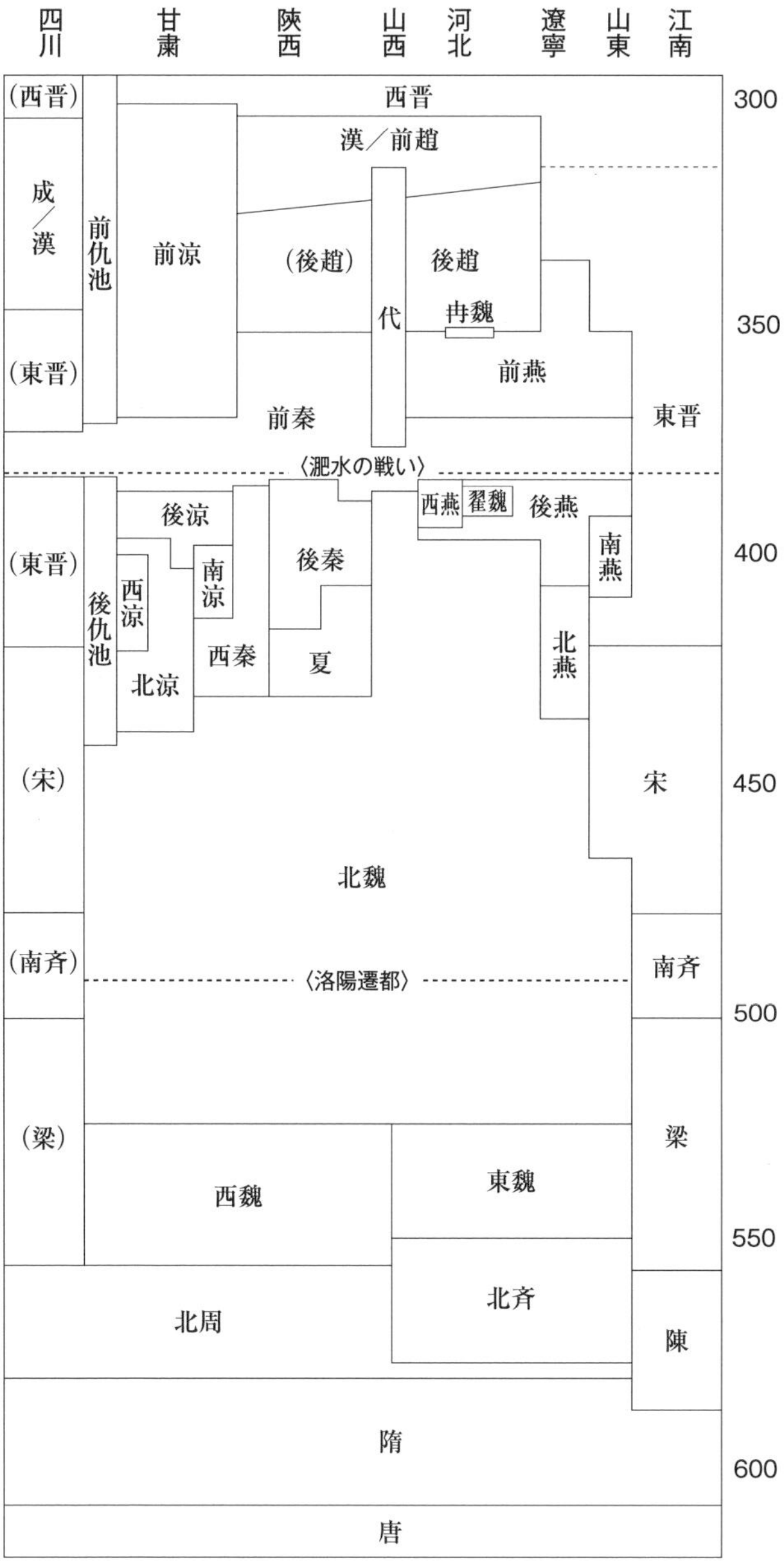
四川
甘粛
陝西
山西
河北
遼寧
山東
江南
300
350
400
450
500
550
600
(西晋)
西晋
漢／前趙
成／漢
前仇池
前涼
(後趙)
後趙
代
冉魏
(東晋)
前燕
前秦
東晋
〈淝水の戦い〉
後涼
西燕
翟魏
後燕
後秦
南燕
後仇池
西涼
南涼
北燕
西秦
夏
北涼
(宋)
宋
北魏
(南斉)
南斉
〈洛陽遷都〉
(梁)
梁
西魏
東魏
北周
北斉
陳
隋
唐

図1　十六国北朝興亡表

近年では妹尾達彦が、内藤の時代区分を継承しつつ、世界史的な視野からの時代区分をおこない、三・四世紀までを古典国家が形成される古典文化の形成期、四・五世紀から一五・一六世紀までを農牧複合国家が形成されるユーラシア史の形成期[1]、一六・一七世紀から現在までを近代国家が形成される地球一体化の進展の時代としている（妹尾 二〇一八：六二―七六頁）。また川本芳昭は、十六国期の五胡諸民族における中華意識の形成が、古代の日本を含む東アジア世界にも波及して各国の中華意識の形成に影響を与えたと見ている（川本 二〇一六）。

以上のように、この時代は、漢帝国の外に出自する諸民族が、中国の内部において中華の担い手となると同時に、それまで中国でも周辺であった地域や中国の外に新たな文化の中心地が生まれ、それぞれに独自の中華が育まれていく時代であった。あるいは漢帝国の下で形成された古典文化が、活発化した諸民族、周辺地域、諸外国の活動に取り込まれて多様化多元化していくとともに、さらにそのなかのある部分が遊牧文化や仏教文化とも融合してより普遍的な中国文化が生み出された時代ともいえる。本章では十六国から隋唐が成立するまでの中国史をこのような一つの特色ある時代として見ていくことにしたい。

一、ポスト漢帝国

十六国期は中国史のなかでもきわめて特徴的な分裂の時代である。秦漢帝国の成立以降、華北がここまで分裂した時代は他にない。一見するとこの時代は一貫した分裂の時代であり、前秦《ぜんしん》の苻堅《ふけん》による華北の統一はまったくの偶然的な現象であるかのように見える。しかし、よく見れば、前半は漢《かん》／前趙《ぜんちょう》、後趙《こうちょう》、前燕《ぜんえん》、前秦といった国々が、短命ではあるけれども、陝西、山西、河北といった中国の中心部に覇を唱え、そのような国の君主だけが皇帝もしくは天王を称していた。

『晋書』によれば、十六国の漢を建国した劉淵《りゅうえん》は匈奴の屠各《とかく》種で、南匈奴の単于《ぜんう》の末裔とされる。しかし、実際には屠各は単于の種族ではなく、漢代に西北方面から中国に入った匈奴の一種族であった(唐　二〇一一：三八三頁)。幼い時から人質として洛陽で育ち、八王の乱のなかで山西中部の五部匈奴に迎えられた劉淵は、匈奴の部衆から大単于の称号を奉られたが、これを断り、国号を漢として漢王を称した(三〇四年)。そして自らを漢の皇室劉氏の後裔と位置づけ、南郊の天の祭祀では漢の高祖を太祖、劉秀を世祖、劉備を烈祖として合祀した。そして四年後の三〇八年になって皇帝に即位した。劉淵は晩年になって都の平陽(山西省臨汾市)に単于台(大単于の統治機構)を置き、子の劉聡《りゅうそう》を大単于に即けた。大単于の下には左右の単于輔が置かれ、それぞれが一〇万余落の非漢人を管轄した。

石勒《せきろく》は上党郡武郷県(山西省長治市)の羯《けつ》人で、劉淵の建国に参加し、漢の将軍として河北や河南の平定に功績を挙げた。劉聡の死後、劉曜《りゅうよう》から趙王に封じられたが、のちに劉曜が撤回したことで、両者は袂を分かち、三一九年、漢は二つに分裂した。劉曜は長安に都を遷すと、五行の行次[**表1**参照]を晋の金徳を受ける水徳に改め、劉淵が晋から盧奴《ろど》伯(盧奴県は現在の河北省定州市)に封じられていたことなどから国号を趙に改めた(前趙の建国)。同じ年、石勒は襄国《じょうこく》(河北省邢台市)で群臣から皇帝即位の要請を受けたが辞退し、改めて群臣から趙王・大単于に即くように要請されるとこれを受け、年号は立てずに趙王元年を称した[2](後趙の建国)。

三二九年、洛陽の会戦で劉曜を殺して前趙を滅ぼした石勒は、翌年二月再び臣下から皇帝に即位することを要請された。しかし、皇帝には即位せず、趙天王に即位して皇帝の事業をおこなうこととし、子の弘《こう》と宏《こう》をそれぞれ太子と大単于にした。そして晋を継ぐ水徳を明らかにした。石勒は九月に再び群臣の要請を受けて皇帝に即位するが、わずか三年後に病死する。

三三四年、石虎《せきこ》が皇帝の石弘を廃し、石宏とともに殺すと、趙の群臣は石虎に皇帝号を奉った。しかし、石虎もまた辞退して居摂《きょせつ》趙天王を号した。三三五年には自らの拠点である鄴《ぎょう》(河北省邯鄲市)に都を

表1　五行と王朝の行次

五徳	木	火	土	金	水
王朝	周	漢	魏	晋	趙

遷し、三三七年には大趙天王に即位した。つづいて三三九年、石虎は太子の宣《せん》を大単于とし、自らは天子の旌旗《せいき》を建てた。三四九年正月、石虎は皇帝に即位したが、四月には没した。

石虎の死後、後趙では内乱が起こり、石虎の養孫であった漢人の石閔《せきびん》が皇帝に即位して魏を建て、冉《ぜん》氏に復姓した(3)(冉魏の建国)。前燕の慕容儁《ぼようしゅん》は、これを好機として弟の慕《ぼ》容恪《ようかく》に軍を率いさせて河北に進撃し、三五二年八月には魏を滅ぼした。慕容儁は東晋から燕王に封ぜられていたが、一一月、東晋の冊封体制から離脱して皇帝に即位した。三五五年、慕容儁は龍城(吉林省延辺朝鮮族自治州)から薊《けい》(北京市)に移り、三五七年には鄴に移った。

一方、関中では、後趙の滅亡後、氐《てい》人の苻氏が前秦を建国した。三五一年正月、苻健は長安で天王・大単于を称し、大秦を建国した。しかし、翌年の正月、群臣から漢晋に倣って尊号を称するように請われると、苻健は皇帝に即位し、大単于を太子の萇《ちょう》に授けた。

苻堅は苻健の弟の雄《ゆう》の子で後趙の都の鄴で生まれ育ち、苻氏の一家で初めて学問に親しんだ。苻健の死後皇帝に即位した苻《ふ》生《せい》は希代の暴君であった。二〇歳の苻堅は庶兄らとともに苻生を殺し、大秦天王に即位した。苻堅は漢人の王猛《おうもう》を重用して法治を推進する一方、自らは太学に赴いて学生を選抜するなど儒教の振興に力を入れた。

三七〇年、苻堅は東晋の桓温《かんおん》の北伐を受けて疲弊していた前燕を襲いこれを滅ぼした。それからの六年間で楊氏の前仇池《ぜんきゅうち》国を滅ぼし、東晋の梁州・益州を占領し、張氏の前涼と拓跋鮮卑の代国を滅ぼして華北を統一した。しかし、三八三年、苻堅は一〇〇万の軍勢を率いながら、淝水の戦いでわずか八万の東晋軍に敗れて帝国は瓦解した。

以上のように西晋の滅亡から淝水の戦いまでの六七年間を見ると、華北で複数の天王・皇帝国家が並存した期間は、漢や後趙の滅亡時を除けば、ほとんど前燕と前秦が対峙した一八年間に限られる。それ以外の五〇年近くは、基本的に華北には一人の皇帝もしくは天王が君臨していた。これは中原に覇を唱えてはじめて帝王たりえるという中華意識を彼らが共有していたためである。これらの国では、漢や晋にならって東夷校尉や南蛮校尉といった異民族統御官を設置して自らの中華王朝としての位置づけを図った(三﨑 二〇〇六:二六一頁)。

しかも彼らは自らを中華の正統――すなわち漢や晋の後継者――と位置づけないかぎり、皇帝を称することはなかった。よってある者はその代わりに天王を称した。天王は十六国期にしばしば用いられた特徴的な君主号で、その地位は皇帝とほぼ同じであった。その一方で、天王から皇帝へ即位することもしばしば見られ、天王は明らかに皇帝より一等劣る称号であった。問題はこの差がどこにあるかであるが、天王・大単于であった苻健は皇帝に即位する際に「単于は百蛮を統一する称号であって、天子が帯びるものではない」(『資治通鑑』巻九九晋紀東晋穆帝永和八年条)と言って太子に大単于の職を授けている。このことからすれば、天王と皇帝(天子)の違いは、単于号を併称できるかどうかにあった(松下 一九九九)。

実際に天王と大単于を併称した例は、他にも四〇七年に夏の赫連勃勃《かくれんぼつぼつ》が天王・大単于に即位した例がある一方で、皇帝と大単于を併称した事例は十六国期を通じて一例もない。後趙の石勒は、初め趙王・大単于を称していたが、天王を称して皇帝の事をおこなう(行皇帝事)にあたっては子の宏に大単于を授けた。このとき「石勒の即位後は、大単于は必ず自分に授けられる」(『晋書』巻一〇六石季龍載記上)と信じていた石虎は憤懣に耐えなかったという。石虎が天王となったときに大単于を併称したかどうかは不明であるが、のちに「その太子の宣を大単于に就け、天子の旌旗を建てた」(『晋書』巻一〇六石季龍載記上)とあることからすれば、天子の旌旗を建てるまでは大単于を併称していた可能性が高い。これらはいずれも大単于の号を去らなければ、皇帝(天子)となれなかったことを示している。

漢代の天下観は内外の構造をもち、夏は内、夷は外に置かれる。皇帝(天子)はその天下の一元的な中心であった。こうした天下観は魏晋にも受け継がれていたが、一方でそれと乖離する現実も進行していた(板橋 二〇一九)。十六国の君主が天王号を用いたのは、漢代の天下観と皇帝観を受け入れる一方で、それに対する不都合もあったからである。石虎は皇帝への即位を勧める臣下に対して「朕は、道が乾坤《けんこん》に合う者が皇を称し、徳が人神に協《かな》う者が帝を称すると聞いている。皇帝の号は敢えて受けない」(『晋書』巻一〇六石季龍載記上)として辞退した。後趙は胡人を「国人」とする政策をとっており、一元的な支配者である皇帝よりも大単于との併称を許容する天王のほうが都合がよかったのである。

しかし、そうした石勒や石虎も晩年には皇帝に即位した。夏と夷にまたがる彼らの世界観は、依然として皇帝を中心とする統一の理想の下に置かれたもので、いまだ夏夷の完全な対等を肯定するものではなかったのである。

二、「淝水」以後

しかし、淝水の戦い以降、この状況は一変する。例えば皇帝と天王の併存状況をみると、北魏の拓跋珪《けい》(道武帝)が皇帝に即位した三九八年には、皇帝を称していた国は北魏以外に後秦《こうしん》と後燕《こうえん》があり、天王を称していた国に後涼《こうりょう》がある。また赫連勃勃が大夏の天王・大単于となった四〇七年には、皇帝を称していた国は北魏と南燕《なんえん》があり、天王を称していた国は夏以外に後秦と後燕(同年に北燕)がある。このように淝水の戦いのあとには皇帝もしくは天王を称する国が常時四、五か国は並存するという状況が生まれたのである。

十六国後半期の建国運動は、苻堅の統一戦争の過程で取り込まれていった諸勢力が反転して前秦から自立するというかたちをとって現れた。その先陣を切ったのが前燕から前秦に亡命し、前秦の将軍となっていた慕容垂《ぼようすい》である。三八四年に滎陽《けいよう》(河南省鄭州市)で燕王に即位した慕容垂は、「燕元」の年号を立てると、北上して苻堅の庶子の苻丕《ふひ》が守る鄴を攻めた(後燕の建国)。ただし、この時慕容垂は苻堅を「陛下」、自らを「臣」と呼ぶ上奏文を送り、苻丕を傷つける意思がないことを示すとともに、鄴に入城したのちは前秦の東藩となることを請うた。慕容垂は苻堅の存命中は燕王の地位に止まり、三八五年に苻堅が姚萇《ようちょう》に殺されてようやく中山で皇帝に即位した。またこれとは別に苻堅に降服した前燕君主慕容暐《ぼようい》の弟で前秦に仕えていた慕容泓《ぼようおう》と慕容沖《ぼようちゅう》も自立して「燕興」の年号を立てた（西燕の建国）。
慕容垂や慕容泓らが掲げた「燕元」や「燕興」の年号は、ともに前燕の復興を掲げるものである。前燕はもともと東晋の冊封国であり、後趙が滅びたのちに初めて慕容儁《ぼようしゅん》が皇帝を称した。その際に王朝の行次が議論され、初めは晋の金徳を継ぎ水徳とする意見が優勢であったが、慕容儁はあえてこれを木徳とした。ここでの木徳は後趙の水徳を受け継ぐとともに、慕容氏が興った東方の地を意味していた。「大燕王の事績は震に始まり、『易』においては震は青龍である。受命の初め、龍が都（龍城）に現れた。龍は木徳であり、五行の符瑞である」（『晋書』巻一一〇慕容儁載記）とあり、木徳は方位において東方（震・青龍）を意味したからである。つまり、この木徳は中原王朝としての正統と東方の王国としての自己認識が二重に合わさったものであった。この矛盾は時に政治的な対立の火種ともなり、三六〇年に少年の慕容暐が即位すると輔政の任にあった慕容恪と慕輿根《ぼよこん》が対立し、慕輿根が皇太后の可足渾氏《かそくこん》に東土への帰還を促すにいたり、ついに慕容恪が慕輿根を禁中で殺害するという事件に発展する。三六五年に東晋から洛陽を奪うと、慕容暐は改めて木徳の定義を後趙の水徳を継ぐ木徳の意味に定め直した。すなわち、ここにいたって慕容氏は、ようやく完全なる中華の正統を表明するのであり、もともと中華の正統を受け継ぐ意識は弱かったのである。このように自らを中華の正統に位置づけないまま独自の天下の中心であろうとする動きは、十六国後半期やその後の朝鮮や日本でより明確なものになっていく。

十六国期における最後の建国者となったのは、四〇七年六月に夏を建てた赫連勃勃と同年七月に燕（北燕）を建国した高雲《こううん》である。

赫連勃勃は漢趙を建てた劉淵と同族であり、もとは劉を姓としていた。苻堅は拓跋の代国を滅ぼしたあと東西の二部に分け、勃勃の父の劉衛辰《りゅうえいしん》を西単于とした。しかし、劉衛辰は前秦崩壊後代国を復興した拓跋珪に敗れ、部下に殺されてしまう。幼い勃勃は辛うじて難を免れ、後秦の姚興《ようこう》のもとに逃れた。勃勃が成長すると姚興は北魏を防ぐため勃勃をオルドスに送り出したが、姚興が北魏との和親に転ずると、勃勃は四〇七年に天王・大単于を称して自立し、国号を夏とした(夏の建国)。勃勃は後秦と争いながらしだいに勢力を広げ、四一三年には統万城(陝西省楡林市)を築いて都とした。同年、勃勃は姓を劉氏から赫連氏に改める。

高雲はもと高句麗人高抜《こうばつ》の子で、高抜は三四二年に前燕の慕容皝《ぼようこう》が丸都城を攻めて高句麗人五万人を拉致したなかの一人であり、高抜の父の高和《こうか》は高句麗の王族であった(池 一九八七)。高雲は後燕の慕容宝《ぼようほう》に仕えて養子となり、慕容の姓を名のった。慕容宝は慕容垂の子である。慕容垂が建てた後燕は一時強勢を誇ったが、慕容宝の時にやはり拓跋珪の侵攻に遭って都の中山が落とされた。その後しだいに領土を失い、慕容熙《ぼようき》の時には遼西地域のみを保持する小国となっていた。四〇七年に漢人の将軍の馮跋《ふうばつ》がクーデターを起こして慕容熙を殺害し慕容雲を推戴した。慕容雲は馮跋に勧められて姓を慕容氏から高氏に戻し、天王に即位して燕の国号を立てた(北燕の建国)。慕容雲が高氏に復すると、広開土《こうかいど》王《おう》は高雲を宗族に加え、高雲もこれに応じて関係を結んだ。

期せずしてともに四〇七年に天王として即位した赫連勃勃と高雲は、いずれも自身の姓を改めたという共通点を持っていた。赫連の意味について勃勃は「帝王は天の血筋を受けた子であり、徽赫として天に連なる。いま改姓して赫連とし、皇天の意に叶わん」(『晋書』巻一三〇赫連勃勃載記)としている。徽赫とは明らかの意味である。しかし、白鳥庫吉によれば、「赫連」はもともと匈奴の言葉で「天」を意味する「祁連」と同音で、匈奴語の「天」の発音を漢字で綴ったものである(白鳥 一九〇七)。

勃勃が姓を劉氏から赫連氏に変えたことは、彼が国号を大夏としたこととも関連している。もともと『史記』や『漢書』では匈奴は夏の末裔の淳維《じゅんい》に由来するとされており、匈奴が夏王の末裔であるという考え方は中国で広く共有されたものであった。しかし、ここで勃勃があえて夏を持ち出したことには帝王戎夷説が関係していよう。

帝王戎夷説の起源は定かではないが、古くは孟子が、舜《しゅん》は東夷の人で、周の文王は西夷の人であるといい、前漢初期の陸賈《りくか》の『新語』には「文王は東夷に出自し、大禹《だいう》は西羌に出自する」とある。これらは儒教に民族を超えた普遍性があることをいうための言説であった。十六国期になると劉淵や慕容廆《ぼようかい》が出自に対する偏見を批判するために用いた。勃勃はそこからさらに一歩踏み込んで、自らこそ禹の本来の継承者であることを夏の国号に示したのである。後趙や前秦では漢の年号を踏襲することが多かったのに対して、勃勃が立てた「龍昇」「鳳翔」「昌武」「真興」の年号がいずれも中国史上に前例のないものであることも自らに独自の正統性を付与していたことを示している（三﨑 二〇〇六：一四八頁）。劉氏から赫連氏への改姓は、こうした勃勃の自意識を姓の上に表すものであった。勃勃は皇帝に即位した年、禹の子孫としての誇りと自らが打ち立てた功績を漢文の碑に刻み、統万城の南に建てた。

統万城に勃勃の碑が建てられたのと同じころ、高句麗では広開土王碑が建てられた。中国吉林省集安市に立つその碑は、六メートルを超える巨石の四面に一八〇〇字近い文字を刻んだ東アジア最大級の碑である。碑文には広開土王が倭の侵略を撃退して百済や新羅を朝貢国としたことが刻まれており、独自の中華意識の発揚がみられるが、冒頭には開国神話が記され、始祖の鄒牟《すうむ》王《おう》が天から降臨した天帝の子であること、天帝の権威を借りて奇跡を起こしたこと、最後は龍に乗って天に昇ったことなどが記されている。

勃勃の場合も姓を赫連としたように天との繋がりを強く意識していた。もともと匈奴の単于は自らを「天地が生む所、月日が置く所の匈奴大単于」（『史記』巻一一〇匈奴列伝）と称していた。勃勃は自分と天との繋がりを「係天為子」とか「係天之尊」などといっており、「係」には縦に繋がる意味があることからすると、彼にも天孫の意識があった可能性が高い[4]。

儒教の観念では天命は有徳者に下り、徳を失えば天命も去る。「皇天に親無く、ただ徳をのみこれ輔《たす》く」（『春秋左氏伝』僖公五年）とあるとおり、天は人に対して絶対公平であり、有徳者のみを助けるというのが文明としての中国のあり方であった。劉淵や苻堅もこの言葉を口にして帝王としての自負としていた。とりわけ苻堅は儒教の復興を自らの使命としており、老荘や図讖《としん》の学を禁じてまで漢代における儒教一尊の状態に戻そうとした。苻堅が僧の順道《じゅんどう》を送って高句麗に仏像と経文をもたらしたとされる三七二年、高句麗は前秦に朝貢するとともに太学を建てて子弟の教育を始めている。苻堅の儒教に対する熱意をみれば、これは偶然ではなかろう(申 一九八八)。

ただし、儒教は中国の文化である以上、儒教の教習を通じて文明化することは、現実には中国に同化していくことにほかならない。しかし、このような文明化の方向を取った天下統一の試みは淝水の戦いで失敗に帰した。十六国後半期の建国運動では、この明らかな事実から出発して、中国とは異なる自らのあり方もまた天が賦与したものとする自覚を高めていくことになるのである。

三、皇帝可汗

鮮卑の拓跋部は曹魏の時代に力微《りきび》の下で陰山の北の草原地帯から山西省北部や河北省北部にかけて勢力を築き、四世紀の初めには晋から援軍を要請されるようになり、力微の孫の猗盧《いろ》が晋の愍帝から代王に冊封された。とはいえ、当時の拓跋部はなお部族連合体の域を脱しておらず王権は不安定であった。三三八年に後趙の人質となっていた什翼《じゅうよく》犍《けん》が代に戻って王となると、初めて官府と官僚を置いて君権を安定させた。その治世は四〇年近くに及んだが、三七六年、前秦の苻堅に滅ぼされた。しかし、前秦が崩壊に向かうと、三八六年、什翼犍の孫の珪が代王に即位し、ついで独自に魏の国号を立てた。

珪の祖母は燕王慕容皝の娘であり、後燕皇帝の慕容垂はおおおじに当たる。珪ははじめ後燕に兄事する態度を取っていたが、後燕が西燕を滅ぼして山西南部に勢力を広げるとこれに反旗を翻し、三九六年に天子の旌旗を建て「皇始」と改元した。翌年、後燕の都の中山を陥《おとしい》れて河北を手中に収めると、その翌年の三九八年七月、都を平城(山西省大同市)に遷し、一二月、皇帝(道武帝)に即位した(北魏の建国)。その際、五行の行次が議論されたが、「我々は黄帝の子孫であり、土徳とすべきである。拓跋の神獣は牛に似ており、牛は土畜であり、また河北進出の年に黄星が現れた。これは符瑞である」(『魏書』巻一〇八礼志一)として、王朝の行次を継がず、出自によって土徳に定めた。このように珪は皇帝を称したとはいえ、自らを漢や晋の後継者とは位置づけていなかった(川本 二〇一五:四一二頁)。道武帝の皇帝称号は中華の正統を主張するというよりも、後燕に代わる支配者の立場を宣言するものであった。

北魏は十六国の諸政権のなかで唯一モンゴル高原の草原世界に君臨した政権である。『魏書』の序紀には「統国三十六、大姓九十九」の首長となった毛《もう》以来、道武帝に至るまで途切れることなく「皇帝」の名や事績が記されているが、その伝承はもとは朝夕に北魏の後宮で歌われていた鮮卑語の「可汗」の歌辞(真人代歌)に由来する(田 二〇一八:三〇六頁)。なかでも道武帝の曽祖父に当たる鬱律《うつりつ》(平文帝)は「西は烏孫の故地を兼ね、東は勿吉《もつきつ》以西を呑み、有する騎兵は百万にならんとした」(『魏書』巻一序紀)と顕揚され、道武帝は鬱律に太祖の廟号を奉っている。

道武帝は皇帝に即位したといっても中原に向かうことはなく、もっぱら陰山一帯でいわゆる「部族解散」をおこない、草原の諸部族の解体と吸収を強力に進めた。これに危機感を覚えた漠北の高車《こうしゃ》の諸部族は北魏に追われていた柔《じゅう》然《ぜん》の社崙《しゃろん》の下に結集し、社崙はこれをもとにモンゴル高原の諸部族を傘下に収めて柔然可汗国を築いた。次の明元帝の時代には、東晋の劉裕が北伐の軍を起こして山東の南燕や関中・河南の後秦を滅ぼし、四二〇年に宋を建国して北魏と直接対決するようになった。宋は北には柔然と連絡し、西には夏・北涼《ほくりょう》・吐谷渾《とよくこん》、東には北燕・高句麗と結んで北魏を封じ込めようとした(坂元 一九七八:五二六頁)。これに対して第三代の太武帝は、四二五年の赫連勃勃の死を好機として夏を攻めて長安を取り、ついで統万城を陥れた。また四二九年に柔然を討って大勝利を挙げると、漠北の東部の高車を陰山一帯に移し、六鎮《りくちん》を置いてこれを羈縻した(佐川 二〇一八a)。そのうえで四三六年には柔然とも結んでいた遼西の北燕を、四三九年には河西回廊の北涼を滅ぼした。ここにおいて北魏が華北の全域を占めて、北には柔然の可汗と争い、南には宋の皇帝と対峙するという三極対立の構図が出来上がった。

平城は黄土高原の東北の隅に位置し、北に陰山を越えるとモンゴル高原に達し、東に太行山脈を越えると河北平原に出る。道武帝が皇帝に即位してから平城には徐々に都城に相応しい宮殿や儀礼施設、官府が整えられていった。もっとも、道武帝は宮殿には住まず、平城に滞在するときは宮殿の北にある鹿苑という皇帝専用の牧場にキャンプを張って過ごした。

太武帝や次の文成帝の時代になっても、北魏の皇帝にはほぼ毎年繰り返される季節行動があった。まず四月に平城の西郊で天を祭り、五月・六月になると陰山やオルドスに出かけて夏を過ごし、九月・一〇月の頃に平城に戻って白登山に登り祖先と天を祭った。河北への巡行はもっぱら冬季に行われた(佐藤 一九八四)。夏と秋に天を祭るのは匈奴以来の伝統であり、祭る際には祭壇を作って木主を立て、その周囲を群馬で駆けまわった。北魏でも全くこれと同じ方法で祭祀をしていたことが南朝側の史料である『南斉書』巻五七魏虜伝に記されている。西郊で天を祭るのは西を向いて天を祭る拓跋氏の習慣に由る。陰山やオルドスには高車の人々がおり、皇帝がほぼ毎年これらの地域に出向くのは、彼らから牛や馬などの家畜の貢納を受けとるためであった。こうして受けとった家畜はいったん鹿苑に集められた。九月・一〇月の祭祀をおこなう白登山はこの鹿苑を見下ろす場所にあった。北魏の皇帝はここに集められた家畜を賞賜として臣下に分け与えたり、「計口受田」によって人々に土地を分配する際に耕作用の畜力として与えたりした。このように平城は、中国文化導入の窓口としてだけではなく、遊牧と農耕の交錯地帯に位置して両者を有機的に結びつける役割を果たした(佐川 二〇一六：一四九頁)。

可汗はこの時代に単于に代わって用いられるようになる遊牧世界の君主号である。柔然や吐谷渾はこの称号を用いていた。北魏でも用いていたことを示唆する史料はあったが、『魏書』には北魏の皇帝が可汗を称した事実が全く記されていないため、北魏が実際に君主号として用いていたかどうかが問題となっていた。

この問題は一九八〇年に内モンゴル自治区東北部のオロチョン自治旗にある嘎仙洞《かっせんどう》の壁面で発見された銘文によって解決された(町田 一九八四)。この銘文は北魏の太武帝が四四三年(太平真君四)に祖先の故地を祭るために、同地にあった烏洛侯《うらくこう》国に使者を派遣して刻ませた祭天の祝文である。これにより『魏書』に「天地を祭り、皇祖と先妣を合祀した」と記録されている部分は、正しくは銘文により「皇皇帝天と皇皇后土に犠牲を供え、皇祖・先可寒と皇妣・先可敦を合祀する」となっていたことが明らかになった[一〇〇頁**表2**参照]。可敦は可汗の妃であり、『南斉書』魏虜伝では太武帝の正妃を「皇后可孫」と呼んでいる。

「皇祖・先可寒」は自らを皇帝・可寒としたときの祖先への呼びかけである。ゆえに北魏の皇帝が可寒(可汗)を称していたことは疑いない。十六国の君主はしばしば大単于の称号を身に帯びながらも、決してそれを皇帝と並称することはなかった。これに対しては北魏では、皇帝と可汗は並び称されるものとなっていたのである。

四、王権の仏教受容

仏教は後漢時代に中国に伝わり、魏晋時代には王侯貴族の崇敬を集めるようになっていた。しかし、東晋における「沙門不敬王者」の論争に見られるように、中華による統一を目指す皇帝権力と中華を相対化して普遍主義を唱える仏教信仰との間には、常に一定の緊張関係が存在していた(芹川 二〇〇四)。

十六国期は仏教が華北の社会に広く普及した時代であり、後趙の石虎は亀茲出身の仏図澄《ぶっとちょう》を「大和尚」として崇敬して布教を認めた。このとき石虎は、「閭里の小人の爵秩無き者」にまで仏教を信仰させてよいものかどうかを中書に諮ったが、中書令の王度はかえって「仏は西域に出自する外国の神であり、その功徳は民には及ばず、天子・諸華が祀るべきものではありません」とし、身分を問わず一切禁断することを請うた。これに対して石虎は「朕は辺境に出自しながら、かたじけなくも諸華に君臨した。祭祀は本俗を兼ね備えるべきであり、仏は戎神であるこそから祭らねばならない」として、夏夷の別なく仏教を信仰することを許した(『高僧伝』巻九竺仏図澄伝)。

石氏は匈奴の一種である羯の出身であるが、一説には羯は山西一帯の雑胡の総称であり、そのなかにはかなり多くの西域に出自する胡人が混じっていた(唐 二〇一一:四一二頁)。実際彼らは匈奴にはない火葬の習慣を保持していた。『高僧伝』には仏図澄は石勒があまりに残虐なのを見て改心させようとして仕えたと伝えるが、もともと石氏には仏教を受け入れる素地があったに違いない。

ただし、その石虎にしても、君主として自ら振興に努めたのはもっぱら儒教であった。石虎は「昏虐無道と雖《いえど》も、頗る経学を慕う」(『晋書』巻一〇六石季龍載記上)と伝えられ、経典の校訂や注釈にも積極的であった。一方、仏図澄の門徒は一万人、建てた寺院は八九三か所に及んだとされるが、仏典の翻訳はおこなっていない。儒教の伝統のある中国で教えを広めようとすれば、経典はきわめて重要な意味をもつはずである。石虎が仏図澄に期待したのはもっぱら都の周辺の羯胡の教化であったのだろう。

後趙のあとを受けた前燕の慕容儁や前秦の苻堅にも自ら仏教を厚く信仰して広めようとした形跡は見られない(高橋 二〇一六)。仏教の振興が本格的に図られるのは、やはり前秦が崩壊したあとである。後秦の姚興は鳩摩羅什《くまらじゅう》を長安に招いて八〇〇人以上の僧侶とともに経典の校訂や翻訳をおこなわせた。また、自ら率先して布教に努め、国民の九割が仏教を信仰するようになったという。また涼州は前涼の時代から仏教が盛んな地域であったが、北涼の沮渠蒙遜《そきょもうそん》が仏教を厚く信奉したため、どの聚落にも仏塔や寺院が築かれるようになった。

拓跋氏はもともと仏教を知らず、仏教に触れたのは曹魏や西晋、後趙など中国との交流を通じてであった。道武帝は平城に遷都すると、初めて詔を下して五級浮図(五重の塔)を中心として各種の伽藍をもつ寺院を造らせた。僧侶のなかには道武帝による布教を期待し、「太祖は聡明にして仏道を好まれており、当今の如来のごときお方だ」「自分は天子を拝しているのではなく、仏を拝しているのだ」(『魏書』巻一一四釈老志)と言って敬礼する者もいた。続く明元帝や太武帝も仏教に対して寛容な姿勢をとった。

おりしも中原では道士の寇謙之《こうけんし》がのちに新天師道と呼ばれる体系的な道教を生み出しており、太武帝のブレーンであった漢人官僚の崔浩《さいこう》は寇謙之の道教を信奉し、太武帝に勧めて寇謙之を招き平城に天師道場を建てて道教を布教させた。太武帝は華北を統一すると寇謙之が老君からの符籙《ふろく》によって奉った「太平真君」の称号により元年とした。そして真君として世を治めることを示すため道壇に登って道教の符籙を受けた。以後北魏の皇帝は即位すると符籙を受けることが慣習となった。

崔浩は仏教がもたらす害悪を繰り返し太武帝に説いていたが、そうしたなか、四四五年に関中を中心に蓋呉《がいご》の乱と呼ばれる大規模な反乱が起こった。北魏に対する反抗心が仏教を介して結びつくのを警戒した太武帝は、長安の僧侶を殺害して仏像を破壊し、王公以下民間で僧侶を養うことを禁じた。太武帝はさらに詔を下し、「胡神」を敬う仏教は中国の社会秩序を乱すものと見なして天下の仏像仏典をすべて焼毀し、還俗しない僧侶は処刑する命令を下した。しかし、四四八年に寇謙之が亡くなり、崔浩も太武帝の信頼を失って四五〇年に国史事件で誅殺されると、禁令も緩んで弾圧は都の平城で形式的におこなわれるだけとなった。この年太武帝は宋の文帝の北伐に応酬して長江の北岸まで攻めこむが、虐殺と掠奪の深い爪痕を残しただけに終わった。政権内では太武帝が監国として政治を摂っていた皇太子の晃《こう》(景穆帝)を死に追いやるなどの混乱が続き、ついには宦官の宗愛《そうあい》に殺された。

四五二年に晃の子の文成帝が即位すると、直ちに仏教の復興がおこなわれ、北インド出身の師賢《しけん》が全国の僧侶を束ねる道人統の職に就いた。詔により文成帝の姿に似せた石の仏像を彫ると、顔と足のほくろと同じ場所に黒い石が現れた。そこで勅命により道武帝から文成帝まで仏教と縁のある五人の皇帝のために五体の釈迦像が造られ、道武帝が建てた五級大寺に納められた。師賢に代わって道人統となった北涼出身の僧侶曇曜《どんよう》は文成帝に進言して平城の西に五

表2　嘎仙洞銘文と『魏書』の比較
銘文からは太武帝は鮮卑の庫六官と漢人の李敞を使者として派遣したことがわかるが，
『魏書』では李敞のみとなっている．

嘎仙洞太平真君四年銘文	『魏書』巻 108 礼志 1
維**太平真君**四年，癸未歳，七月廿五日， **天子臣燾**，使謁者僕射**庫六官**， 中書侍郎**李敞**，傅㝹，用駿足，一元大武，柔 毛之牲，敢昭告于 皇天之神．啓辟之初，佑我皇祖，于彼土田． 歴載億年，聿来南遷，応受多福， 光宅中原．惟祖惟父，拓定四辺，**慶流** **後胤，延及沖人．闡揚玄風，増構崇堂，剋** **翦凶醜，威暨四荒**．幽人忘遐，稽首来王，始 聞旧墟，爰在彼方，悠悠之懐，悕仰余光．王 業之興，起自皇祖，綿綿瓜瓞，時惟多祜． 帰以謝施，推以配天，子子孫孫，福禄永 延．薦于 皇皇帝天， 皇皇后土，**以** **皇祖先可寒配，** **皇妣先可敦配**． 尚饗． 東作師使念鑿	其歳，遣中書侍郎**李敞**詣石室，告祭天地， **以皇祖先妣配**．祝曰， **天子燾**謹遣敞等用駿足，一元大武敢昭告于皇 天之霊．自啓闢之初，祐我皇祖，于彼土田， 歴載億年，聿来南遷．惟祖惟父，光宅中原， 克翦凶醜，拓定四辺．**沖人纂業，徳声弗彰**， 豈謂幽遐，稽首来王．具知旧廟，弗毀弗亡， 悠悠之懐，希仰余光．王業之興，起自皇祖， 綿綿瓜瓞，時惟多祜．敢以丕功，配饗于天， 子子孫孫，福禄永延． 敞等既祭，斬樺木立之，以置牲体而還．後所 立樺木生長成林，其民益神奉之．

つの石窟を開き、それぞれに大仏を彫りだした。いわゆる曇曜五窟であり、今日の雲崗石窟の第一六窟から第二〇窟がそれに当たる(岡村 二〇一七)。

ところで、太武帝は四二六年に夏に攻め入るにあたり、寇謙之に吉凶を問うたところ、寇謙之は「必ず克ちます。陛下の神武は時に応じ、天の符籙を授かっておりますからには、まさに兵をもって九州を定め、文を後にし武を先にし、よって太平真君と成られるべきです」(『魏書』巻一一四釈老志)と答えた。まさにその通りに「太平真君四年」の嘎仙洞の銘文では「沖人(私)の時代に及び、玄風(道教)を宣揚して崇堂(道観)を増築し、凶悪な敵を滅ぼして威は四荒に及んだ」としている。この部分は『魏書』では「沖人業を纂《つ》ぐも、徳声彰《あき》らかならず」と儒教的な文章に改竄されたが、実は太武帝は自らを道教の救世主と位置づけていたのである。「太平真君」は一般に年号と考えられているが、実は年号ではなく称号であり、このとき年号は無かったと見るのが正しい。(5) つまり『魏書』では天子と皇帝しか称していなかったかのように見えるこの祝文で、実は太武帝は太平真君・天子・皇帝・可汗の四つの称号を唱えていたのである。

もともと道武帝は「真人」「聖人」と見られていたし(田 二〇一八：三一四頁)、「当今の如来」として礼拝を受けることも厭わなかった。太武帝の死後ただちに北魏が皇帝をイメージした大仏造営へと向かうのは、すでに皇帝を神秘的な崇拝の対象とする見方が確立していたからである。(6) 皇帝・可汗を称した北魏の君主にとってもともと中華は相対化されていたのであり、仏教を王権に取り込んでいく素地は備わっていたのである。

五、隋唐制度の形成

では、以上のような多元化した世界から、どのようにして東アジア世界の新しい古典ともいえる隋唐の制度は立ち上がってきたのであろうか。以下では均田制と都城制を例にして隋唐への展開を見ていくことにしたい。

北魏はもともと鮮卑が軍事を独占し、「郡国の民は、征討せずと雖も、農桑に服勤し、軍国に供す」(『魏書』巻二八劉潔伝)というように兵農分離の体制を取っていた。支配領域の拡大にともなって州や郡で組織される地方軍の役割が増すと、しだいに民兵を加えるようになっていったが、文成帝の時代までの民の主な負担は、租穀と布帛および「転輸」と呼ばれる運搬の労役であったことに変わりない。中央は必要に応じて戸ごとに租五〇石(一石は約二〇リットル)といった基準で地方に課し、地方はそれぞれの戸数に応じた額を供出していた。ゆえに中央は地方の民の個々人身までは把握していなかったし、地方は小規模な戸は少ないほうが負担が軽くなったので、五〇家、三〇家を抱えながら戸籍上は一戸に見せかける「宗主督護」(『魏書』巻五三李沖伝)と呼ばれる豪族支配が黙認されていた(佐川 一九九九a)。
ところが、四六六年、北魏で献文帝が即位した翌年、南朝の宋では皇位継承をめぐって晋安王子勛《しくん》の乱が起こった。この時、劉彧《りゅういく》(明帝)によって逆臣の立場に追いやられた淮北地域の州刺史が北魏に降服してきたことで北魏は黄河を越えて大きく領土を拡大することとなった。北魏は三年を費やして淮北の諸州を平定したが、南朝の干渉を受け、在地勢力の抵抗も根強い淮北地域の維持には、国境の警備や屯田の耕作などで膨大な兵力を必要とした。献文帝はこの需用に応えるため、四七三年には全国に使者を派遣して戸口の検括をおこない、南伐を掲げて州郡の民の一〇丁に一人を徴発するしくみを立てた。

四七六年から臨朝称制していた太皇太后の馮《ふう》氏は、四八五年から翌年にかけて、西涼王李暠《りこう》の後裔である李沖《りちゅう》らの献策によって抜本的な制度の改革に取り組んだ。「均徭省賦」(『魏書』巻五三李沖伝)すなわち兵役の公平化と租税の負担軽減を目的にそれまでの戸調方式を止めて人丁を単位にした租調と兵役(征戍)の制度を作り、三長を立てて戸籍の整備と村落の軍事編成をおこなった(佐川 一九九九b、渡辺 二〇一〇:三三九頁)。そしていわゆる均田制を施行し、土地の還受と「先貧後富」の原則による再分配によって小農民の創出と育成をおこなった(佐川 二〇〇二)。これはある意味では、鮮卑が軍事を独占したまま、後方活動に必要とされる兵力を徭役として民に担わせるしくみであり、土地はその反対給付であった。

淮北併合がもたらしたもう一つの大きな変化が遷都と支配者層の中国化である。平城に暮らす皇族や官僚、軍隊をまかなうための食糧は、主に河北からの供給に依存していた。しかし、淮北併合後、軍事の重心が北辺から南辺へと転ずるのにしたがい、河北の食糧も南方へ運ばれるようになり、平城はこの供給ルートから大きく外れることになった。四七九年には蕭道成(高帝)が南朝の宋を滅ぼして斉を建てた(南斉の建国)。四八六年正月、孝文帝は初めて袞冕《こんべん》を服して朝会をおこない、四月、車に乗って西郊を祭り、九月、儒教経典にもとづく礼制建築である明堂《めいどう》と辟雍《へきよう》の建設を命じ、一〇月、始祖力微を南郊で祭った。それまで北魏は西向きの西郊の祭天を重視し、平城の重要な施設も東西方向に並んでいた。しかし、これ以後孝文帝は中華の伝統にしたがって南郊を重視し、平城を南北軸の都城へと作り変えていった(佐川 二〇一六：二六九頁)。

四九〇年、親政を開始した孝文帝は、臣下に王朝の行次を議論させ、北魏を漢(火)—魏(土)—晋(金)の正統を継ぐ水徳とした。四九一年には「道武の建業の勲は、平文より高し」(『魏書』礼志)として、鬱律から太祖の廟号を取り、初代皇帝の道武帝を太祖とした。四九二年にはついに西郊の祭天を廃止した。かくして孝文帝は、四九三年、一〇〇万ともされる南伐の軍を発し、洛陽にいたって遷都を決定した。翌年、孝文帝は正式に洛陽に遷都して洛陽を本貫地とし、元氏へ改姓、さらに宮中での鮮卑語を禁止するなどのいわゆる漢化政策を進めた。以後北魏の皇帝が二度と平城に戻ることはなかった。

洛陽は黄土高原の東南の隅に位置し、山西中部を中継地点としたオルドスからの軍馬の供給と漕運による河北からの食糧の供給をともに受けることができる場所にあった。もちろん歴代中国王朝の都であることは孝文帝にとってとりわけ重要な意味をもった。平城の改造と洛陽の新都の基本設計を担ったのも前述の李沖であった。ただし、孝文帝は南伐に明け暮れ、四九九年に遠征先で病死したため、実際に新都が建設されたのは次の宣武帝の時代であった。宣武帝は魏晋の正殿であった太極殿を復興し、その正南に円丘(圜丘)を置いた[一〇四頁図2参照]。そしてその間に真っ直ぐな御道を築き、これを中軸線としてほぼ左右対称に東西二〇里(約一〇キロメートル)、南北一五里(約七・五キロメートル)、およそ三二三坊からなる外郭城を築いた(佐川 二〇一六：一八九頁、銭 二〇一九)。そして郭内の東側に洛陽県、西側に河陰県を置いて、都城の東側と西側をそれぞれの県令が治めるようにした(角山 二〇一七)。霊太后胡氏の執政期に洛陽は繁栄を遂げ、一一万戸、およそ五五万人の人口を擁する人口密集型の都市へと発展した。また一三〇〇あまりもの仏教寺院が立ち並ぶ仏教都市となり、外国人の居住区をもつ国際都市となった。

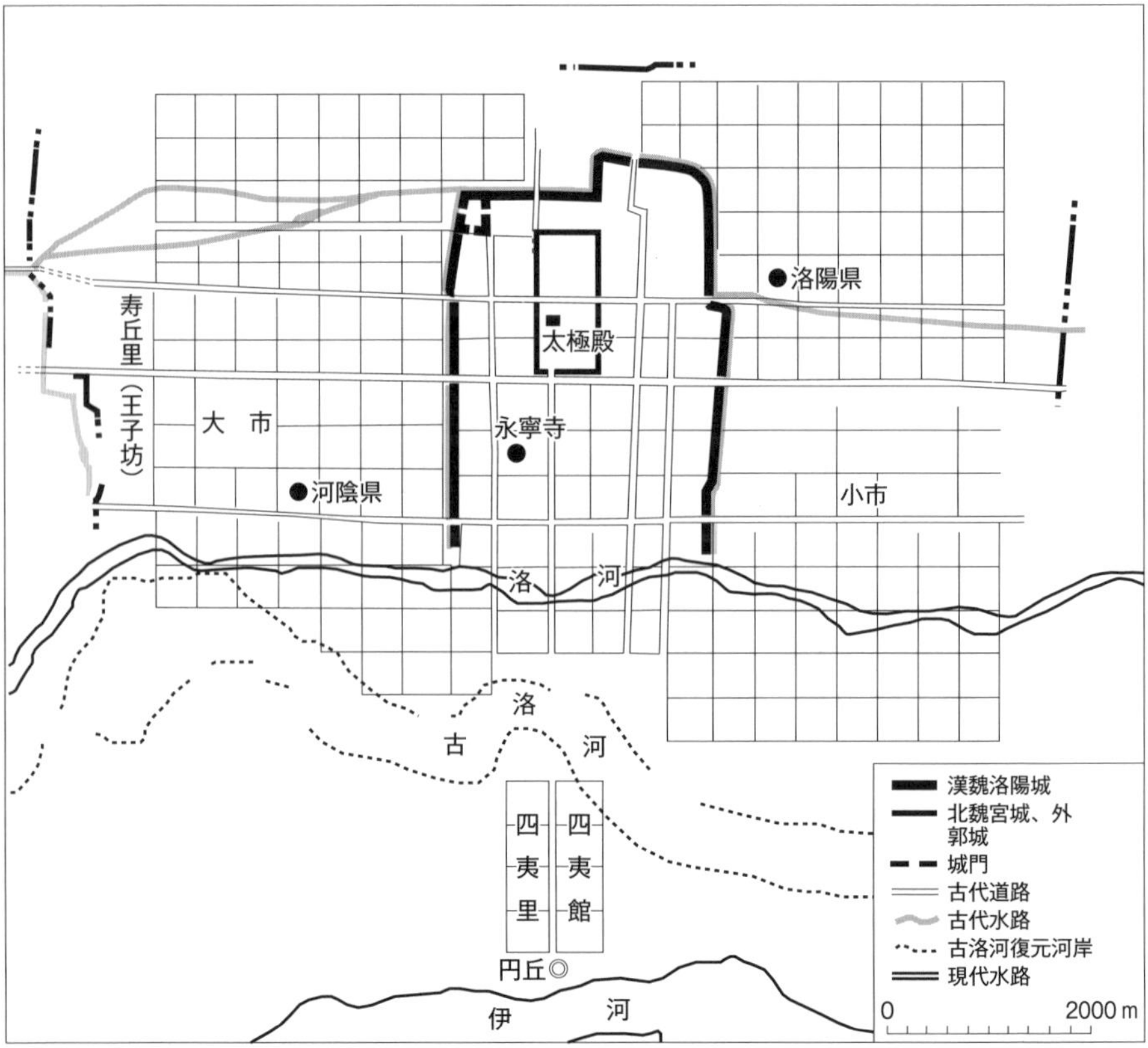

図 2　北魏洛陽城図

北魏の洛陽城では，はじめて宮城，都城，外郭城を貫く中軸道路が造られた．そして，この中軸線から左右対称に 10 里（約 5000 メートル）ずつの幅で外郭城が築かれた．皇族が住む寿丘里はこの時の拡張部分に設けられた．それまで洛陽県の県城でもあった都城は，このときはじめて東西に分けられ，東側が洛陽県，西側が河陰県に属するようになった．このような都城の東西分治は，北魏洛陽城から隋唐長安城にいたる北朝系都城の顕著な特徴であり，遊牧国家の統治方法の影響が見られる．この都城制は，701 年の大宝令で日本に導入され，左京右京の制度となった．

モンゴル高原では四八七年に柔然可汗国の支配下にあった高車がジュンガリアで自立し、続いてエフタルの影響が天山まで及んできたことで柔然の力は弱まった。五二〇年に柔然の阿那瓌《あなかい》が北魏に降服すると、北魏は洛陽で阿那瓌を蠕蠕《ぜんぜん》王に冊封したうえ、漠南に送り返して北魏の藩屏としようとし、さらには六鎮を廃止して郡県制に編入しようとした。これに対して六鎮の高車部族は北魏に背いて一斉に蜂起し、六鎮の城戍を次々と陥落させていった(佐川 二〇一七b)。北魏は阿那瓌に高車を討たせて反乱を鎮圧したが、今度は難民となって内地に流入してきた鎮人が各地で蜂起して内乱となった。朝廷は山西中部の大牧場主であった爾朱栄《じしゅえい》の力に頼ってこれらの反乱を鎮圧するが、爾朱栄は鎮人の勢力を取り込んでいき、ついに五二八年、洛陽に乗り込んで霊太后や朝廷の百官を虐殺するにいたった。

爾朱氏の一党を破って洛陽に入った懐朔鎮《かいさくちん》出身の高歓《こうかん》は、爾朱氏が立てた元恭《げんきょう》(節閔帝)を廃して孝文帝の孫の元脩《げんしゅう》(孝武帝)を立てた。しかし、五三四年八月、孝武帝が武川鎮《ぶせんちん》出身で関西に拠点を築いていた宇文泰《うぶんたい》の下に出奔すると、九月、高歓は孝文帝の曽孫の元善見《げんぜんけん》(孝静帝)を擁立して鄴へと遷都した(東魏の建国)。同年一二月、宇文泰は孝武帝を殺し、翌年正月、自ら孝文帝の孫の元宝炬《げんほうく》(文帝)を擁立し、長安を都とした(西魏の建国)。

東魏の鄴城を設計したのは儒者の李業興《りぎょうこう》であり、李業興は「上はすなわち前代を憲章し、下はすなわち洛京を模写」(『魏書』巻八四儒林伝)して鄴城を設計した。鄴には合わせて三二三の里があり、基本的に北魏の洛陽と同じである。一方、魏晋の都城の影響を受けて北魏では都城(内城)の西に偏っていた中軸線は、鄴では完全に中央に位置するようになった。このように東魏の鄴南城は、北魏の洛陽城を受けつぎつつも、より一歩古典の都城制に近づけたものであった(佐川 二〇一七a)。

東魏では高歓の死後、漢人貴族の主導の下で禅譲が進められ、五五〇年、高歓の子の高洋《こうよう》(文宣帝)が即位して斉を建てた(北斉の建国)。高氏は鮮卑に出自する可能性が高いが、山東の名望である渤海の高氏を名のっていたので、この王朝交替は建前上、鮮卑の元氏から漢人の高氏への禅譲革命となった。『魏書』はこの革命を正当化するために、文宣帝の勅命を受けて漢人の魏収《ぎしゅう》が撰した正史であり、孝文帝を最大限に評価し、北魏の歴史を中華王朝としての発展の歩みとして描いたものである(佐川 二〇〇五)。実は北魏では「地令」と呼ばれていた制度に「均田」の名をつけたのも『魏書』であった(佐川 二〇〇〇、渡辺 二〇一九:一八〇頁)。「均田」はもともとは漢代に限田制を指した言葉であり、西晋の占田制もこのような意味での均田の制に属する。魏収はこうした中国の伝統的な土地制度の上に北魏の制度を位置づけたのであった。五六四年に定められた北斉の河清令では、実際に受田できる奴婢の数の上限が身分に応じて定められたり、世襲できる世業田の制度が設けられたりするなど限田的な性格が加えられていき、中国的な土地制度との融合がおこなわれた。

一方、西魏では道武帝の廟号を烈祖に戻し、太祖を力微にさかのぼらせて南郊で祭ったり、孝文帝の時代に漢風に改められた鮮卑姓を復活して臣下に授けたりするなど、平城時代への回帰がおこなわれた(佐川 二〇〇二)。また中国の制度もなるべく漢の制度ではなく『周礼』に似せることで東魏北斉との違いを示そうとした。長安では洛陽や鄴のような大規模な都市プランは導入せず、宮殿部分を『周礼』の三朝制に合わせた構成にし、宮殿名を魏晋以来の太極殿──閶闔門ではなく路寝──路門とすることで古典に合わせた(内田 二〇一七)。均田制も「妻帯する者は田一四〇畝、単丁は一〇〇畝」(『隋書』巻二四食貨志)とする、兵役負担者である男丁のみを対象としたシンプルなものへと回帰した。五五七年、宇文泰の子の宇文覚《うぶんかく》(孝閔帝)が禅譲を受けて天王に即位し、周を建てた(北周の建国)。次の明帝は天王を改めて皇帝とするが、五七四年、武帝は北斉への攻撃を前にして仏教と道教を禁止し、五七七年、北斉を滅ぼした。

西魏北周がおこなった鮮卑姓の賜与や極端な『周礼』主義、道仏の弾圧は、もっぱら東魏北斉との対立を背景とした復古主義的なものであったから、北周が北斉を滅ぼしたあとでは意味を失い、南朝の併合にとってはむしろ障害となるものであった。そこでこれを改める役割を担ったのが楊堅《ようけん》(文帝)であった。楊堅は五八〇年五月に幼帝の輔政の任を授かると、まずは仏教と道教の禁止を解き、ついで一二月には国姓を廃止した。そして五八一年二月に即位すると、ただちに『周礼』に擬した官制を止め、漢魏の旧制に戻すよう命じた。実際にはこれは孝文帝の改革を継承する北斉の制度を導入することを意味した(陳 二〇一一:九四頁)。

こうして隋の文帝は五八二年六月、都城造営の詔を発し、前漢以来の長安城の東南に新たに大興城を築いて遷都した。この詔は八世紀初めの日本の平城京遷都の詔にも踏襲されるものであるが(『続日本紀』元明天皇和銅元年二月条)、その中で文帝は、新都を「四海の帰向」(『隋書』巻一高祖紀上)するところとしている。その文帝が採用したのがすなわち北魏洛陽城、東魏北斉鄴城の都城プランであった(陳 二〇一一:七八頁)。隋の大興城をほぼそのまま受け継いだ唐の長安城でこれを見れば、都城の中央北詰めに宮城と皇城があり、その北には禁苑が広がる。太極殿の正面の朱雀門から明徳門に伸びる朱雀大街は天子が明徳門外の南郊に行くための郊祀の道である。東西九七二一メートル、南北八六五一メートルの外郭城と一一〇の坊はこの中軸線から左右対称に設計され、東に万安県を置き、西に長安県を置いた。一方、『周礼』に則った北周の宮殿構造は、唐の宮殿に影響を与えたとする説もある(内田 二〇〇九)。

均田制についても文帝は北斉の河清令をほぼ踏襲し、その後、官人世業田や職分田、公廨田の制度を整備した。官人世業田とは官品に応じて上は一〇〇頃から下は四〇畝にいたる世業田を支給するもので、前述の受田できる奴婢の数を限った制度から発展したものである。この間に文帝は突厥《とっくつ》を攻撃して沙鉢略《さはつりゃく》可汗を臣従させたうえで、五八九年には陳を滅ぼして中国を統一した。そしてその翌年、軍府に属する軍人(府兵)を郡県に属させその「墾田籍帳」(『隋書』巻一高祖紀下)を民と同じにした。六〇四年に煬帝が即位すると、婦人や奴婢に対する給田を廃止した。こうして出来上がった隋唐の均田制は、上は諸王から下は庶民にいたるまで、あらゆる人々の土地所有を体系化するものとなった(堀 一九七五:二一三頁)。

以上、均田制と都城制を例として隋唐制度の形成過程を見てきた。この二つの制度はともに北魏が遊牧王朝から中国王朝へと転身するときに生み出され、その後徐々に中国の古典と融合させられていき、中国の統一を迎えたところで定着したものであった。ゆえにこれらの制度は古典と融合したといっても多元的であり、その根源に由来する性格をなお多く残していた。

例えば都城制では、宮城が都城の北詰めにあるのは平城の北を鹿苑が占めていたことに由来し、南北に大街を築いて都城を左右に分かつのは北魏の洛陽城に始まる(佐川 二〇一八b)。また均田制についてはすでに述べたようにもとは鮮卑による軍事の独占を背景とした兵農分離の制度であった。この兵農分離は、隋の文帝が軍人の籍帳を軍府から郡県に移し、その土地所有を均田制に組み込むことで制度的には解消された。その一方で、文帝は西魏以来の古い軍府は残したまま、征服の過程で各地に広がった新しい軍府は整理した。こうして作られた軍府の偏在というかたちで西魏北周系のいわゆる関隴《かんろう》集団による軍事の独占は続けられたのである。(7)

おわりに――中国の統一から中華の統合へ

隋唐は秦漢以来の中国統一王朝であるが、すでに「中国」を治めるだけの王朝ではなくなっていた。隋の文帝や煬帝は突厥の可汗を冊封し、突厥の可汗から「聖人可汗」(『隋書』巻八四突厥伝・西突厥伝)の名で呼ばれていた。また唐の太宗が東突厥を滅ぼしてからの皇帝たちは諸族の君長から「天可汗」の名で呼ばれ、自らも「皇帝天可汗」を称した(金子 二〇一九:八四頁)。宋の欧陽修らがいうように、これこそ有史以来ないできごとであり、唐を世界帝国に押しあげたものであった(『新唐書』巻二一九北狄伝)。いわば唐は一元的な中国を脱し、「二元性帝国」(谷 一九三六)の中華となっていたのである。

隋唐の王権はまた仏教の世界への浸透も深めていった。隋の文帝は梁の武帝や陳の皇帝にならい「菩薩戒仏弟子皇帝」（『広弘明集』巻一七王劭「舎利感応記」）を称した。このために倭の遣隋使が煬帝に差し出した国書には文帝のことを「海西の菩薩天子」（『隋書』倭国伝）と呼んでいる。このように皇帝が菩薩戒を授かり仏教の信者となることは煬帝や唐の皇帝へと受け継がれていった（河上 二〇一一：一四九頁）。また隋唐では仏寺や道観に皇帝の銅像や石像が置かれ、宗教的な崇拝の対象となっていた(8)（雷 二〇一二）。

一方で、唐が世界帝国となった七世紀においても、日本はなお南北朝にさかのぼる中国文化や朝鮮の文化を通じて諸々の制度を整えていたことが指摘されている（鐘江 二〇一一）。七世紀の後半に日本で造られた藤原京は、隋唐の都城とは全く異なる『周礼』型の古典的な都城プランであり、隋唐型の都城プランが本格的に導入されるのは八世紀初めの平城京からであった（佐川 二〇一六：二五八頁）。東アジアの視野で見れば、隋唐も当初は多様化した中華の一つであったのである。

注

(1) 古松崇志『華原の制覇』（古松 二〇二〇）はまさにこの時代の中国史を概観した通史である。

(2) この経緯について『晋書』巻一〇五石勒載記上と『資治通鑑』巻九一晋紀一三元帝太興二年条では記載が異なるが、ここでは『通鑑』の記述を採る。石勒が大単于・趙王に即いたことは『晋書』巻一〇六石季龍載記上に見える。

(3) 冉閔はわずかな期間であるが魏天王をへて皇帝に即位したらしい（小野 二〇二〇：二六八頁）。

(4) 劉曜は国号を漢から趙へ変えると、冒頓単于を天に配祀し、劉淵を上帝に配祀した（『晋書』巻一〇三劉曜載記）。前者の天はテングリに違いなく、後者は中華の天である。このように二つの天を祭ることは北魏から唐初にかけてもおこなわれた。これについて通説では『周礼』の鄭玄説を採用したものと理解されているが、実際には鄭玄説とは異なっており、テングリと中華の天に由来するものである（佐川 二〇一六：二四四頁）。

(5) 『南斉書』巻五七魏虜伝には「年号太平真君」として太平真君を年号とするが、これよりも早く書かれた『宋書』巻九五索虜伝には、年号を記す場合には「号年天賜元年」とあるように必ず「号年某々」と記すのに対して、太平真君の場合のみ「十七年、燾号太平真君元年」としている。この意味は「宋の元嘉十七年は、燾(太武帝の名)が太平真君を号した元年である」であり、実は「太平真君」は年号ではなかったことがわかる。

(6) これにはもともと遊牧国家の君主がシャマンの性格を持ち、北魏の君主もその性格を持っていたことが関係していよう(佐川 二〇一六:二四九頁)。

(7) 唐代には新しい展開として、辺境を中心とした羈縻州に軍府を置いて異民族を軍制のなかに取り込んでいくということが見られるようになる(平田 二〇二一:五五四頁)。

(8) その先駆けとして隋文帝が弥勒大仏の姿で彫られた「鎮国王像」が注目される(石松 二〇一六)。

参考文献

石松日奈子(二〇一六)「山西平定開河寺石窟の研究――北朝期の石窟三所と隋開皇元年「鎮国王像双丈八」銘摩崖大仏」『東方学報』九一号。

板橋暁子(二〇一九)「魏晋期における王朝の「内」と「外」をめぐる研究動向」『中国史学』二九号。

内田昌功(二〇〇九)「北周長安宮の空間構成」『秋大史学』五五号。

内田昌功(二〇一七)「魏晋南北朝の長安」窪添慶文編『魏晋南北朝史のいま』勉誠出版。

岡村秀典(二〇一七)『雲岡石窟の考古学――遊牧国家の巨石仏をさぐる』臨川書店。

小野響(二〇二〇)『後趙史の研究』汲古書院。

角山典幸(二〇一七)「北魏洛陽城――住民はいかに統治され、居住したか」窪添編『魏晋南北朝史のいま』。

鐘江宏之(二〇一一)「「日本の七世紀史」再考――遣隋使から大宝律令まで」『学習院史学』四九号。

金子修一(二〇一九)『古代東アジア世界史論考――改訂増補 隋唐の国際秩序と東アジア』八木書店。

河上麻由子(二〇一一)『古代アジア世界の対外交渉と仏教』山川出版社。

川本芳昭(二〇一五)『東アジア古代における諸民族と国家』汲古書院。

川本芳昭(二〇一六)「東アジア古代における「中華」と「周縁」についての試論」『古代東ユーラシア研究センター年報』二号。

坂元義種（一九七八）『古代東アジアの日本と朝鮮』吉川弘文館。

佐川英治（一九九九ａ）「北魏の編戸制と徴兵制度」『東洋学報』八一巻一号。

佐川英治（一九九九ｂ）「三長・均田両制の成立過程――『魏書』の批判的検討をつうじて」『東方学』九七輯。

佐川英治（二〇〇〇）「『魏書』の均田制叙述をめぐる一考察」『大阪市立大学東洋史論叢』一一号。

佐川英治（二〇〇一）「北魏均田制の目的と展開――奴婢給田を中心として」『史学雑誌』一一〇編一号。

佐川英治（二〇〇二）「孝武西遷と国姓賜与――六世紀華北の民族と政治」『岡山大学文学部紀要』三八号。

佐川英治（二〇〇五）「東魏北斉革命と『魏書』の編纂」『東洋史研究』六四巻一号。

佐川英治（二〇一六）『中国古代都城の設計と思想――円丘祭祀の歴史的展開』勉誠出版。

佐川英治（二〇一七ａ）「鄴城に見る都城制の転換」窪添編『魏晋南北朝史のいま』。

佐川英治（二〇一八ａ）「北魏道武帝の「部族解散」と高車部族に対する羈縻支配」宮宅潔編『多民族社会の軍事統治――出土史料が語る中国古代』京都大学学術出版会。

佐川英治（二〇一八ｂ）「唐長安城の朱雀大街と日本平城京の朱雀大路――都城の中軸道路に見る日唐政治文化の差異」『唐代史研究』二一号。

佐藤智水（一九八四）「北魏皇帝の行幸について」『岡山大学文学部紀要』五号。

白鳥庫吉（一九〇七）「蒙古民族の起源」『塞外民族史研究　上』岩波書店、一九八六年所収。

杉山正明（二〇一一）『遊牧民から見た世界史――増補版』日本経済新聞出版社。

妹尾達彦（二〇一八）『グローバル・ヒストリー』中央大学出版部。

芹川博通（二〇〇四）「国家と仏教――慧遠「沙門不敬王者論」とその周辺」『淑徳短期大学研究紀要』四三号。

高橋亮介（二〇一六）「前秦苻堅の崇仏政策」『仏教史研究』五四号。

田余慶（二〇一八）『北魏道武帝の憂鬱――皇后・外戚・部族』田中一輝・王鏗訳、京都大学学術出版会。

内藤湖南（一九六九）『内藤湖南全集』第一〇巻、筑摩書房。

平田陽一郎（二〇二一）『隋唐帝国形成期における軍事と外交』汲古書院。

古松崇志（二〇二〇）『シリーズ中国の歴史３　草原の制覇――大モンゴルまで』岩波新書。

堀敏一(一九七五)『均田制の研究——中国古代国家の土地政策と土地所有制』岩波書店。

町田隆吉(一九八四)「北魏太平真君四年拓跋燾石刻祝文をめぐって——「可寒」・「可敦」の称号を中心として」『アジア諸民族における社会と文化——岡本敬二先生退官記念論集』国書刊行会。

松下洋巳(一九九九)「五胡十六国の天王号について」『調査研究報告(学習院大学)』四四号。

三﨑良章(二〇〇六)『五胡十六国の基礎的研究』汲古書院。

雷聞(二〇一二)「隋唐時代における道教・仏教と国家祭祀——皇帝の図像と宗教祭祀を中心に」浅見直一郎訳『真宗総合研究所研究紀要』三一号。

渡辺信一郎(二〇一〇)『中国古代の財政と国家』汲古書院。

渡辺信一郎(二〇一九)『シリーズ中国の歴史2 中華の成立——唐代まで』岩波新書。


申東河(一九八八)「高句麗의 寺院 造成과 그 意味」『韓国史論』一九号。

池培善(一九八七)「北燕에 대하여(一)——高句麗王族 後裔 高雲과 그 在位時를 중심으로」『東方学志』五六号。

陳寅恪(二〇〇一)『隋唐制度淵源略論稿・唐代政治史述論稿』商務印書館。

谷霽光(一九三六)「唐代〝皇帝天可汗〟溯源」『谷霽光史学文集 第四巻』江西人民出版社・江西教育出版社、一九九六年所収。

雷海宗(一九三六)「断代問題与中国史的分期」『伯倫史学集』中華書局、二〇〇二年所収。

銭国祥(二〇一九)「北魏洛陽外郭城的空間格局復元研究——北魏洛陽城遺址復元研究之二」『華夏考古』二〇一九年六期。

唐長孺(二〇一一)『唐長孺文集 魏晋南北朝史論叢』中華書局。

佐川英治(二〇一七b)「北魏末的北辺社会与六鎮之乱——以楊鈞墓誌和韓買墓誌為線索」『魏晋南北朝隋唐史資料』三六輯。

Wittfogel, Karl A. and Fêng Chia-shêng (1949), *History of Chinese society: Liao, 907-1125*, Philadelphia, American Philosophical Society.

コラム | *Column*

唐代の仏教と訳経事業

中田美絵

漢代に中国に伝わった仏教は、南北朝期から隋唐期にかけて着実に社会に浸透していった。そのなかで重要な役割を果たしたのが、漢訳された仏教経典であろう。なかでも唐代は、玄奘《げんじょう》や義浄《ぎじょう》といった高僧のほか外来系の多様な背景をもつ人々が仏典の翻訳に尽力し、中国仏教を隆盛に導いた。そうした唐代の漢訳仏典のうち、国家事業として翻訳されたものについて、その実施状況や翻訳参加者の特徴を探っていくと、単に宗教文化事業であるにとどまらず、唐朝の政治や国際情勢と密接に関わるものであったことが明らかとなる。

まず、則天武后が政権を握った武周期から次の中宗皇帝の時期(七世紀末—八世紀初め頃)に実施された仏典の翻訳に着目してみよう。『開元釈教録《かいげんしゃっきょうろく》』巻九によると、この時期に実施された翻訳には、漢人僧侶以外に慧智・菩提流志《ぼだいるし》(共にインド出身)、提雲般若《だいうんはんにゃ》・実叉難陀《じっしゃなんだ》(共にコータン出身)、弥陀山《みだせん》(トハリスタン出身)、法蔵(祖父の代にサマルカンドから移住)、宝思惟(カシミール出身)等が参加しており、国際色豊かな顔触れとなっている。義浄の翻訳には、インド出身者のほか、吐火羅(トハリスタン)、罽賓(現在のカーブルを中心とする地域)、迦濕彌羅(カシミール)などパミール以西の地域からやってきた人々が含まれる。さらに、居士・首領・王子といった在家の人々も含む。これら外来系の人々は、祖父や父の代から中国内地に定住していたものもいるが、多くが本人の代に中国にやってきている。武周期は、則天武后を仏教における理想的な君主である転輪聖王《てんりんじょうおう》として権威付けが図られるなど積極的に仏教が用いられ、さらにソグド人をはじめとする「胡人」が武后の積極的な支持者として受け入れられるなど、外国出身者に門戸が広く開かれていた。このように、上述の外来系の僧侶や在家の仏教信者による中国での活躍は、受け入れる中国側の政治情勢が関係していた。

景龍元年(七〇七)に「翻訳」された三階教の『仏説示所犯者瑜伽法鏡経』は、偽経の『像法決疑経』等を室利末多が改変して偽作したものである。そして、盧蔵用・賈膺福・崔湜・薛稷《せっしょく》といった太平公主(則天武后の娘)一派の人物が「詳定」に名を連ねていることが指摘されている。太平公主は、勢力を伸張する中で、社会的・経済的な実力を有していた三階教教団をとりこもうとしたとみられており、その翻訳にも関与した可能性があろう。さらに、この「翻訳」には、「大首領 安達摩」というソグド姓の大首領が「訳語」として名を連ねている。太平公主は「胡僧」と称される外来系の僧侶恵範と結びついていたが、さらに安達摩のような世俗のソグド系の人物との結びつきもあったことがわかる。

仏教界における外来人の活躍は、八世紀半ばの安史の乱後の時期に再び顕著になる。たとえば、粛宗・代宗の時期に活躍した不空は、ソグド人と北天竺出身の両親をもつともいわれ、徳宗期の般若は迦畢試（カーピシー）の出身であるなど、武周期と同様に、パミール以西のソグディアナ〜ヒンドゥークシュ山脈南北地域出身の僧侶が長安仏教界を牽引した。

不空や般若の漢訳仏典には、『仁王護国般若波羅蜜多経』（不空訳）や『大乗理趣六波羅蜜多経』（般若訳）のように「護国」的な要素が強く表れるようになる。当該時期の唐は、安史の乱などの内乱や、吐蕃による圧迫など内外において不安定な状況下にあり、そうした経典は、危機的状況を打破する力があるものとみなされ、まさに時代の要請に応じたものであった。そして、こうした経典の「翻訳」事業は、唐後半期に勢力を伸張する宦官によって積極的に進められた。則天武后や太平公主と同様に、宦官も仏教勢力と結びつき、外廷の儒家官僚らに対抗しようとしていたことがその背景にあった。

以上のように、唐朝が実施した訳経事業には、后妃公主ら女性や宦官といった儒教的なジェンダー秩序から逸脱した人々、そして外来系のいわゆる夷狄とみなされた人々が深く関わっていた。つまり、「中心」に位置する男性儒家官僚らのような人々よりも、「周縁」の人々が多く関わっていたことがわかる。さらには、こうした人々を繋ぐ仏教寺院・僧侶もまた、「出世間」の立場を取る「周縁」の人々である。これらは、唐一代を通じて仏教を紐帯に結びつき大きな政治勢力となった。八四〇年代に入り、武宗が仏教弾圧（いわゆる会昌《かいしょう》の廃仏）を断行したのは、この仏教を紐帯とする「周縁」勢力を分断し、いわゆる「正統」とされる政治を再興するためであったといえよう。このように唐代の国家主導とされる訳経事業について、とくに関係者に着目すると、その事業の背景にある唐の中央政界の勢力図をよみとることができる。そこでは儒教的価値観の外にいた勢力が自らの政治的思惑のもとに翻訳事業を推進したケースが多くみられるのである。

トルコ系遊牧民の台頭

鈴木宏節

はじめに

六世紀中葉から九世紀中葉にかけてはトルコ系遊牧民の支配が中央ユーラシアの草原やオアシス地帯にゆきわたり、さらにユーラシア各地の大文明圏にも大きな影響を与えた時代であった。この時代に台頭した主要な遊牧帝国には、突厥《とっくつ》やウイグルがあげられる[**表1**]。これらの国家の君主は可汗《カガン》 qaγan を称したため、突厥可汗国、ウイグル可汗国ともよびならわす。

突厥が勃興する以前の中央ユーラシアには、三―四世紀にかけて起こった地球規模の寒冷化によって生じた民族大移動の結果、モンゴル高原を中心とする柔然《じゅうぜん》(モンゴル系)、アルタイ山脈に拠った高車《こうしゃ》(トルコ系)、天山山脈からパミール高原を抑えたエフタルという三つの遊牧国家が鼎立《ていりつ》していた。柔然に敗れた高車の後をうけて、アルタイ山脈を本拠にしていた突厥は、柔然を打倒するや遊牧君主カガンをみずから擁してモンゴル高原の覇者となった。そして、中央ユーラシア草原のトルコ系諸族(漢籍では鉄勒《てつろく》と総称される)を従えると、突厥はサーサーン朝ペルシアと同盟しエフタルを滅ぼし、天山＝シル河線以南のオアシス諸都市をも手中におさめた[**図1**]。突厥はなかでもソグディアナを

表1 中央ユーラシアの主要遊牧国家と中華王朝の盛衰
突厥については，唐による羈縻支配時代(630-682年頃)をはさみ，第一可汗国(＝第一王朝)と第二可汗国とを区別している．

1世紀	5世紀	552年	630年	682年	744年	840年	1115年	1234年
匈奴	鮮卑	柔然 高車 エフタル	第一可汗国 突厥 └西突厥	九姓鉄勒 薛延陀	第二可汗国 突厥	ウイグル	キタイ〔遼〕	金	モンゴル

		581年	618年	907年	960年	1276年
秦漢三国(西晋→東晋)	五胡十六国(南北朝時代)	隋	唐(羈縻支配)	五代十国	北宋→南宋	元

拠点に活躍するソグド人と提携したので、機動力・軍事力を誇る草原遊牧民・突厥と農耕や商業で経済力を蓄えたオアシス都市民・ソグド人との間に共生関係が誕生した。トルコ系遊牧民によって中央ユーラシアが統合されたことにより、ユーラシア周縁の大文明圏を結ぶシルクロード交易がさらに活性化したのである。

この突厥を打倒したウイグルもトルコ系遊牧民である。ウイグルは、八世紀半ばに唐で勃発した安史《あんし》の乱に介入しつつ、草原とオアシスの覇権を突厥から継承した。そして、九世紀半ばの帝国崩壊に至るまで、ウイグルは唐・吐蕃というユーラシア東部の大帝国と並び立ったのである。

ただし、こうした突厥やウイグルによる中央ユーラシアの統合や遊牧民・オアシス民支配も、一三世紀におこったチンギス・カンのモンゴルとは比べようもない。モンゴル帝国はユーラシアの陸域と海域をともに制覇して「アフロ・ユーラシア」規模の版図を実現し、王権の支配についても君主のもとにすぐれて集権化されたものであった。もとよりトルコ系遊牧民は長期間にわたって統一された政権を維持できたわけではない。突厥では、西突厥のように独立性の高い分家が誕生しては内紛に見舞われたし、ウイグルではヤグラカル氏からエディズ氏への政権交代が起こっている。また、隋や唐といった中華帝国に敗れ、その騎兵戦力として使役されたこともしばしばであった。

しかし、およそ三世紀にわたって、トルコ系遊牧民が草原世界の主人公であったことは間違いない。その証拠として、八世紀前半のモンゴル高原では、かれら

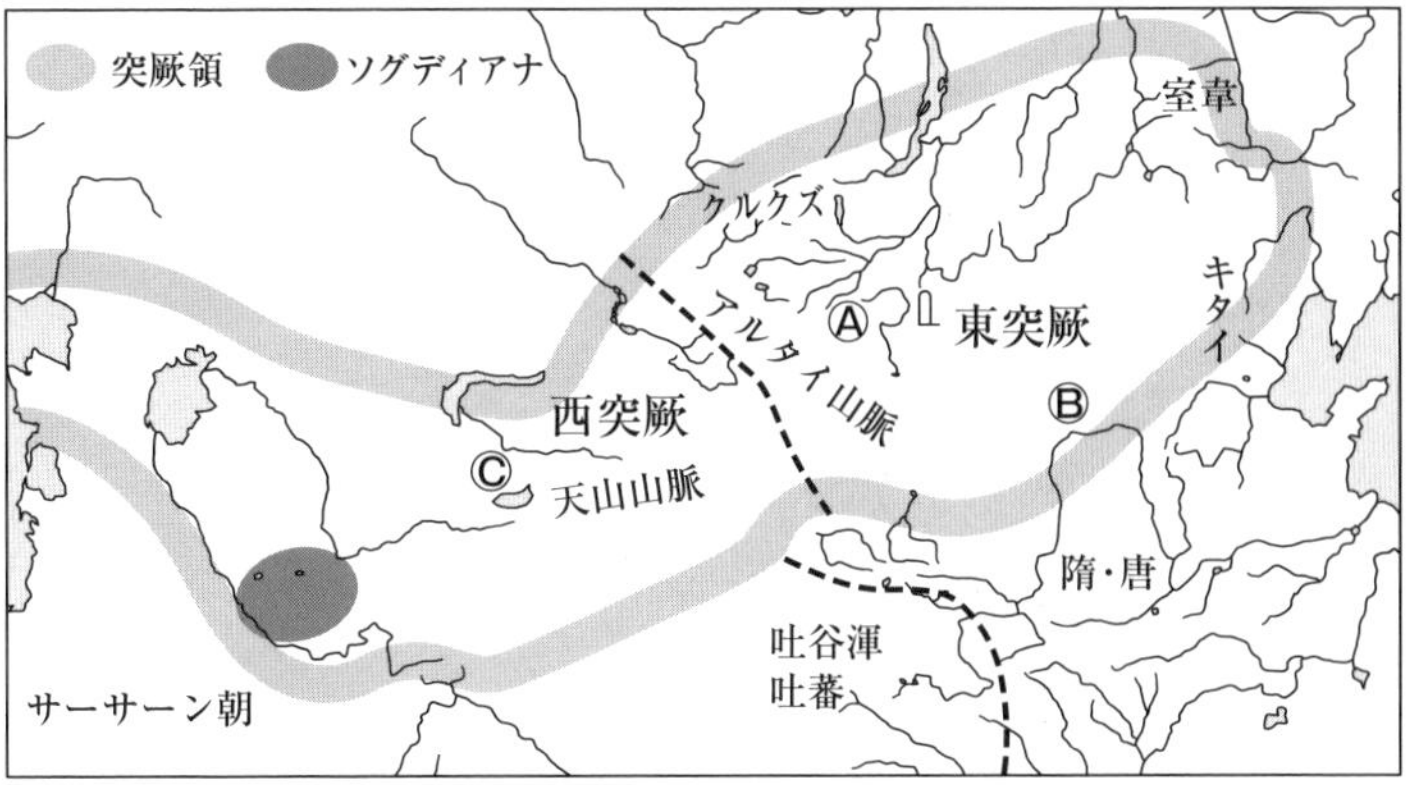

図 1　突厥の最大領域とその中心地

583 年，アルタイ山脈をほぼ自然境界として突厥の西方領域が独立し，モンゴル高原を中心とする東突厥と，天山山脈を中心とする西突厥が両立した．Ⓐオテュケン山：突厥の聖地として知られる，現在のハンガイ山脈を中心とした遊牧民の中原地帯．ここから流出するオルホン河の上流域に突厥碑文が建立された．Ⓑカラ・クム（黒沙）：ゴビ砂漠の南，陰山山脈北麓の半砂漠半草原地帯．第二可汗国が勃興した．Ⓒスイアーブ（砕葉）：西突厥の本拠地のひとつ．現在，アク・ベシム遺跡の発掘調査が進展している．
（杉山 1997：41 所収の「図 3 突厥とソグド」より作成）

独自の文字が考案された。そして、それをもちいてかれらの言葉が刻まれた文字文献が誕生している。それが突厥碑文であり、文字なき民といわれた遊牧民が草原世界で文化装置＝支配装置を利用するようになったのである。その後、かれらが支配したオアシス地域では九－一〇世紀にかけてトルコ語が浸透していった。かつて突厥のパートナーであったイラン系のソグド人はいつの間にかウイグル人を名乗るようになり、シルクロード交易の担い手としてさらなる名声を博すことになる。

本章は、トルコ系遊牧民が拡大する先駆けとなった突厥をとりあげ、その国家構造を概観するとともに、支配の要諦を探り、かれらが中央ユーラシアに台頭した一因を示すことにしたい。

一、遊牧民の「国家」をめぐって

かつて中央ユーラシアの遊牧民についても、唯物史観に立脚した直線的な発展理論のもと、その時代区分が議論されてきた。モンゴル帝国以前の遊牧民の社会については、はたしてそれが国家の段階にあったのか否かについて厳しく査定されたこともあったが、現在のところ、匈奴《きょうど》、突厥、ウイグルの社会・統治体制については、部族連合体の段階にあったという見解が一般的である。そして、突厥における文字の使用、ウイグルにおける草原都市の造営(カラ・バルガスン遺跡)や創唱宗教の受容(マニ教)が遊牧民の社会や国家の変化を示すメルクマールとなっている。つまりウイグルを過渡期として遊牧社会が古代から中世に移行したという時代区分が提唱され、それがほぼ共通認識となっている(林 二〇〇六:三二頁)。

一方で文明史論的には、ながらく遊牧民にはその文化や文明はおろか、社会の発展さえも認められなかった。そればかりかヨーロッパや中華の文明を破壊してきた野蛮な集団とみなされていたのも事実である。文字を持たず、大文明圏への侵入や掠奪《りゃくだつ》を繰り返してきた遊牧民のあり方が強調された結果であった。

かかる認識は遊牧民に対する一方的な偏見として反省が迫られ、遊牧民の社会や国家も世界史の展開に寄与していたという視点が斯学《しがく》ではひろく浸透してきている(杉山 一九九七)。こうした研究状況をもたらしたのが、冷戦構造の崩壊に前後する、文化人類学や考古学の進展であった。たとえば近年では、従来の文字を基準とした文明の定義そのものが批判され、個別の文化を超えて参加可能な技術が備わった生活体系が文明とみなされるようになった。その結果、定住農耕民とは異なる遊牧民の生活体系が文化とみなされ、それを築いてきたプロセスも文明として評価されはじめたのである(嶋田 二〇一二、篠田 二〇一六)。とりわけ中央ユーラシア草原でのフィールドワーク、現地調査によって、考古学的資料から遊牧民の社会や国家の発展段階が再構想されている。

たとえば、モンゴル帝国の考古学を牽引する白石典之は、匈奴、突厥、ウイグル、モンゴルそれぞれの時代における考古遺跡の特徴から遊牧国家の領域間構造という指標を設定した。これは、遺跡や遺物などの物質資料から判定される支配権力や生産力の強弱を数値化したもので、歴代遊牧国家の凝集力《ぎょうしゅうりょく》が領域間構造スパイラル(螺旋《らせん》)として可視化されたのである[図2]。すなわち、匈奴と突厥を初期国家段階に、ウイグルを中央集権の度合いこそ低いものの国家段階に、モンゴル帝国を、領域間構造としては「集中型」を経て「均等型」に至るまでの特徴を備えた最終形態の国家段階に位置付けた(白石 二〇〇二)。ここに匈奴と突厥にはじまり、ウイグルを経て領域間構造スパイラルが次第に大きくなり、やがては多様な物質文明を享受するモンゴル帝国に達するダイナミズムが看取できる。

この領域間構造スパイラルは、かつてラティモアが観察し理論化したように、遊牧民の社会は展開と後退を繰り返しつつ螺旋的に発展したという学説を、考古資料の分析によって裏付けたものともいえる。また、遊牧社会は一進一退を繰り返しつつ発展すると主張していた松田壽男の「遊牧＋X」理論とも親和性が高い。松田は自然環境に過剰な適応を見せ、極めて自給自足的な遊牧民の社会が発展するためには、不安定な生業である遊牧経済の他に「＋X」が必要であったという。そして、この「＋X」とは交易や農耕であるという議論であった(松田 一九六二)。有力部族の台頭にはじまり、やがて内部崩壊により繰り返される遊牧国家のサイクルは単線的なものではなく、時間の経過とともに、掠奪・貢納《こうのう》・徴税・交易品によってもたらされる収入を経済基盤にしつつ、次第に王権の強化がはかられるという白石の構想は、遊牧国家の歴史的な変容を論ずる上でも示唆に富むものである。

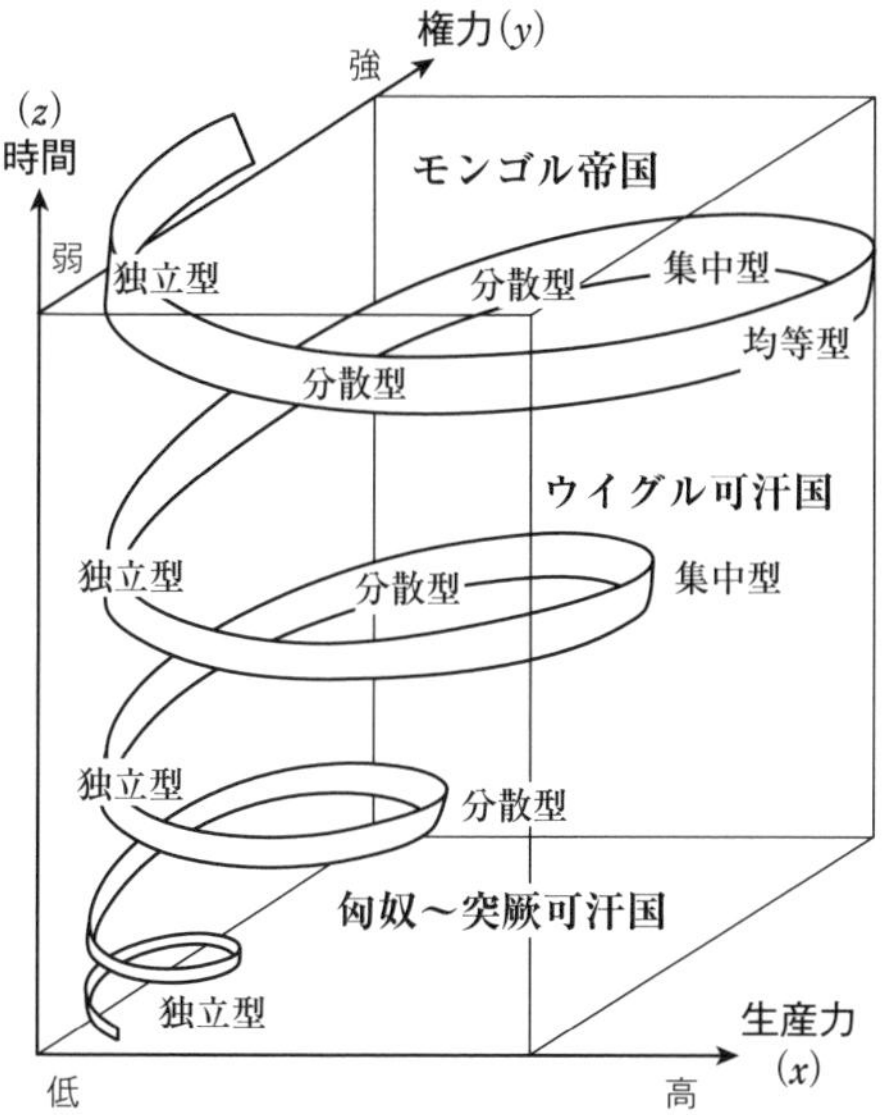

図2 領域間構造スパイラル(白石 2002：378)

はたして文献歴史学を通した突厥の国家構造や統治体制の研究は、遊牧民の歴史的な展開を考える上でいかなる検討材料を提供できるであろうか。

二、トルコ系遊牧国家の基本構造

突厥の左右翼体制

それでは具体的に突厥の国家構造について概観したい。遊牧民の国家構造については、史料情報に富む匈奴とモンゴル帝国をモデルに枠組みが描かれてきたが、トルコ系の突厥についても基本骨格はそれら両帝国と共通していたと考えられている。すなわち、強力な指導力を備えたカリスマ的な君主・カガン qaγan のもと、軍政一致の左右翼《さゆうよく》体制（カガンの中央軍と左翼軍と右翼軍の三軍体制）を敷いていた。その基本構造は護雅夫の復元によれば次の概念図［図3］のようになる（護 一九六七：一一一頁）。

まず、部族連合体の構成基盤――氏族――を形成する社会集団は古代トルコ語でバグ baγ という。そして、それぞれのバグの長がベグ bäg を名乗っていた。これらベグたちが古代トルコ系遊牧民の支配階層（貴人層）と考えられている。それに対して支配をうける一般の牧民はボドゥン bodun と称される。また、クル qul やキュン küŋ といった奴隷も存在していたが、基本的に史料に名を残してきたものは、ベグ階層出身とみられる。こうして複数の氏族を束ねたものが部族となり、史料上ではイル il と呼ばれる。イルとは大小様々な人間集団を指すものであり、モンゴル語の「ウルス」と同様に、しばしば「クニタミ」とも解釈できる実体であった。

つぎに、カガンのもとに左右の軍団が編制されるが、カガンは複数の部族を束ねるシャドやヤブグと呼ばれる長をカガンの子弟のなかから任命した。東突厥では左翼（東方領）はテリス tölis と呼ばれ、ヤブグ yabγu（葉護）が分掌した。一方、右翼（西方領）はタルドゥシュ tarduš と呼ばれ、シャド šad（殺、設、察）が管轄した。

なお、西突厥の場合、左翼を五咄陸部と、右翼を五弩失畢部と称した（内藤 一九八八：一二九頁）。また、ウイグルについても左右翼を編成していたことが諸史料から確認できる。ウイグル可汗国の建国期においては、左翼（テリス）の長がシャドを、右翼（タルドゥシュ）の長がヤブグを称していた（森安ほか 二〇〇九：六一頁）。このように左右翼長がどのような称号を帯びていたかにはその時々の差異があり、シャドが二人並立したり、ヤブグが二人並立したり、小カガンが複数立つ場合もあった。

このうちシャドについては、両唐書の突厥伝に「部族を分かち騎兵を管理するもの」とあり、ヤブグとともに、それぞれ麾下の部族から供出された軍団の指揮権を委ねられていた。

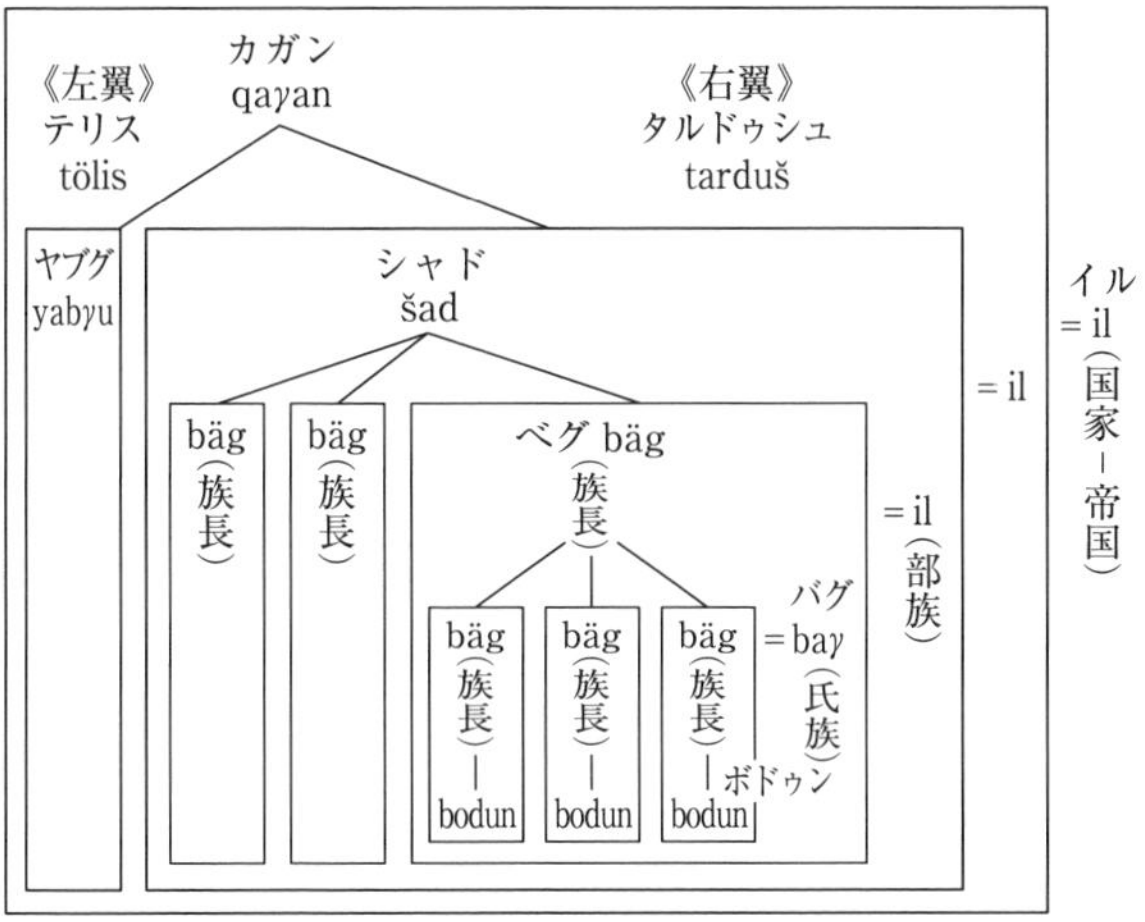

図3　突厥における国家構造と左右翼体制の概念図
（護 1967：111 掲載の図より作成）

トルコ系遊牧民の場合、ウイグル時代に建立されたタリアト碑文に yüz bašĭ 百人長、biŋ bašĭ 千人長という表現を確認でき（片山 一九九九：一七三頁）、匈奴やモンゴル帝国のように、十進法にそくして積み上げられた騎兵の供出単位が社会の根底をなしていたことがわかる。ただし、こうした編制については基本的に部族を単位に行われていたようであり、たとえ支配下に置いていても部族の編制に介入するような君主権はトルコ時代のカガンには備わっていなかった。部族を分断して左右翼を編制するような中央集権体制は、一三世紀のモンゴルを待たねばならない。

史料状況の好転による部族支配の解明

左右翼のそれぞれにどのような部族が属するものであったかは、史料に基づき、その時々の状況から類推せざるを得ない。ただし、部族支配の状況が数字をもって示され、遊牧集団の自称／他称に反映されていたことは、各種の史料から判明している。例えば、トルコ系遊牧民には、九姓鉄勒《きゅうせいてつろく》と呼ばれる勢力があった。これは古代トルコ語のトクズ・オグズ Toquz Oγuz に対応する漢語の表現であり、トクズは数字の九を指し、オグズは漢文史料の姓にあたり、九つの部族をあわせた部族連合体であったと考えられる（片山 一九八一）。このように、しばしば連合体を構成する部族の数をもって遊牧集団の呼称としていた点を確認できるのであるが、多くは漢文史料に記録されたものであり、当時のユーラシア東部の中華王朝においても共有されていた点は重要である。

さて、突厥については二種類の呼称が確認されている。

まず、漢文史料中の三十姓という表現である。例えば、「唐の故《こ》三十姓可汗の貴女賢力《けんりょく》毗伽《ビルゲ》公主《こうしゅ》雲中《うんちゅう》郡夫人阿《あ》〔史《し》〕那《な》氏の墓誌幷《なら》びに序」という、第二可汗国の二代目カガンであった默啜《もくてつ》（以下、歴代カガンならびにその系譜については章末の**系図**を参照）の娘の墓誌に記されていたものが著名である（羽田 一九五八）。この三十姓という表現は「三十姓左右賢王《けんおう》」という『旧唐書《くとうじょ》』や『唐会要』といった編纂史料上の用例とも関連がある。ここに言及されている左賢王とは、開元三年（七一五）に唐朝に降った阿史那《あしな》毗伽特勤《ビルゲテギン》のことであり、右賢王とは默啜の息子で、彼女の墓誌中に記載のある公主の兄を指す。兄妹ともに默啜が非業《ひごう》の死（七一六年）を遂げた後に、唐に降ってきたのであった。默啜の治世には突厥が三十姓と認識されていたことを示唆する。

この三十姓に対応するトルコ語の表現が突厥碑文からみつかっている。冷戦構造の崩壊後、モンゴル国での現地調査は古代トルコの文献史学にも恩恵をもたらした。一九九〇年代後半から現地において碑文の実見や採拓《さいたく》調査が可能となったからである。そうした新たな拓本によって、第二可汗国の初代から三代の君主に仕えた功臣トニュクク Toñuquq の碑文（トニュクク碑文・四六―四七行目）の一節が次のように読みかえられた（鈴木 二〇〇六：八頁）。

……ソグドの民が皆でやって来た。〔そして恭順の意を表すため〕彼らは稽首敬礼《けいしゅけいれい》した。三十姓突厥の民が鉄門《てつもん》に、

ティンシの息子、ティンシの息子という山に迫ったことは〔これまで〕まったくなかったという。その土地に、私、

ビルゲ・トニュククが〔突厥の民を〕迫らせたために、……

碑文にはオトゥズ・テュルク Otuz Türük という語が刻まれていた。オトゥズは三〇を意味するので、漢語であれば三十姓突厥となる。この記述は黙啜の治世、七一〇年の突騎施《テュルギシュ》遠征に続くソグディアナ侵攻直後のものである。第二可汗国の西方拡大とともに突厥が三〇の部族を擁するようになったというのである。

ところで、この読み直しによって検出されたオトゥズ・テュルクという表現は、従来の碑文研究では用例が確認されていなかったが、その他の突厥碑文でも記載されていたことが検証されている。

突厥碑文のテキスト上で知られる三〇の部族と言えば、オトゥズ・タタル Otuz Tatar 三十姓韃靼《だったん》があげられる。この集団は室韋《しつい》など、後にモンゴルを形成するようなモンゴル高原東部の遊牧部族連合体の前身とみなされている。複数回の用例があるが、特にキョル・テギン碑文の冒頭(南面一行目)に一文字だけ残されたオトゥズに続く破損箇所に、このタタルが推定復元されるのが通例であった。ところが、碑文の文脈に即せばタタルは突厥にとって弱小勢力の扱いであり、碑文の冒頭——しかもビルゲ・カガンの即位式を伝える文脈——に登場する点で大いに疑問があった。そこで、各種学術機関に所蔵されている拓本を捜索し、さらに現地での碑文の実見調査をあわせ、以下のようにテキストを復元することができた(鈴木 二〇〇六:一五頁)。

天神の如き天から生まれた突厥のビルゲ・カガンとして、この時、我は即位した。お前たち、我が言葉を全て聞け。〔我に〕つづき、我が弟たちよ、我が息子たちよ、一つに結束した我が親類や我が民よ、南にはシャダピトたるベグたちよ、北にはタルカンとブイルクたるベグたちよ、オトゥズ〔・テュルクのベグたちよ、その民よ〕、トクズ・オグズのベグたちよ、その民よ、お前たちはこの我が言葉をよく聞け。しっかりと聞け。

これまではカガンの即位宣言にどうしてタタルが登場するのか、さして疑義を差し挟《はさ》むことはなかった。しかし、碑

文の冒頭を、オトゥズ・テュルクという同時代のトルコ語の用例が存在したという新たな知見を前提に復元してみれば、支配者たるカガンが突厥の部族連合と、さらに突厥が征服した九姓鉄勒の連合体に対してメッセージを発していたという構図が明瞭になる。

こうして突厥の自称としてオトゥズ・テュルクが、そして他称として三十姓という漢文史料上の表現が確認できたことになる。九姓鉄勒のごとく、自他ともに認めうる三十姓突厥という部族連合体が存在していたのである。

つぎに、十二姓という表現である。例えば、『安禄山事迹《あんろくざんじせき》』天宝一三載(七五四年)正月の条には「前後して奚《けい》・契丹《きったん》部落を破り、九姓・十二姓等を討招す」という例がある。また『顔魯公文集《がんろこうぶんしゅう》』の「康公神道碑銘《こうこうしんとうひめい》」には、「公、諱《いみな》は阿義《あぎ》屈《くつ》達干《タルカン》、姓は康氏、柳城《りゅうじょう》の人なり。其の先は世よ北蕃《ほくばん》十二姓の貴種為《た》り」という用例がある。これらの史料に言及しつつ、森安孝夫はチベット語史料に、Bug-čhor の十二姓として伝えられている部族名を比定した(森安 一九七七:七二頁)。また、石見清裕は、その同定《どうてい》結果を利用し、羈縻《きび》支配時代や第二可汗国滅亡後も突厥が十二部族の集団を形成していた点を指摘する(石見 一九八七:二一八頁)。

現在では、「十二姓阿史那葉護可寒《カガン》順化王《じゅんかおう》の男《むすこ》左《さ》羽《う》林軍《りんぐん》上下《じょうげ》左《さ》金吾衛《きんごえい》大将軍《だいしょうぐん》阿史那従征《じゅうせい》、番《(蕃)》名薬賀《やくが》特勤《テギン》の夫人薛突《せっとつ》利施《りし》匐阿施《ふくあし》」という女性の墓誌が知られており(鈴木 二〇〇六:二八頁、注一四)、漢文史料上の十二姓を突厥の他称とみなすことに異論はない。他方、十二姓ないし十二部族に対応するトルコ語の表現はこれまで突厥碑文では確認されておらず、懸案のままであった。

ところが、近年、十二姓に対応する表現を刻んだ突厥碑文がモンゴル国で発見された。その所在地は、ハンガイ山脈の南斜面に位置する、バヤンホンゴル県《アイマグ》のバーツァガーン郡《ソム》である。碑文は、二〇一七年に著者が実施した現地調査の時点では、ハンガイ山から南流するバイダラッグ川の渡し場から西約四キロメートルの高台にある石積《オボー》みの上に安置されていた。便宜的にその地名に因んでヒルギシーン・オボー碑文と称する。二〇一六年にモンゴル国立大学のバットトルガ氏ら三名が現地で確認した後、国立科学アカデミー・歴史考古研究所の紀要にテキストと注釈が発表され、本碑の存在が内外に知られるようになった(Идэрхангай, Баттулга, Баяр 2017)。

この四角柱状《しかくちゅうじょう》の碑文は、上下が断たれていたため、建立当時のテキスト全体をうかがい知ることはできない。突厥文字は四面のうち三面に、合計八行にわたって刻まれていたが、断片となった現在、面と行の進行については議論の余地がある。そうした検討要素を残しつつも、比較的内容がまとまった面の三行の内容を以下に示す。(1)

……〔を〕うち立て、その後、三人のカンが国をまた〔再び〕興《お》こ〔させた〕……

artatïp anta käsrä üč qan ilin yäčä tur[urdï]

……七〇万〔の民〕が〔某をカン/カガンに〕推した。突厥の民は……

yätmiš tümän qïsdï. türük bodun

……マガ・タルカンは十二〔部族の/姓〕突厥を〔して〕頭を垂《た》れさせな〔かった〕……

maɣa tarqan eki yägirmi türük ägmä[di]

多くの突厥碑文が埋葬《まいそう》遺跡に残されていた点を考慮すると、本碑もまた故人の顕彰《けんしょう》ないし追悼《ついとう》に供されたテキストであったことが類推される。恐らく、マガ・タルカンという人物が本碑文の主人公とみられる。そして、懸案の連語《れんご》は、マガ・タルカンが他勢力に頭を垂《た》れさせなかった、つまり独立を維持させていたという、エキ・イェギルミ・テュルク Eki Yägirmi Türük である。エキは数詞の二、イェギルミは二〇であり、古代トルコ語ではこうした表記法で一二(二〇から二つ二〇に向かって進んだ数)をあらわす(Tekin 1968: 145)。つまり漢語の十二姓に対応する表現がはじめてトルコ語で検証されたのである。

なお、引用したテキストに残された問題は、国を再興したという三人のカンである。突厥碑文は一般に、七二〇ー七三〇年代に誕生したものと考えられている。主要な突厥の碑文がすべて第二可汗国の後半期ないし末期に建立され

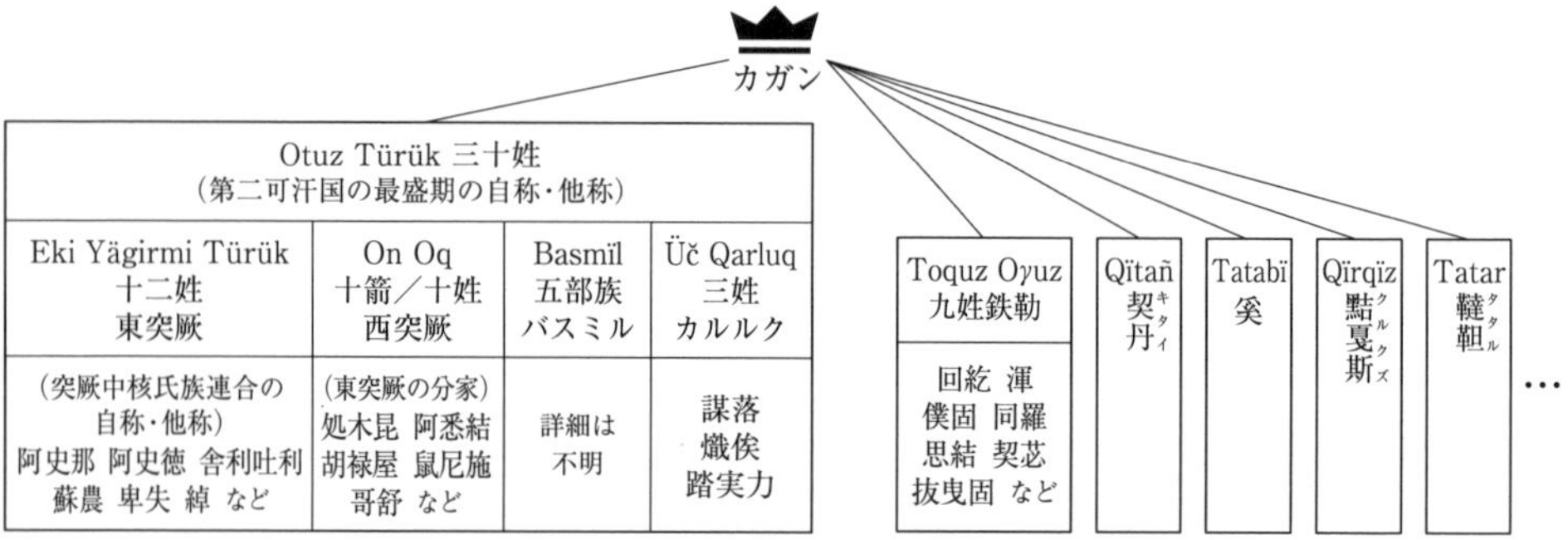

図4　第二可汗国の最盛期における部族支配の概念図

ていたことに鑑みて、本碑も第二可汗国の後半期以降に成立したものと推測される。すなわち三人のカンとは、すでに亡くなった骨咄禄《クトゥルグ》と黙啜、そして黙棘連とビルゲ・カガンとみなし得る。

それでは最後に、何故に三十姓、十二姓と二通りの呼称が存在したのか、両者の関係を簡潔に述べておきたい。三十姓は、第二可汗国の黙啜の征服活動によって多くの部族支配を成し遂げた時代、さらにそれを継承していたビルゲ・カガンの治世に称されていたものである。一方、十二姓は、その用例から、元来の東突厥の中核部族連合を指したものであり、第一可汗国の時点での突厥や羈縻支配時代の遺民《いみん》、また、第二可汗国末期から崩壊後の遺民集団を指し示すものである（鈴木 二〇〇六：七頁）。

その上で、三十姓と十二姓の包含関係を、黙啜からビルゲ・カガンの治世における突厥の部族支配を考慮しつつ復元すれば、三十姓（東突厥）＝十二姓（東突厥）＋十姓（西突厥）＋五部族（バスミル）＋三姓（カルルク）となる（鈴木 二〇〇六：一九頁）。第二可汗国の最盛期における突厥カガンの部族支配は、**図4**のようになる。

三、突厥のタルカンと部族支配

本節では、突厥の統治体制が具体的にどのようなものであったかを探るために、ひとつの称号をとりあげる。それは諸史料において散見されるタルカン tarqan

（達官、達干）である。この称号は漢語の「達官」に起源するという説もあるが、未だ定説にはなっていない。突厥に先行する柔然やエフタルから、東西の突厥、そして西突厥の後継勢力突騎施《テュルギシュ》 Türgiš や北方の黠戛斯《クルクズ》 Qïrqïz、突厥に続くウイグルにおいてもその保持者が確認されている（内田 一九七五）。

このタルカンは同時代の古代トルコ系遊牧民の他にも、中央ユーラシアの諸政権に引き続き採用されていることは注目すべきである。その具体的な継承経路は判明していないものの、『遼史《りょうし》』には達剌干《タルカン》として現れ、キタイにも伝えられていた。またモンゴル帝国時代にも、チンギス・カンから賜与された称号に荅剌罕《ダルハン》 darqan があり、後継のモンゴル系の遊牧国家でも引き続き使用されていたことが判明している（恵谷 一九六三、村上 一九七〇）。さらに満洲語史料中にも、ダルハンが確認できる。すなわち、トルコ・モンゴル系遊牧民の移動や拡大にともない、空間的にはモンゴル高原をはじめ、西はトルキスタン、東はマンチュリアへと伝播《でんぱ》を見せた。称号の保持者の権限やそれがそれぞれの社会でどのような役割を果たしていたかはともかく、時間的には突厥以来、千年以上にわたって継承されてきた様子を観察できるのである。

ところが、突厥におけるタルカンの位置付けについてはこれまでほとんど検討されたことがない。護雅夫もカガンの行政幹部を形成した官僚であるといったごく一般的な説明を付したのみである（護 一九六七）。そこでタルカンを含むカガン以下の称号を、(1)血統と出自、(2)就任の契機、(3)職務、の観点から概観し、タルカンが突厥の支配体制に果たした役割を明らかにしてみたい。

血統と出自から見る突厥の称号

トルコ系遊牧民の世界においても世俗王権の継承原理は世襲であった。言うまでもなく、君主はカガンと称し、カガン位は兄弟や子息に継承された。突厥の場合は阿史那《アシュナス》 Ašinas と呼ばれる氏族がカガンを独占し、それは第一可汗国でも第二可汗国でも、あるいは西突厥でも例外はなかった。

このカガンの一族という点でシャドとヤブグの位も阿史那氏出身者のみが保持できるものであった。前節で述べたように、両者は遊牧国家の基本骨格をなす左右翼の長としてカガンから任命を受けるのであり、カガンとは別に自前の部族集団を率い、軍事指揮権を付与されているのが特徴である。これら左右翼長が指揮権を有するという点が、その他の称号保持者と一線を画すものであったことは、『旧唐書』や『通典《つてん》』の記述から確認することができる。

> 始畢《しひつ》・処羅《しょら》〔カガン〕は彼〔阿史那思摩《しま》〕の顔貌《かおかたち》が胡人〔ソグド人〕のようであることを理由にして、〔彼が〕阿史那の一族にあらずと疑った。そのために処羅・頡利《きつり》〔カガン〕の治世でも夾畢特勤《きょうひつテギン》のままであって、ついに兵を指揮する設〔シャド〕の位を得られなかった。

とあり、王族のなかでも左右翼長が遊牧国家において突出した実力を持っていたことがわかる。例えば、第二可汗国の黙啜はテリス・ヤブグから、黙棘連（黙矩）はタルドゥシュ・シャドからカガンに昇格している。

さて、前掲の史料中の阿史那思摩が称していたのがテギンである。テギン tegin（特勤、特勤）とは古代トルコ語で王子を意味する一般名詞ではあるものの、称号としてはカガンの任命なしに帯びることができなかったようである。それは出土墓誌が記録した、阿史那思摩の経歴から推し測ることができる。彼は当初は波斯特勤《バルステギン》であったが、始畢可汗の時代は伽苾特勤《かひつテギン》（漢籍では夾畢特勤）で、頡利可汗の時代には羅失特勤であった（鈴木 二〇〇五：四八—四九頁）。なお興味深いことに、阿史那思摩は第一可汗国の混乱期に緊急措置的に即位した経歴もある人物であり、

> 〔公＝阿史那思摩は〕可汗の孫であることを理由に、波斯特勤を授けられ、すぐに倶陸《キュリュッグ》可汗に昇進し、薛延陀《せつえんだ》・回《ウイ》紇《グル》・暴骨《ぼうこつ》〔僕固《ぼくこ》〕・同羅《どうら》などの諸部族をすべた。その後、啓民《けいみん》可汗に敗れて、隋に拘束された。

とあるように（鈴木 二〇〇五：四八頁）、実際にはカガンの息子ではなく、カガンの孫であった。確かに『通典』や『旧唐書』の突厥伝で彼の出自は、「頡利（カガン）の族人」と伝えられ、その父親については「咄六設《とつりくシャド》（墓誌では咄陸

設)」と記録されている。とすれば、そもそも彼はシャドの息子であり、それ故に元来はテギンを称することさえ期待されぬ人物であったのである。このような実例に照らしてみると、シャドもヤブグも、そしてテギンも原則的にはカガンの実子であることが必要条件であり、さらにカガンの任命を経た上で称することができたと言える。

勿論、王朝創始者は例外であった。第二可汗国の初代カガンとなった骨咄禄《クトゥルグ》はイルテリシュ(クニ集めし)・カガンと称したが、キョル・テギン碑文の漢文面が記録するように、彼の父はクトゥルグ・イルキン(骨咄禄頡斤)と、後述する部族長レベルの人物であり、祖父にいたってはエトミッシュ・ベグ(伊地米施匐)というただの族長である。あるいは『通典』の突厥伝は、「其(骨咄禄)の父は本《も》と是れ単于《ぜんう》(都護府《とごふ》)右廂《うしょう》の雲中都督《うんちゅうととく》舎利《しゃり》元英《げんえい》の下の首領たり。代々《だいだい》吐《トゥ》屯《ドゥン》啜《チョル》を襲《おそ》う」という。トゥドゥン tudun とは、支配下の部族やオアシス都市に派遣された貢納徴税官の称号であり(小野川 一九四三：一三三－一三四頁)、チョル čor とは後述するように部族長が帯びた称号のひとつである。このような記録に基づけば、第二可汗国の初代カガンは、第一可汗国のカガンに血統上、直接はつながっていない(鈴木 二〇〇八a：一四七－一四八頁)。これは第一可汗国と第二可汗国が明確に断絶していたことを物語っている。

したがって、骨咄禄がその即位時に左右翼長に任命した彼の兄弟(黙啜と咄悉匐)も含め、三者ともにカガンの子息ではない。とはいえ、阿史那氏に出自した彼らがその正統性の根拠としたのは、第一可汗国の建国者たるブミン・カガンであった。突厥碑文において彼らが建国者たるブミンの子孫であることが強調されているように(鈴木 二〇〇八a：一四六頁)、その意識のなかではカガン位が直系の子孫に世襲されることが重視されていたのである。

ところで、阿史那氏以外の部族長については明確な記述が残っていないが、やはり世襲であった点は推測可能である。部族長の称号としては、おもに九姓鉄勒の諸部族長が名乗ったイルテベル iltäbär/elträbär(俟利発、頡利発)、イルキン irkin(俟斤、頡斤)が確認できる。護雅夫の考察によれば、七世紀中葉の六四六年に九姓鉄勒が唐に帰順した際に、もともとイルテベルを称していた部族には都督府《ととくふ》が、イルキンであれば刺史州《しししゅう》が設置された。また、比較的有力な部族の長がイルテベルを、比較的弱小な部族の長がイルキンを称したという(護 一九六三：四二七頁)。後に九姓鉄勒を支配基盤としてウイグル可汗国が建国された際、その部族長はトトク totoq を帯びていたが、これは唐王朝の羈縻支配時代に都督が授けられたことに由来している。なお、西突厥の場合、左翼の部族長がイルキンを、右翼の部族長がチョルを称していると言われている。ただし、骨咄禄の出自について再びとりあげると、両唐書の突厥伝では「代々吐屯啜を襲う」とあった。七世紀後半の突厥については、イルテベル、イルキン、チョル、などの称号が混在し併称されていたものと考えられる。

さて、タルカンであるが、その出自はバラエティに富んでいる。明確に阿史那氏出身のタルカンは、ホル・アスガト碑文に言及されるアルトゥン・タムガン・タルカンという人物である(大澤 二〇一〇：二九頁)。他方、第二可汗国の功臣であるトニュククは、建国時に授与されたアパ・タルカン(阿波達干)についで、ボイラ・バガ・タルカンとなった人物である(護 一九九二：九三頁)。阿史徳元珍《あしとくげんちん》という彼の別名が物語るように、阿史徳氏という非阿史那氏の出であった。また、第二代の黙啜可汗の娘婿は、踏没施《とうぼつし》達干《タルカン》を称していたが、阿史徳《あしとく》覓覓という名が両唐書に記録されていることから、非阿史那氏のタルカンを確認しうる。

さらに『冊府元亀《さっぷげんき》』の朝貢記事からタルカンの出身部族が判明する例を挙げてみたい[表2]。第二可汗国の後半だけでも、阿史那をはじめ、蘇農《そのう》、そして先に挙げた阿史徳といった突厥の中核集団の出身者から、処木昆、延陀など突厥が支配下に置いていた部族出身者までを確認できる。また、康思琮《こうしそう》は康という姓を帯びている。こうしたソグド姓のタルカンとしては、『顔魯公文集』から康阿義屈達干を挙げることができる。この二名は、特に後者は、深く遊牧生活に馴染《なじ》んだソグド系突厥と定義された存在である(森部 二〇一〇：一二二、一二六、一一四頁)。なお、オアシス都市のソグド人がタルカンに就いた例については、次で紹介する。

表2 『冊府元亀』記載の突厥使人タルカン

年代	使者	巻数
717年(開元5年7月己亥)	使者 他満達干	974
722年(開元10年9月己巳)	大首領 可還抜護 他満達干	975
723年(開元11年7月戊辰)	大首領 **阿史那**瑟鉢達干	975
723年(開元11年11月甲戌)	大臣 可還抜護 他満庭《ママ》干	975
726年(開元14年正月壬午)	大臣 臨河達干 康思琮	971／975
728年(開元16年8月己卯)	大首領 屈達干	975
731年(開元19年6月甲午)	大首領 **蘇農** 屈達干	975
731年(開元19年10月癸巳)	大臣 **蘇農** 屈邏達干	971
732年(開元20年2月癸巳)	烏鶻達干	975
733年(開元21年4月壬戌)	大使 烏鶻達干	971／975
733年(開元21年9月戊寅)	大臣 牟伽伊難達干	971／975
735年(開元23年4月辛丑)	首領 **触木日昆** 黙達干	975
738年(開元26年6月辛亥)	大首領 烏鶻達干	975
739年(開元27年2月丙子)	突厥大首領 **延陀** 倶末啜剌達干	975

就任の契機から見るタルカン

それでは、タルカンに就任した経緯が判明する事例をあげる。

前述のトニュククについては、初代カガンの骨咄禄によって登用された経緯が『旧唐書』の突厥伝から知られている。

阿史徳元珍は、中国の風俗に通暁《つうぎょう》し、〔唐の〕辺境防備の実体を知悉《ちしつ》していた。〔彼は〕単于都護府のもとにあって、〔突厥の〕降戸《こうこ》部落《ぶらく》を率《ひき》いていたが、ある事件に連座し、単于都護府の長史《ちょうし》である王本立《おうほんりゅう》に拘束されていた。折しも骨咄禄が叛乱し侵入してきた時、元珍は旧例によって部落を率いたいと請《こ》うてきたので、本立はそれを許可した。するとすぐに骨咄禄に投降したので、骨咄禄は彼を得たことをとても喜び、阿《ア》波《バ》大達干《タルカン》の地位に就け、兵馬に関することを統《す》べて任《まか》せたのである。

彼のタルカン就任については、トニュクク碑文にも記載があるため次でも紹介するが、いずれにせよカガンによる抜擢《ばってき》と任命を経たタルカンということになる。

このトニュククへのタルカン授与《じゅよ》は部族を率いて帰参《きさん》してきた論功行賞《ろんこうこうしょう》といえる。こうした授与例はウイグルのシネウス碑文(南面二行目)にも記載されている(森安ほか 二〇〇九：三八頁)。

> チクの民を私〔磨延啜《まえんてつ》〕の千人隊が駆《か》り立てて来た。〔欠損部〕テズ〔川〕の河源地帯の〔?〕私の牆柵《しょうさく》を私は夏営地とした。私はそこに国境を設定した。私はチクの民にトトクを任命した。私はイシュバラやタルカン〔の称号〕をそこで〔彼らに〕賜与《しよ》した。

ウイグルがチク族を征討した際、トトクが先ず任命され、その上でイシュバラとタルカンが与えられている。ウイグルへの帰参者に称号が与えられ、チク族の安堵《あんど》が企図されたのであろう。なお、イシュバラという称号の詳細は判明していない。ただしイシュバラ・タルカンという称号は第二可汗国の遺物〔オンギ遺跡のバルバル列石〕に確認できるので、ウイグル期にはこれらが別々の称号として授与されていたのかも知れない。

さて、西突厥では、肆葉護《しャブグ》可汗のもとから玄奘《げんじょう》が旅立つ際の記録が『大慈恩寺三蔵法師伝《だいじおんじさんぞうほうしでん》』に残っており（De La Vaissière 2010）、その際にタルカンが任命されている。

> 可汗はすぐに軍団内で漢語と諸国語を解するものを探させたところ、年若きひとりを得た。以前長安に数年滞在し漢語を理解していたので、摩咄達官《まとつタルカン》の地位を授け、諸国への国書を執筆させた。〔可汗は〕摩咄〔達官〕に命じて〔三蔵〕法師を迦畢試《カービシー》国まで送らせたのである。

玄奘の通訳をたくされた人物がカガンによってタルカンに任命されたのである。

さらに、こうしたカガンによる直接の登用の他、幼少時にカガンのもとに入侍《にゅうじ》した人物がタルカンを称している。現在の青海《せいかい》方面を中心に勢力をもった吐谷渾《とよくこん》の出身者である。『旧唐書』の突厥伝には、

> 〔貞観〕八年〔頡利可汗〕がなくなった。その国人〔配下のトルコ人〕に詔《みことのり》がくだされ、彼を葬らせた。彼らの習慣に従い、遺体を灞水《はすい》の東で火葬した。〔彼には〕帰義王《きぎおう》が贈《おく》られ、諡《おくりな》を荒とした。彼の旧臣である胡禄達官《ころくタルカン》の吐谷渾邪《とよくこんや》がみずから首を切って殉死《じゅんし》した。渾邪は、頡利〔可汗〕の母親である婆施《ばし》氏の媵臣《ようしん》〔おくりびと〕であった。頡利〔可汗〕が生まれた際、彼に渾邪をあてがったのである。

とある。この吐谷渾邪という人物は吐谷渾の貴人に隷属《れいぞく》した媵臣であり、もともとその地位は高くなかったものと考えられる。しかし幼少の頃から頡利可汗に仕えたことでタルカンが授与されていたようである。果たしていつ、どのカガンがタルカンを与えたのかは不明ながら、いわば近習《きんじゅう》のような存在がタルカンを称していたことは興味深い。

それでは、カガンやシャド、ヤブグ、その他の部族長のようにタルカンには世襲があったのであろうか。

西突厥のイステミ・カガンがビザンツ帝国に派遣したマニアクというソグド人はタグマ・タルカンを称していたことが判明している。以下、ビザンツ史料 *Menandri Protectoris Fragmenta*, 第二〇節（五六六年）の記述を内藤みどり訳で引用する（内藤 一九八八：三八〇―三八一頁）。

> その際ディザブロスは彼らとともに、新たに一人の使者を派遣した。なぜなら前述のマニアクはすでに死んでいたからである。彼の後、使節となった者の肩書はタグマで、彼の官職はタルカンであった。この男がディザブロスからローマに使節として派遣されたのであるが、その時まだ極めて若い、故マニアクの息子も、彼と同行した。彼は父の職務を継ぎタグマ・タルカンの次の地位にあった。父のマニアクがディザブロスにとって役立ち、親しかったから、息子はその地位を得るのであると思われる。

マニアクの息子はただちにタグマ・タルカンを継承してはいないものの、カガンに奉仕できる身分は保全できたようである。

こうした継承は、阿史那思摩の妻・統毗伽可賀敦《トンビルゲカトゥン》延陀《えんだ》墓誌の記載からも類推できる。彼女の曽祖父《そうそふ》は莫賀咄頡筋《バガチョルイルキン》であったが、祖父は莫汗達官《ばくかんタルカン》、父は区利支達官《くりしタルカン》であった（鈴木 二〇〇五：五九頁）。ひとたびタルカンが授与された場合、タルカンの地位がその子孫に世襲される可能性は極めて高かったという点を指摘しておきたい。

タルカンの職務

最後にタルカンの職務を検討する。平時のタルカンはカガンの身辺で侍衛《じえい》職についていたものと考えられる。玄奘が西突厥の肆葉護可汗と邂逅《かいこう》した際の光景が『大慈恩寺三蔵法師伝』に伝えられている。

> スイアーブに到着し、突厥の葉護可汗に出会った。ちょうど彼らは狩猟中であり、軍馬が沢山《たくさん》集まって盛観である。可汗は緑色の綾織《あやお》り筒袖《つつそで》の外套《がいとう》を羽織《はお》り、冠は被らず絹の鉢巻きをし、髪を後に垂れ下げている。タルカン二〇〇人あまりもみな髪を編んで、錦の筒袖の上着を着て、可汗の左右を囲んでいる。その他の兵はみな皮衣《かわごろも》やフェルトの外套を着け、纛《はたぼこ》〔旗印〕を掲げて短弓を持ち、ラクダやウマに騎乗して、目の届く限り数知れない。……三日経つと可汗は帰って来た。法師を連れて可汗の天幕《てんまく》にはいることになった。可汗は大きな天幕に住んでいた。天幕は金の飾り物で装飾し、まばゆいばかりであった。大勢のタルカンが可汗の前に長大な絨毯を連ねて二列になって座り、みな錦の服を着て輝き、その他の儀仗《ぎじょう》が後に立っている。

このようにタルカンはカガンの左右やオルド(王座)の前に整列し待機していた。二〇〇名に達する[2]彼らの身分は、服装や敷物によって一般牧民に優越していたことがわかる。タルカンは武装してカガンを囲繞しているのであるが、単なる儀仗兵とは区別されていた点も興味深い。

こうしたカガンの側近について突厥碑文で確認してみると、ビルゲ・カガン碑文(南面一三—一四行目)に以下のような記述を見出せる(Tekin 1968: 246, 280; 小野川 一九四三:六五頁)。

> 天神の如き天神が創りし突厥のビルゲ〔・カガン〕たる我が言葉〔は以下のようである〕。我が父たる突厥のビルゲ・カガンが即位した時、突厥の今〔ここにいる〕ベグたちよ、西にタルドゥシュのベグたちは、キョル・チョルを先頭にして、彼に続いてシャダピト〔たる〕、ベグたちよ。東にテリスのベグたちは、アパ・タルカ〔ン〕を先頭にして、彼に続いてシャダピト〔たる〕、ベグたちよ。〔欠損部〕タマン・タルカン、トニュクク〔こと〕ボイラ・バガ・タ

ルカン、それに続いてブイルクよ。〔欠損部〕内ブイルクのセビグ〔・キョル・イルキン〕を先頭にして、それに続いてブイルクよ。

これは、即位式におけるカガンの言葉が記録されたものである。カガンが配下の貴人を呼びあげているのだが、カガンの身辺にベグたちが左右翼の秩序に即して整列している様子が想起される。ここにはタルカンだけではなく、シャダピト šadapït、ブイルク buyruq といった称号も見られるが、こうした称号保持者が組織だって日常的にカガンの周囲を固めていた。タルカンはカガンの侍衛集団を構成していたといえよう。

なお、シャダピトについては史料が僅少であり、その役割については今のところ検討の余地がない。一方のブイルクについては、突厥伝に伝えられる以下の記述が参考になる。

開元二二年〔七三四〕、小殺〔ビルゲ・カガン〕はその大臣の梅録啜《ブイルクチョル》のために毒を盛られた。毒がまわってきたが、まだ死なないうちに、〔ビルゲ・カガンは〕先に梅録啜を斬《き》り倒し、その一党を皆殺しにし、そして死んだ。

ブイルク・チョルが唐の側では大臣と認識されていた点は、タルカンが遣使された際に大臣と記録されていたのと同様である**[表2]**。カガンからの使者であり、かつカガンに近侍していたことがそう表現された理由であろうか。ただし、タルカンと明確に異なるのは、当時のトルコ語史料(キョル・テギン碑文・東面五行目)では、彼らが以下のように認識されていた点である。

〔彼らのような〕賢くないカガンが君臨したというではないか。悪いカガンが君臨したというではないか。彼らのブイルクもまた賢くなかった〔という〕ではないか。悪かったというではないか。

これはキョル・テギンならびにビルゲ・カガン碑文における突厥の創始者ブミン・カガンが亡くなってからの亡国が記された部分であり(鈴木 二〇〇八a:一五三頁)、ブミンを継ぐカガンたち、すなわち彼の弟たちやその子弟たちが酷《こく》評《ひょう》されている一節である。ブイルクはそうしたカガンたちについで槍玉《やりだま》にあげられ非難を浴びているのであり、最高位の職責にあったものと考えられる。突厥王族の碑文にカガンと並び称されるということで、阿史那氏に連なる王族の一員であったのかもしれない。これに対してタルカンは引用した一節には言及がない。阿史那氏ならびに他部族からの採用がひらかれていたタルカンは、基本的に外臣集団と理解することができようか。

つぎに有事であるが、史料上の多くのタルカンが軍事司令官として活躍している。トニュククも引用史料で見たように、骨咄禄から阿波大達干の称号を与えられ、軍事の全権を委《ゆだ》ねられたという。これについては、トニュクク碑文（六―七行目）も以下のように証言している（鈴木 二〇〇八b：五九頁）。

> ビルゲ・トニュククことボイラ・バガ・タルカンとともに我〔骨咄禄〕はエルテリシュ・カガンになろう！」〔と彼は言った。そして〕南に唐を、東に契丹を、北に〔トクズ・〕オグズを、とても数多く彼は殺した。彼の参謀、彼の軍事司令官は、私〔トニュクク〕、まさに私であった。

冒頭に言及されたボイラ・バガ・タルカンという称号は、トニュククのビルゲ・カガン時代の称号と考えられている。一方、骨咄禄が即位した当時は漢籍も伝えるアパ・タルカンが授与されていたものと推測されている（護 一九七二：九四頁）。彼のタルカンとしての活躍はこの部分の記述だけにとどまらず、二代目の黙啜や三代目のビルゲ・カガンの時代にも軍事司令官としての職責を果たしている。彼はビルゲ・カガンに娘を娶《めと》らせているので、三代目の治世にはカガンの天幕の内で各種の助言をしていたようである。

さて、アパは古代トルコ語で「先祖」の意味があるが、アパ・タルカンとして称号が与えられた人物は他にも確認できる。前掲の即位式の際にも、カガンの左翼における筆頭者として登場していることが物語るように、カガンから親授《しんじゅ》された筆頭の軍事司令官であったようである。また、アパ・タルカンはその他の史料にも散見される。たとえば、『新唐書』の突厥伝では以下のように登場する。

> 〔白眉《はくび》可汗が即位した〕ここに至って突厥は大いに乱れ、その国の人は抜悉密《バスミル》の長を推戴《すいたい》して可汗とした。〔玄宗は〕

朔方節度使《さくほうせつどし》の王忠嗣《おうちゅうし》に詔をくだして、軍を率いてこの大乱に乗じさせた。〔唐軍は〕薩河内山《さっかないざん》まで至り、突厥の左〔翼〕の阿波達干《アパタルカン》の十一部を伐《う》ち、これを破った。〔しかし〕その右〔翼〕だけはまだ降すことができないでいた。その時、回紇《ウイグル》と葛邏禄《カルルク》とが、抜悉密《バスミル》の可汗を殺し、回紇の骨力裴羅《こつりきはいら》を中心にその国を平定した。これは第二可汗国滅亡にかかる七四四年の記事であるが、この時点のアパ・タルカンも前掲の碑文史料と同じように、左翼軍を率いていた点を指摘しうるし、その麾下の部族を率いて唐に抗戦していたこともわかる。カガンの親任で軍事力を行使できたタルカンの例を重ねることができる。

さらに前項で指摘した通り、タルカンはカガンから派遣される使者としての役割も果たしていた。たとえば、『通典』や『旧唐書』の突厥伝に「長安三年(七〇三)、黙啜は莫賀達干《バガタルカン》を遣使し、女《むすめ》を以て皇太子の子に妻《めあわ》さんことを請う」とあるように、カガンの外交政策を遂行するための派遣があった。

その他、ソグド人のマニアクも西突厥からビザンツ帝国に派遣された使節団を率いていたが、タルカンを称していた。このような遣使において、タルカンは単に使者としてカガンの使命を果たすだけではなく、タルカン自身の利益が期待されていたことが類推される。

なんとなれば、こうした対外交渉は大国間だけではなく、草原とオアシスの共生といった、より日常的な経済活動のなかからも看取できるからである。荒川正晴は、オアシス国家である麹氏高昌国《きくしこうしょうこく》が遊牧国家からの使節を受け入れていたことを、トゥルファン文書から解明した。その際、高昌国側で記録された供糧食帳《きょうりょうしょくちょう》などに、使節の派遣主として、また実際に到来した使者として大官、すなわちタルカンが複数確認できることを指摘している(荒川 二〇一〇:八〇頁)。カガンや妻たるカトゥン、シャド、ヤブグ、イルキンといった阿史那氏の貴顕《きけん》や部族長レベルの人物だけでなく、タルカンも対オアシス交易に関与していた。先の朝貢事例にたち戻るならば、大臣や首領とみなされたタルカンたちにも、朝貢先である唐から下賜品が与えられていたはずである。

こうした非遊牧活動のなかから生み出される実利は、タルカンという地位の源泉たるカガンに向けられたかれらの忠誠にもつながっていたはずである。前項で観たように、タルカンは軍事司令官、ないし親衛隊の一員としてもカガンに従軍していた。こうした軍事奉仕も遊牧社会においては戦利品の分け前に与るという経済活動のひとつになる。タルカンに就任するということは、第一にはカガンの政策を直接実施してゆく職務に就く契機であった。そして、その副産物として遊牧国家における支配層として地位が保障され、また経済的な恩恵を得ることができたのである。

突厥におけるタルカン制

以上の概観から、突厥におけるタルカンの特徴は以下のようにまとめられるであろう。

① タルカンはカガンから親授された称号であり、カガンと被授与者《ひじゅよしゃ》との間に君臣関係を構築する役割を果たした。カガンはその時々の政策遂行のために、阿史那氏以外の部族ないし氏族集団や、遊牧以外の生業に従事するような集団の出身者にもタルカンを賜与している。そのため、この称号保持者がカガンと各集団との鎹《かすがい》となり、カガン国の支配を外縁に拡大することに寄与した。

② タルカンはカガンの侍衛集団として常にその周囲に近侍し、カガンの命を受けてその都度その任務を遂行した。職務としては、軍事司令官に任命され、軍隊を率いて出征したり(特にアパ・タルカン)、親衛隊として日常的にカガンを警護したり、各地に派遣される使者にもなった。タルカンの地位に就く者はカガンの政策を随時実現させるスタッフであり、それ故、突厥内部の支配体制の維持に不可欠の集団であった。

③ 親任を受けたタルカンは、カガンに近侍することでカガン国の政策運営に直接関わることができた。支配層のなかでもその中枢に地位を占められるほか、従軍の見返りや使節の派遣先からの利益をも得ることができた。また、その地位を世襲することが一般的であった遊牧社会において、タルカンへの就任が子息たちの任官の道を拓く蓋然性《がいぜんせい》が

高く、カガンと被授与者ないしその出身集団との間に縁故的な紐帯《ちゅうたい》を築くことになった。

こうしたタルカンの特徴を挙げてみると、それが果たした役割は中央ユーラシア型国家のなかに共通性を求めることができる。それはモンゴルのケシクテン kešigten(怯薛)やマンジュのヒヤ hiya(轄・蝦)といった親衛・侍衛制度である(本田 一九九一：二五―二七頁、杉山 二〇一五：二〇二―二〇四頁)。突厥に関しては、もとより史料が僅少《きんしょう》であり、タルカンのさらなる具体的な職務や、君主と臣下の主従関係を明確に規定する概念(例えば、モンゴルで言えば、遊牧首領たるノヤンや君主に奉仕する従者であるネケル)、などは明らかにされていない。

しかし、本節が示したように突厥のタルカンが、君主の親衛隊・側近団を構成し、政権の中枢を担ったことは間違いない。そして、遊牧国家の拡大に寄与し、諸部族集団を統合するための役割を果たしたであろうことは、諸史料から明らかである。ここに、前掲の未解明の問題を残しつつも、突厥にはタルカン制と言うべき親衛・侍衛組織と機序が存在していたものと結論したい。

結び

遊牧国家においては、カリスマ的な君主のもと、その創業時には強大な王権の求心力が発生する。しかし、時代の経過とともに遠心力が増してゆき、中央の権力は分散してゆく。遊牧民の社会では領域を拡大しても牧地の分配によって独立的な王家や部族集団を生み出すことになり、国家内部の権力構造を細分化せざるを得ない。本章の一節で示したように、遊牧民国家の展開が螺旋の形状をもって説明される所以であった。

しかし、遊牧君主もそれを座視していたわけではない。被支配集団の長やその集団構成員たちとの紐帯・君臣関係を構築する手段を講じてきた。突厥もまたユーラシア東西に勢力を拡大したが、征服活動による領域の拡大とともに麾下の部族集団を繋ぎ止めるための方策が必要とされた。そのひとつが、三節で論じたタルカン制である。タルカンは王権の求心力の発源たるカガンの活動を支えた。そして、カガンを頂点とする統治機構の運営に寄与するとともに、かれらの背後にある部族ならびに氏族集団を従わせていたのである。

こうしたタルカンたちが突厥の時代、史料上に顕著に登場し、カガンと諸集団との仲介となっていたことをうかがわせる背景には次のような理由が考えられる。突厥の支配は部族を分断するようなものでなかったことは、三十姓突厥の構造を論じた際に示した通りである。そこにはかつての遊牧集団がほぼ旧来の姿のまま束ねられていただけである。なぜなら、人口寡少な遊牧国家において、傘下の諸部族を管理するための人員は限られているからである。突厥の場合、中核の一二部族の支配だけでも十分な課題であったはずである。左右翼体制を充実させたくとも、基本的にはカガンの子弟を動員することになる。だが、血縁の幅を広くとって近親者からの採用を増してゆけば、それだけ国内に分権化の可能性を生じさせることになる。

ここに、カガンによる支配を補完するために、タルカン制が運用されていたものと推測される。征服活動とそれにともなう支配圏の拡大とともに、新たな人材を登用してカガンと被支配集団との紐帯を強めてゆく。遊牧国家の領域拡大という遠心力に対して、求心力を作用させる支配装置が、突厥のタルカン制であったと考えられる。

このように突厥の国家構造や部族支配におけるタルカンの役割を想定してみれば、遊牧国家の発展という議論に、とりわけ突厥とウイグルとの間に存した遊牧国家の画期について、分析を深化させる新たな検討の切り口を提供することができるのではないだろうか。もとよりトルコ系遊牧民のなかでも、ごく限られた突厥についてのみの言及にとどまった。恐らくタルカン制もしくはこれに類する慣行は、突厥に先行する遊牧国家においても機能していたであろう。もとより史料は僅少ではあるものの、タルカンの継承経路を探ることは遊牧民の歴史的な展開を明らかにする手掛かりとなる。後続のウイグルにおけるタルカンやその中枢《ちゅうすう》組織については史料上の限界もあり、検討がまったく進んでいない。他方、同時代におけるソグディアナの傭兵チャーカルやイスラームのグラームといった軍事集団も無視できない。さらに華北を支配した鮮卑・拓跋国家や隋・唐といった中華帝国における近侍集団や禁軍組織も考慮すべきものである。以上のような課題とともに、中央ユーラシアの遊牧民の展開、あるいは中央ユーラシア型国家の特徴に照らしあわせつつ、遊牧民の国家構造を解明することが今後の検討課題として残されている。

注

(1) テキストならびに翻訳は、著者が二〇一七年七月に実施した現地調査の際に採取した拓本に準拠している。なお、本碑の成立背景について、二〇一八年一一月一〇日、著者は内陸アジア史学会において「突厥ヒルギシーン＝オボー碑文と八世紀前半のハンガイ山脈南麓」と題した口頭報告をおこなっている。それに前後して白玉冬が訳注研究(白 二〇一八)を発表しているが、それら先行研究の再検証を含めて別稿を準備中である。

(2) 『新唐書』の突厥伝では、タルカンを含む突厥の称号が列挙された後、「凡そ二十八等、皆な其の官を世して員限なし」とあり、世襲され、かつ定員はないと伝えている。しかし、この記述のみに依拠するのは、左右翼長に関わるシャド、ヤブグに関する護雅夫の検証(護 一九六二)に照らしても、危険である。

突厥第一可汗国の可汗系図

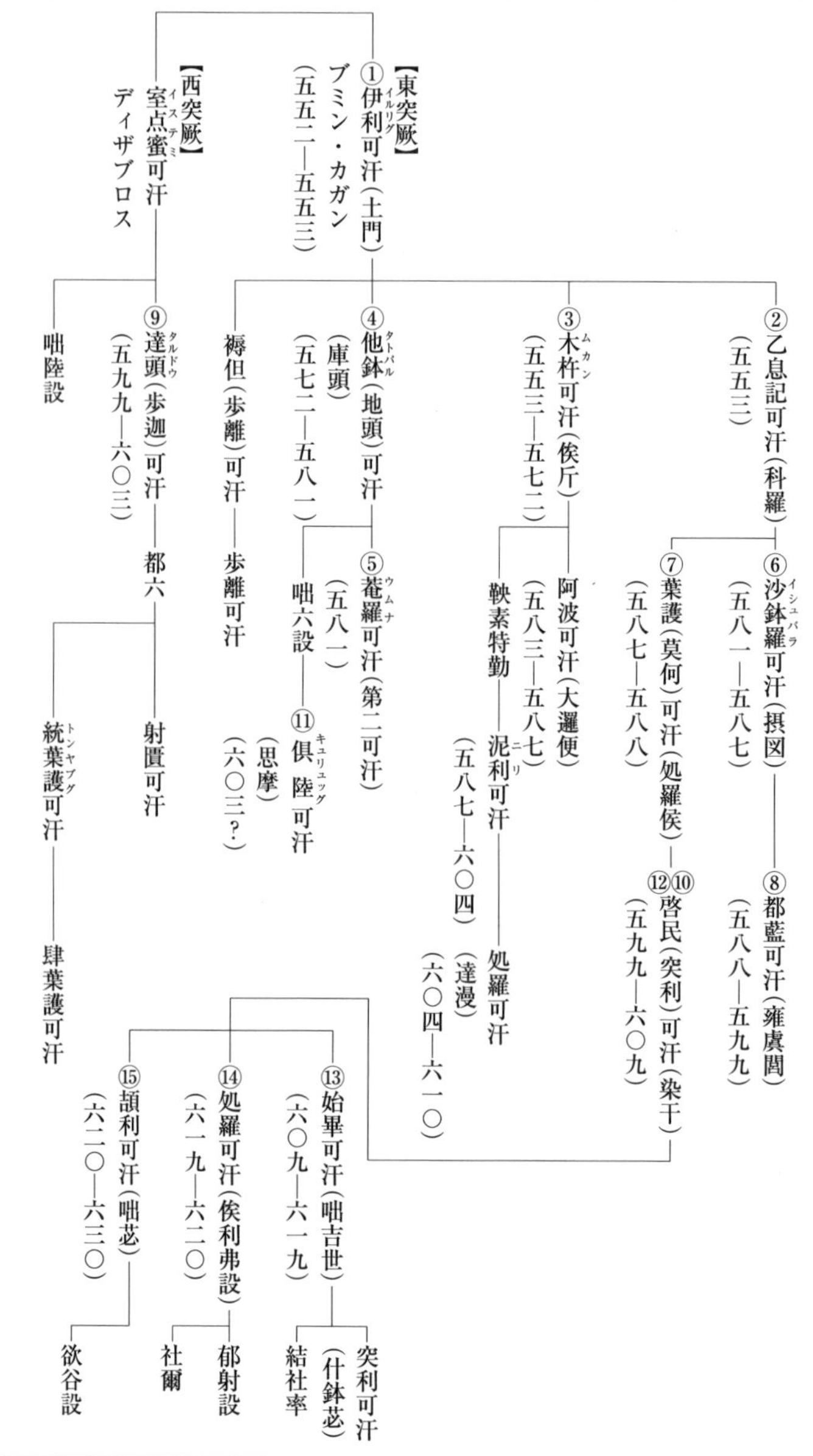

大可汗と小可汗の別については(護 1954)を見よ.

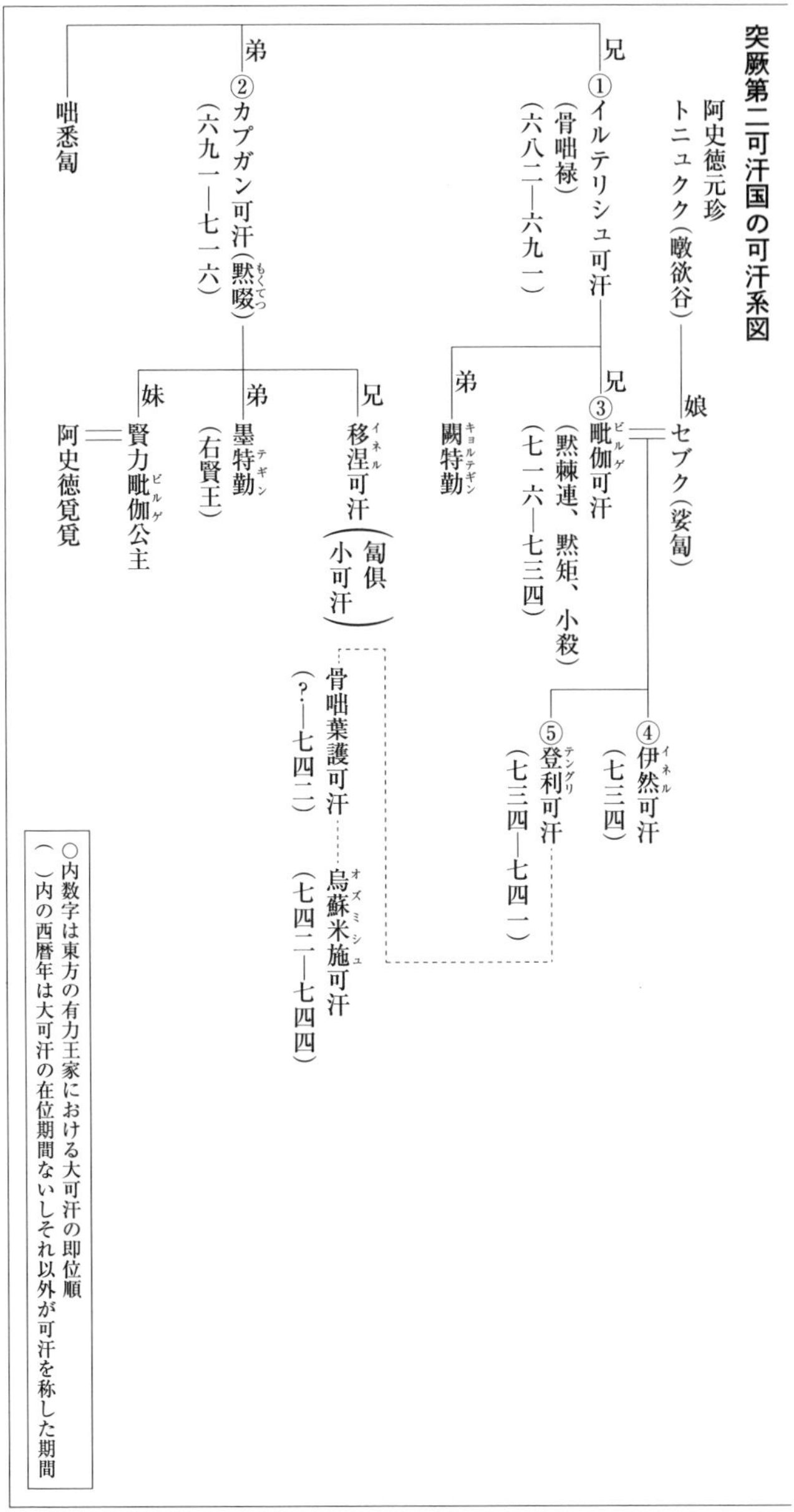

系図(森安 2007：149, 263 所収の系図から作成)

参考文献

荒川正晴(二〇一〇)「オアシス国家・遊牧国家とソグド人」『ユーラシアの交通・交易と唐帝国』名古屋大学出版会。

石見清裕（一九八七）「唐の突厥遺民に対する措置をめぐって」『唐の北方問題と国際秩序』汲古書院、一九九八年所収。

内田吟風（一九七五）『北アジア史研究　鮮卑柔然突厥篇』〈東洋史研究叢刊　二八之二〉、同朋社。

惠谷俊之（一九六三）「荅剌罕考」『東洋史研究』二二巻二号。

大澤孝（二〇一〇）「ホル・アスガト（Хөл Асгат）碑銘再考」『内陸アジア言語の研究』二五号。

小野川秀美（一九四三）「突厥碑文譯註」『満蒙史論叢』四号。

片山章雄（一九八一）「Toquz Oγuz と「九姓」の諸問題について」『史学雑誌』九〇編一二号。

片山章雄（一九九九）「タリアト碑文」森安孝夫・オチル（責任編集）『モンゴル国現存遺蹟・碑文調査研究報告』中央ユーラシア学研究会。

篠田雅人（二〇一六）「砂漠化の歴史を編む」『科学』八六—四号。

嶋田義仁（二〇一二）『砂漠と文明——アフロ・ユーラシア内陸乾燥地文明論』岩波書店。

白石典之（二〇〇二）『モンゴル帝国史の考古学的研究』同成社。

杉山清彦（二〇一五）「清初侍衛考——マンジュ＝大清グルンの親衛・側近集団」『大清帝国の形成と八旗制』名古屋大学出版会。

杉山正明（一九九七）「中央ユーラシアの歴史構図——世界史をつないだもの」『岩波講座　世界歴史11　中央ユーラシアの統合』岩波書店。

鈴木宏節（二〇〇五）「突厥阿史那思摩系譜考——突厥第一可汗国の可汗系譜と唐代オルドスの突厥集団」『東洋学報』八七巻一号。

鈴木宏節（二〇〇六）「三十姓突厥の出現——突厥第二可汗国をめぐる北アジア情勢」『史学雑誌』一一五編一〇号。

鈴木宏節（二〇〇八ａ）「突厥可汗国の建国と王統観」『東方学』一一五輯。

鈴木宏節（二〇〇八ｂ）「突厥トニュクク碑文箚記——斥候か逃亡者か」『待兼山論叢（史学篇）』四二号。

内藤みどり（一九八八）『西突厥史の研究』早稲田大学出版部。

羽田亨（一九五八）「唐故三十姓可汗貴女阿那氏之墓誌」『羽田博士史学論文集　下巻　言語・宗教篇』東洋史研究会。

林俊雄（二〇〇六）「遊牧社会論」『世界史の研究』二〇八号。

本田実信（一九九一）「チンギス・ハンの千戸制」『モンゴル時代史研究』東京大学出版会。

松田壽男（一九六二）「東西交渉とモンゴリア遊牧民」『東西文化の交流』至文堂。

村上正二（一九七〇）『モンゴル秘史 一――チンギス・カン物語』〈東洋文庫 一六三〉、平凡社。

森部豊（二〇一〇）『ソグド人の東方活動と東ユーラシア世界の歴史的展開』関西大学出版部。

護雅夫（一九五四）「突厥第一帝国における qaγan 号の研究」『古代トルコ民族史研究Ⅰ』山川出版社、一九六七年所収。

護雅夫（一九六一）「突厥第一帝国における šad 号の研究」『古代トルコ民族史研究Ⅰ』所収。

護雅夫（一九六三）「鉄勒諸部における eltäbär, irkin 号の研究」『古代トルコ民族史研究Ⅰ』所収。

護雅夫（一九六七）「古代チュルクの社会構造」『古代トルコ民族史研究Ⅰ』所収。

護雅夫（一九七二）「阿史徳元珍と Tonyuquq」『古代トルコ民族史研究Ⅱ』山川出版社、一九九二年所収。

森安孝夫（一九七七）「チベット語史料中に現われる北方民族――DRU-GU と HOR」『東西ウイグルと中央ユーラシア』名古屋大学出版会、二〇一五年所収。

森安孝夫（二〇〇七）『興亡の世界史05 シルクロードと唐帝国』講談社。

森安孝夫・鈴木宏節・齊藤茂雄・田村健・白玉冬（二〇〇九）「シネウス碑文訳注」『内陸アジア言語の研究』二四号。

白玉冬（二〇一八）「蒙古国新発現毗伽啜莫賀達干碑文釈読」『敦煌学輯刊』二〇一八年四期。

De La Vaissière, É. (2010), "Note sur la chronologie de Xuanzang", *Journal Asiatique* 298-1, pp. 157-168.

Tekin, T. (1968), *A Grammar of Orkhon Turkic* (Uralic and Altaic Series Vol. 69), Bloomington, Indiana University Press.

Идэрхангай, Т., Батулга, Ц., Баяр, Б. (2017), "Монгол нутгаас шинээр илрүүлсэн руни бичгийн дурсгалууд (Урьдчилсан судалгаа)". *Археологий судлал* XXX VI, pp.231-238.

コラム｜*Column*

遊牧民の文字の創作

齊藤茂雄

遊牧民の文字に関しては、近年驚くべき発見があった。二〇一八年にヨーロッパの研究グループが、モンゴル国にあるフイス・トルゴイ碑文、ブグト碑文といった、ブラフミー文字で書かれ言語も内容も不明であった碑文に対する調査結果を報告し、これらの碑文は六世紀から七世紀前半のモンゴル系言語で書かれているとの見解を示したのである。この年代比定に従えば、これまで最古とされてきた後述する八世紀以降のトルコ・ルーン文字(突厥文字)よりも古く、遊牧民の文字創作の歴史が塗り変わったことになる。

五―六世紀のモンゴル系遊牧国家としては柔然可汗国の存在が知られており、この新しい言語は「柔然語」と名付けられた(Vovin, A., "A Sketch of the Earliest Mongolic Language: the Brāhmī Bugut and Khüis Tolgoi Inscriptions", *International Journal of Eurasian Linguistics* 1, 2019)。柔然は、鮮卑拓跋氏の北魏とは草原世界の君主号である可汗をお互いに名乗り、対抗し合うライバル国同士であった。その北魏では、実際に鮮卑語の書物も編纂されたという。北魏に対する柔然の対抗意識が文化政策にも及んでいたとすれば、鮮卑の言語書写事業に対抗して、柔然語を書写するための試みが行われたのかもしれない。柔然には仏僧の往来があったことが知られており、仏教と関係性の深いブラフミー文字が採用されたのも合点がいく(于子軒「柔然文小考」『中華文史論叢』一四二輯、二〇二一年参照)。

とはいえ、今回解読されたフイス・トルゴイ碑文には、西突厥の泥利《ニリ》可汗と見られる人物の名が現れており、研究グループは、この碑文は六世紀末から七世紀初頭に、ウイグルの首長である菩薩によって書かれたものと考えている(de la Vaissière, É., "The Historical Context to the Khüis Tolgoi Inscription", *Journal Asiatique* 306-2, 2018)。また、ブグト碑文は「柔然語」と並行してソグド語の文章も有しているために既に解読が進んでおり、五八〇年代に突厥第一可汗国第四代の他鉢《タトバル》可汗のために建てられた碑文であることが明らかになっている(吉田豊「ブグト碑文のソグド語版について」『京都大学文学部研究紀要』五八号、二〇一九年)。

このように、現在見つかっている「柔然語」の碑文は、柔然滅亡後にトルコ系遊牧民によって書かれたものなのである。確かに、六世紀のトルコ系遊牧民は自言語である古代トルコ語を書写する文字を持たず、母語ではない言語で碑文を残していたことがこれまでも知られていた。それが、ブグト碑文にあるようなソグド語で書かれた碑文の存在である。そこから、当時の突厥を含むトルコ系遊牧民の間では、ソグド語が共通語《リンガ・フランカ》となっていたと考えられてきたが、今回の発見は、当時「柔然語」も共通語としての地位を有していた可能性を示唆するものである。本碑文の解読はまだ不十分であり、その歴史的価値を確定させるにはほど遠いとはいえ、解読が進めば遊牧民の文字利用の歴史は大きく改まる可能性がある。

次にモンゴル高原の遊牧民に文字が現れるのは、先述したトルコ・ルーン文字が登場する八世紀前半期の突厥第二可汗国時代である。この時期にこの文字を利用して突厥碑文と呼ばれる古代トルコ語の碑文作成が始まったのである。突厥碑文は、ビルゲ可汗碑文やキョルテギン碑文、トニュクク碑文、といった大型碑文が一九世紀末―二〇世紀初頭にかけて学界に紹介されたが、今世紀に入ってからも碑文の発見は続いている。さらに、モンゴル国だけではなく、トルコ・ルーン文字で書かれた碑文・落書きなどは、南シベリアや中央アジア・東ヨーロッパでも見つかっており、広域で利用された文字であったことが分かる。

トルコ・ルーン文字の作成経緯は全く不明である。従来は、ソグド文字を改変して作成された文字であるとも言われてきたが、文字の形が違いすぎるので否定的な見解もある。ヨーロッパのルーン文字と形態が類似するが、音価に大きな差異があるため直接の継承関係があるとは言いきれず、なぜ類似しているのかはっきり分かっていない。

また、この文字がいつ作られたのかを示す明確な記述は無く、それゆえに南シベリアのイェニセイ碑文群をモンゴル高原の突厥碑文よりも古い時期に属すると見なす見解もあるが、決定的証拠に乏しく現状では判断できない。本コラムでは、一応トルコ・ルーン文字の作成時期を、突厥第二可汗国期と考えておきたい。

文字文化の発展に関して、護雅夫(「草原文学の源流」『草原とオアシスの人々』三省堂、一九八四年)は遊牧社会に広まっていたシャマニズム的鎮魂文化から生じて、死者を口寄せして死者自身に語らせる一人称型碑文、死者と生者が対話する一人称・二人称型碑文などの追悼碑文がまず作られ、そこに中国から死者の功績を称える紀功碑文の文化が入ってきた結果、ビルゲ可汗碑文などの大型紀功碑文が作られるにいたったと指摘している。紀功碑文は、有力者の死後に追悼しつつ功績を称える目的で作られたものではあるが、国内の団結を促したり、王統の正統性を捏造してまで主張したり、政治的な色合いが強い。

突厥滅亡後、東ウイグルでもトルコ・ルーン文字による紀功碑文作製文化は継承されていく。さらに、ウイグル西遷後の一〇世紀には、モンゴル高原東部で契丹が疑似漢字の契丹文字を作成して、漢語墓誌と同一形式の契丹語墓誌という形で、結果的に追悼・紀功碑文作製を継続していくこととなる。これ以降、一一世紀には西夏文字が、一二世紀には女真文字が作成され、遊牧民に文字文化が完全に定着するのである。

問題群｜*Inquiry*

隋唐国制の特質

辻　正博

はじめに

本章は、隋唐王朝の国制すなわち王朝の統治システムについて、官制・法制・軍制に焦点を絞りその特質を論じようとするものである。

隋唐王朝がそれに先立つ諸王朝の影響を受けて国制を定めたことは、言を俟《ま》たない。問題はその歴史的淵源と継承・受容の実態である。個々の沿革については『大唐六典《りくてん》』(以下、『六典』)・『通典《つてん》』等を参照すれば概略の知識を得られるが、広い視野をもった考察となればまず陳寅恪《ちんいんかく》(一八九〇―一九六九)の著作をひもとくことになろう。隋唐時代の礼儀(附 都城建築)・職官・刑律・音楽・兵制・財政の各分野について考究した氏の論点は多岐にわたるが、核心となる見解は以下の如くである。すなわち、隋唐の政治制度には北魏北斉、梁陳、西魏北周の三つの淵源がある。北魏北斉の制度は、漢魏の制度(東晋から南斉にかけて継承発展)と河西《かせい》(涼州)に温存された中原文化を伝えている。梁陳の制度は梁が育み陳が踏襲したもので、隋が陳を併合して吸収しそれが唐に伝わった。西魏北周の制度は長安を中心とする関隴《かんろう》地域に伝存した漢族文化が鮮卑六鎮《りくちん》勢力の環境に適応して生み出された「混合品」である。三つの淵源のうち、北魏北斉、梁陳の影響が大きく、西魏北周の重要性はこれら二つに遠く及ばない。後世の史家は、隋唐王朝が西魏北周の遺業を継承したことから、その制度を西魏北周の遺制と誤認してきた、と(陳 一九四四：一―三頁)。さまざまな批判を受けつつ今なお大きな影響力をもつ陳氏の学説に対し、本章では隋唐国制の淵源・特質にかかわる部分でわたくしなりの見方を提示したい。

一、周隋革命と開皇の国制

楊堅の政治的立場

開皇元年(五八一)、楊堅(五四一―六〇四)は北周の静帝から帝位を禅譲され皇帝となった(隋の文帝)。周隋革命すなわち北周から隋への王朝交替について、清の考証学者趙翼《ちょうよく》(一七二七―一八一四)は「古来、隋の文帝ほど易々《やすやす》と天下を手に入れた者はいない」(『廿二史劄記《にじゅうにしさっき》』巻一五隋文帝殺宇文《うぶん》氏子孫)と評するが、その成功は周到な計画と本人の慎重な性格、そして幸運によるところが大きい。楊堅が外戚の立場にあったことは幼き静帝の後見人となるのに有利に働いたが、その女《むすめ》を皇太子妃と定めたのは武帝(宇文邕《よう》、五四三―五七八)であり、彼が若くして崩御しなければ事情は全く違っていたであろう。なお、楊堅は名門弘農の楊氏を名乗り、「関西《かんせい》孔子」こと楊震《ようしん》(五四―一二四)の一四世の孫と称する(『隋書』巻一高祖紀)が、これについては夙《つと》に疑義が呈されている(陳 一九四三：一六―一七頁)。明白なのは、五代の祖楊元寿が北魏の旧都平城を防衛すべく「六鎮」のひとつ武川《ぶせん》鎮に勤務しそのまま定住したこと、祖父楊禎が「義兵」を率い北魏末の反乱勢力と戦ったこと、北魏の東西分裂に際して父楊忠が独孤《どっこ》信らとともに孝武帝に従い西遷したこと、である。かかる経緯から楊堅の祖先は、その血統はともかく、文化環境の面ですっかり鮮卑風に染まっていたと考えられる。楊忠は、西魏・大統一五年(五四九)に行われた「虜姓再行《りょせいさいこう》」の際に普六茹《ふりくじょ》なる鮮卑風の姓を賜与され、翌年には宇文泰(西魏の事実上の統治者)が創設した「二十四軍」において大将軍の一人に任じられたが、その地位は彼が随従した独孤信の拝命した柱国大将軍よりも一等下るものであった。楊忠の死後、楊堅は随《ずい》国公の爵位を嗣ぎ、やがて大将軍となったが、その後の栄達は、皇太子妃の父を武帝が引き立てたところが大きい。北周朝廷における楊堅の門地が柱国大将軍を出した家柄に及ばなかったことも、武帝をしてその女を皇太子妃に選ばしめた一因であったかも知れない(1)。

五七八年、武帝は突厥《とっけつ》征討に出陣したのち急死し、皇太子が即位した(宣帝)。二一歳の青年皇帝の左右は数名の皇族(すべて宇文泰の子)と胡族系の有力功臣で固められたが、親政をはじめた宣帝は、大臣職として新たに四輔官《しほかん》(大左輔・大右弼・大前疑・大後丞。『尚書』周書・洛誥《らくこう》による)を設置し「東京」洛陽に宮城を建設するなど、のちの煬帝《ようだい》の施策を先取りするかの如く、「中華」を強く意識した政策を断行した。楊堅は大後丞(のち大前疑)に任ぜられたものの、宣帝との関係は険悪で外戚としての影響力を行使することなどできなかった(2)。即位の翌年、宣帝が七歳の皇太子に譲位し自らは「天元皇帝」と名乗り、楊皇后の外《ほか》に四人の皇后を置くと(3)、楊堅の影はますます薄くなった。その意味で、五八〇年に宣帝が急逝したのは、楊堅にとって幸運であった。宣帝の目付役であった皇族は帝に疎まれてすでに地方に出鎮しており、尉遅《うっち》皇后の父尉遅迥《けい》(相州総管。旧北斉領統治の拠点)、静帝皇后の父司馬消難(鄖《うん》州総管。南朝陳との最前線)もそれぞれ任地にあって都を遠く離れていた。かかる状況の下、宣帝の寵臣劉昉《りゅうほう》と鄭訳《ていえき》が幼帝を見限って外戚楊堅を次なる皇帝に擁立すべく動いたのである。彼らは、危篤の宣帝を尻目に遺詔を偽造して楊堅を静帝の後見役に据え、宣帝の崩御後は喪を秘したまま、軍と行政に関する一切の権限を楊堅に掌握させる傍《かたわ》ら、出鎮先から皇族を長安に召還し反撃の芽を未然に摘んだ。ところが帝位簒奪《さんだつ》へのコースに乗った楊堅は、李徳林を謀主として劉昉・鄭訳から政治の主導権を奪ってしまう。劉昉と鄭訳は楊堅を大冢宰《だいちょうさい》(行政の最高長官)とし自らも大司馬(軍政長官)・小冢宰として権力を振るおうと目論んだが、それを見抜いた李徳林が楊堅に大丞相・假黄鉞《かこうえつ》・都督中外諸軍事を拝命させ、劉昉らをその幕僚とするよう仕向けたのである。楊堅は丞相府を開くと、高熲《こうけい》ら有能で信頼に足る者を幕僚に招いた。革命へと邁進《まいしん》する楊堅に対する反撥《はんぱつ》は激しく、周室諸王による楊堅排除の計画や尉遅迥・司馬消難らの反乱が相次いだが、楊堅はそれらを各個撃破した。その一方で、西魏北周との訣別《けつべつ》を印象づけるべく、楊堅は政策の転換を矢継ぎ早に発表した。洛陽宮造営の停止は政治の中心が長安にあることを改めて示したものであり、仏教・道教に対する弾圧停止は宗教教団の活動を容認する寛大な王朝の到来を予感させた。虜姓をもとに戻し、賜姓により胡姓となった者に対して旧姓に復するよう命じたことは、西魏北周による胡族優位の政治姿勢が大きく転換することを人々に印象づけた。

周隋革命の総仕上げは、大興城の建設であった。表向きの理由として、宮殿の老朽化と住環境の悪化、帝都としての機能強化の必要性などが謳われたが、王朝交替に際して断行した北周皇族の大量粛清が暗い影を落としていたことも否めない。無論、漢魏以来の古典文化を体現する南朝の都建康を文帝は強く意識しており、新都にはそれを凌駕する壮麗さが求められた(妹尾 二〇〇一:一〇六—一〇八頁)。なお、陳の滅亡後、建康城は徹底的に破壊された(妹尾 二〇一四:一〇五頁)。

隋の中央官制

文帝は帝位に即くや、「周の六官《りくかん》を改め、その制《さだ》むる所の名は多く前代の法に依る」(『隋書』巻二八百官志)よう命じた。宇文泰は漢魏(後漢・魏晋)官制の繁雑を嫌って『周礼《しゅらい》』に範を取った官制(六官制)を創設したとされるが、実のところこれは、天官府に他の五府(地官・春官・夏官・秋官・冬官)を実質的に従属させ、宇文泰に権力を集中するためのシステムであった(王 一九七九:「前言」三頁)。天元皇帝となって皇帝を超越しようとした宣帝が四輔官を六官の上に置いたことで、統治制度の枠組みはすでに宇文泰時代とは一変し、加えて、楊堅が周隋革命に先立って就任した官職は大丞相・相国など漢魏の官制における最高位であったけれども、六官制の廃止は北周との訣別を強調するために政治上必要なことであった(4)。文帝が定めた官制については、北斉官制の影響が強いと見る向きもあるが(陳 一九四四：八四―八七頁、宮崎 一九五六：四〇七頁)、それは外見上のことであって内実は北周官制の要素をかなり留めていた(呉 一九九七：一六〇頁)[**表1**参照]。六官制の廃止は政治的な御題目にすぎず、宇文泰への権力集中を指向した六官制の本質は、中央集権を目指す文帝にとって魅力的なものであった。

開皇令(五八二年制定)では、魏晋以来の宰相職であった三公を形骸化させ、納言《のうげん》(門下省長官。二名)・内史令(内史省長官。二名)を真の宰相とする新体制が敷かれた(実際には、尚書令・左右僕射《ぼくや》と「参掌機事」「専掌朝政」等の肩書をもつ官員が宰相の列に加わった(周 一九六四：二八二―二八七頁))。但し、行政の中枢には尚書省が鎮座し、尚書令(長官。一名)・左右僕射(次官。各一名)と六曹(吏部・礼部・兵部・都官・度《たく》支《し》・工部)の長(尚書)で構成される「八座」の合議による意思決定が強い影響力をもった。門下省は皇帝の近侍から発達したためその職掌は幅広く、皇帝身辺の庶務一切を取り仕切る「六局」(城門・尚食・尚薬・符璽《ふじ》・御府《ぎょふ》・殿内)、皇帝の側近・相談役としての侍

表1 隋の諸曹名と北斉・北周の官名

隋		北斉	北周
尚書	曹		
吏部	吏部	吏部(吏部)	吏部(夏官大司馬)
	主爵	主爵(吏部)	
	司勲		司勲(夏官大司馬)
	考功	考功(吏部)	
礼部	礼部		礼部(春官大宗伯)
	祠部	祠部(祠部)	
	主客	主客(祠部)	
	膳部	膳部(都官)	膳部(天官大冢宰)
兵部	兵部		兵部(夏官大司馬)
	職方		職方(夏官大司馬)
	駕部	駕部(殿中)	駕部(夏官大司馬)
	庫部	庫部(都官)	
都官	都官	都官(都官)	
	刑部		刑部(秋官大司寇)
	比部	比部(都官)	
	司門		司門(地官大司徒)
度支	度支	度支(度支)	
	民部		民部(地官大司徒)
	金部	金部(度支)	
	倉部	倉部(度支)	
工部	工部		工部(冬官大司空)
	屯田	屯田(祠部)	
	虞部		虞部(夏官大司馬)
	水部	水部(都官)	

※各曹の所属を括弧内に示した.

中・給事黄門侍郎、顧問官として諫言を行う散騎常侍・通直散騎常侍といった諸官を一省のうちに擁していた。内史省は宮中にいて皇帝の命令を朝廷に伝達する部署から発達し、のち皇帝の秘書官として詔勅の起草などの職務に携わるようになった官庁である。両省はなお皇帝の近侍・側近としての性格を保持していた。

こうした三省の性格は、この直後に大きく変化する。まず五八三年、左右僕射が六曹を分掌するようになり、六曹は僕射の監督を受けることとなった。大業三年(六〇七)に成った大業令では、肥大した門下省の組織から六局を独立させ、これを主体として殿内省(唐では殿中省)が設けられた。また、皇帝の顧問官であった散騎常侍・通直散騎常侍などの官が廃止され、次官たる給事黄門侍郎の官名から「給事」の二字が除かれた。一方、奏案のチェックを担当する給事郎が吏部から門下省に移された。かくして門下省は、近侍としての色合いを大幅に薄め、奏案審議を担当する官庁へと装いを新たにしたのである(内田 二〇〇四：四九一頁)。

隋の地方官制

文帝は地方統治のあり方も大きく変えた。秦以来、複数の県が一つの郡によって統轄される二級制が採られてきたが、前漢・武帝の時に地方行政の監察機関として設置された一三の州が、後漢時代に広域の行政機構として郡の上位に位置するようになると、行政は州—郡—県の三級制となった。時代とともに州・郡は細分化され、北周末には州二一一—郡五〇八—県一一二四の多きに至ったため、文帝は五八三年に郡を廃止して州—県の二級制としたのであるが、これには重要な副産物があった。「郷官《きょうかん》」の廃止である(濱口 一九四一：七七九—七八三頁、宮崎 一九五六：四一四—四一八頁)。

魏晋以来、州刺史は将軍号を帯びることが多く、都督某州諸軍事(都督と略称)の職名のもと州軍を統率した。その結果、州には州府の属僚(州官。刺史が現地の人材を採用)と軍府の幕僚(府官。中央が任命すべきところ、都督が子飼いの部下を帯同することが多かった）とが並存することとなり、やがて府官の発言力が増大してしばしば州官の権限を侵犯した。これに対して、北斉・北周では州官を漸減し、中央が本来有していた任免権を行使して府官を任用し、これに州の行政を委ねる施策を行いつつあった。

隋の文帝は、郡の廃止という地方行政の大改革に言寄《ことよ》せて、地方官の任免権を中央の吏部に回収した。すなわち、現地採用の州官は「郷官」として肩書のみを安堵し、府官の大半を州の官吏に横滑りさせ（州の官職名も府官の名称を採用）、やがて吏部により異動させたのである。そして五九五年に郷官が廃止されると、地方統治は、現地とは関わりを持たぬ中央派遣の官員によって担われることとなった。この改革によって、州郡の属僚に辟召《へきしょう》されることで在地社会に影響を及ぼしていた門閥貴族は、その牙城を失うこととなった。また、三年ほどの任期で異動する州県官に代わり、胥吏《しょり》（現地採用の下級吏員）が地方政治に隠然たる影響力をもつようになるのは、これを契機とする。

二、唐王朝の成立事情と唐初の国制

煬帝の政治

煬帝（唐王朝による謚号《しごう》。隋の皇泰主による謚《おくりな》は「明帝」）は、南北朝の統一後に初めて即位した、隋王朝の皇帝である。二百数十年ぶりに統一された「中華」の皇帝として、彼がどれほどの気概に満ちていたかは想像に難くない。即位後すぐに新都（東京）を洛陽に建設したことが、彼の矜恃を物語っている。洛陽は古来、土中《どちゅう》すなわち天下の中心と目された地であった。北魏滅亡ののち廃墟《はいきょ》と化した漢魏洛陽城の西方約一〇キロメートルの地点に造営されたこの都は、大業元年（六〇五）三月から約一〇か月後に一応の完成を見た。天文に擬して宮城を紫微《しび》城、皇城を太微《たいび》城と名づけたことからもわかるように、新都は壮大なプランのもとに造営されたのである。

水路で帝都と南北を結ぶ大運河の建設も、中華を統治する王朝に相応しい事業であったに違いない。文帝時代の広通渠（長安大興城―黄河屈曲部）・山陽瀆《とく》（邗《かん》溝。淮水―長江）に加え、煬帝は、通済渠（黄河―淮水、六〇五年）、永済渠（黄河―涿《たく》郡、六〇八年）、江南河（長江―銭塘江、六一〇年）を次々と完成させた。このうち、通済渠と江南河は既存の水路・運河を利用したものであったが、永済渠は新規に開鑿《かいさく》されたため人民に多大の負担を強いることとなった。煬帝は大運河を経由してしばしば江都《こうと》（揚州）に出かけた外、長城沿線と河西回廊への巡幸を敢行した。皇帝が自ら赴くことにより、突厥と西域諸国の服従を確かなものにしようとしたのである。高句麗への侵攻も積極的な対外戦略の一環であったが、結果としてこれが王朝を滅亡へと導くこととなった。

唐王朝の成立事情と唐初の国制

唐王朝を立てた李淵は、煬帝とは母方の従兄弟《いとこ》の関係にあり（生母はともに独孤信の女）、隋王朝で重職を担っていた人物である。父の李虎（唐公の爵位を有した）は西魏北周の柱国大将軍であり、大将軍であった楊忠より一等格上の存在であった。李淵も名門貴族（隴西《ろうせい》の李氏）の出と称するが、隋室楊氏と同じく信憑性は低い（陳 一九四三：一―一七頁）。

各地で反乱が続発していた大業一三年（六一七）七月、太原留守《りゅうしゅ》として北方防衛の要衝を任されていた李淵は、突厥と密約を結んだ上で長安に向かって進軍を開始し、同年一一月、入城を果たした。李淵はただちに煬帝を太上皇帝とし孫の代王侑《ゆう》を皇帝に擁立し（恭帝。「義寧」と改元）、自らは大丞相・大都督内外諸軍事となって全権を掌握し、爵位を唐王に進められた。大丞相として幕府を開いた李淵は、翌年四月に煬帝の訃報を聞くと、五月二〇日、禅譲により皇帝に即位し（唐の高祖）、同月二八日には律令の編纂を命じた。このとき隋王朝はまだ存続していた。ほぼ同じ時期に煬帝の崩御を知った洛陽の隋朝官人が越王侗《とう》（煬帝の孫）を皇帝に奉じたからである（皇泰主。王世充により恭帝と諡された。五月二四日に即位し「皇泰」と改元）。李淵が六月一日に大業律令の廃止を宣言し、一一月に五三条の格（新格）を制定するに至った背景には、こうした政治的緊張があった。

唐は開皇律令の準用を標榜し、新格も「開皇律令に準拠して修訂し、大業年間の酷法を取り除いて」(『通典』巻一七〇刑法)作られたが、すべてを開皇当時に戻すことは現実には不可能であったため、その国制には大業の制度や唐の新制が混在することとなった(池田 一九九三:二〇四—二〇五頁)。煬帝を太上皇帝に祭り上げてその孫を皇帝に担ぎ出し、煬帝崩御を知るや王朝を簒奪した李淵の立場からすれば、煬帝政治の全否定は、現実のことはさて措き、政治戦略としては必然であり、大業律令廃止の宣言は当然のことであった。しかし隋の皇帝から帝位を禅譲された以上、唐は隋を正統王朝として奉じねばならず、創業者文帝の政治は正しきものとして継承する必要があった。「開皇の旧法を用いる」(『唐大詔令集』巻一二三平王世充赦)ことに李淵がこだわったのも、その政治的立場からすれば至極当然のことだったのである。

大業律令の廃止を宣言した後も、唐王朝は依然として、尚書六部など重要官職については大業令の官名を使用していた[表2](散官については、大業令廃止時に開皇の官制に切り替えられた(速水 二〇一二:八七—九〇頁))。王朝交替による混乱を避けるための現実的対応だったとはいえ、この状態が改められたのは武徳三年(六二〇)のことである。当時、李淵の勢力は創業の地幷《へい》州(山西省太原)を劉武周《りゅうぶしゅう》に奪われ、鄭王朝(洛陽)の王世充《おうせいじゅう》・夏王朝(河北)の竇建徳《とうけんとく》に対しても苦戦を強いられていた。洛陽の隋王朝はこの前年に滅亡していたが、鄭・夏両朝では依然として隋の官制を用いていた。唐が大業律令とのつながりを断ち、隋朝の避諱《ひき》に従う官名を旧に復した(内史→中書、納言→侍中など)のは、彼らとの差別化を図り、王朝の独自色を打ち出すためであったと推測される。

隋唐尚書官名の変遷

大業3年	武徳元年	武徳3年	武徳5年	武徳7年	貞観2年	貞観23年	顕慶元年	龍朔2年
尚書令					（闕）			廃止
左右僕射								左右匡政
左右丞								左右粛機
左右司郎	廃止				左右司郎中			左右承務
吏部尚書								司列太常伯
吏部侍郎				廃止	吏部侍郎			司列少常伯
選部郎		選部郎中	吏部郎中					司列大夫
選部承務郎		選部員外郎	吏部員外郎					司列員外郎
主爵郎		主爵郎中						司封大夫
主爵承務郎		主爵員外郎						司封員外郎
司勲郎		司勲郎中						司勲大夫
司勲承務郎		司勲員外郎						司勲員外郎
考功郎		考功郎中						司績大夫
考功承務郎		考功員外郎						司績員外郎
礼部尚書								司礼太常伯
礼部侍郎				廃止	礼部侍郎			司礼少常伯
儀曹郎		礼部郎中						司礼大夫
儀曹承務郎		礼部員外郎						司礼員外郎
祠部郎		祠部郎中						司禋大夫
祠部承務郎		祠部員外郎						司禋員外郎
司蕃郎		主客郎中						司蕃大夫
司蕃承務郎		主客員外郎						司蕃員外郎
膳部郎		膳部郎中						司膳大夫
膳部承務郎		膳部員外郎						司膳員外郎
兵部尚書								司戎太常伯
兵部侍郎				廃止	兵部侍郎			司戎少常伯
兵曹郎		兵部郎中						司戎大夫
兵曹承務郎		兵部員外郎						司戎員外郎
職方郎		職方郎中						司城大夫
職方承務郎		職方員外郎						司城員外郎
駕部郎		駕部郎中						司輿大夫
駕部承務郎		駕部員外郎						司輿員外郎
庫部郎		庫部郎中						司庫大夫
庫部承務郎		庫部員外郎						司庫員外郎
刑部尚書								司刑太常伯
刑部侍郎				廃止	刑部侍郎			司刑少常伯
都官郎		都官郎中						司僕大夫
都官承務郎		都官員外郎						司僕員外郎
憲部郎		刑部郎中						司刑大夫
憲部承務郎		刑部員外郎						司刑員外郎
比部郎		比部郎中						司計大夫
比部承務郎		比部員外郎						司計員外郎
司門郎		司門郎中						司門大夫
司門承務郎		司門員外郎						司門員外郎
民部尚書						戸部尚書	度支尚書	司元太常伯
民部侍郎				廃止	民部侍郎	戸部侍郎	度支侍郎	司元少常伯
度支郎		度支郎中						司度大夫
度支承務郎		度支員外郎						司度員外郎
人部郎		民部郎中				戸部郎中	度支郎中	司元大夫
民部承務郎		民部員外郎				戸部員外郎	度支員外郎	司元員外郎
金部郎		金部郎中						司珍大夫
金部承務郎		金部員外郎						司珍員外郎
倉部郎		倉部郎中						司庾大夫
倉部承務郎		倉部員外郎						司庾員外郎
工部尚書								司平太常伯
工部侍郎				廃止	工部侍郎			司平少常伯
起部郎		工部郎中						司平大夫
工部承務郎		工部員外郎						司平員外郎
屯田郎		屯田郎中						司平大夫
屯田承務郎		屯田員外郎						司平員外郎
虞部郎		虞部郎中						司虞大夫
虞部承務郎		虞部員外郎						司虞員外郎
水部郎		水部郎中						司川大夫
水部承務郎		水部員外郎						司川員外郎

表2

	開皇2年	開皇3年	開皇6年
都省		左右司郎中	
吏部		吏部侍郎	
			吏部員外郎
		主爵侍郎	
			主爵員外郎
		司勲侍郎	
			司勲員外郎
		考功侍郎	
			考功員外郎
礼部		礼部侍郎	
			礼部員外郎
		祠部侍郎	
			祠部員外郎
		主客侍郎	
			主客員外郎
		膳部侍郎	
			膳部員外郎
兵部		兵部侍郎	
			兵部員外郎
		職方侍郎	
			職方員外郎
		駕部侍郎	
			駕部員外郎
		庫部侍郎	
			庫部員外郎
刑部（都官）	都官尚書		
		都官侍郎	
			都官員外郎
		刑部侍郎	
			刑部員外郎
		比部侍郎	
			比部員外郎
		司門侍郎	
			司門員外郎
民部（度支）	度支尚書		
		度支侍郎	
			度支員外郎
		民部侍郎	
			民部員外郎
		金部侍郎	
			金部員外郎
		倉部侍郎	
			倉部員外郎
工部		工部侍郎	
			工部員外郎
		屯田侍郎	
			屯田員外郎
		虞部侍郎	
			虞部員外郎
		水部侍郎	
			水部員外郎

三、開元官制の成立

唐の官制は、貞観《じょうがん》二年（六二八）頃にその骨格が定まり、その後、則天武后時代[5]の改変を経て『六典』に見える開元官制が成立する。

中央官制

皇帝を唯一の主権者とする政治機構において、その命令（詔勅）は絶対的なものである。但し、唐では皇帝が独断で勅命を下すことはむしろ少なく、複数名の宰相が合議により政策を策定・具申し、皇帝がそれに承認を与えるのが通例であった。宰相には中書令・侍中に尚書令を加えた三省長官が充てられたが、尚書令は国初から闕員となり（太宗

表3　尚書六部の序列の変遷

開皇令	武徳令	貞観令	龍朔2年	光宅元年	神龍元年	開元7年令
吏部	吏部	吏部	司列	天官	吏部	吏部
礼部	礼部	礼部	司礼	地官	戸部	戸部
兵部	兵部	民部	司元	春官	礼部	礼部
都官	民部	兵部	司戎	夏官	兵部	兵部
度支	刑部	刑部	司刑	秋官	刑部	刑部
工部	工部	工部	司平	冬官	工部	工部

〔李世民〕が秦王時代に任命されたことによる)、それを補うべく左右僕射を宰相とし、「同中書門下三品」(真宰相たる中書令・侍中と同等の意)「同中書門下平章事」(中書令・侍中とともに職務を行うの意)等の肩書を帯びた官員も宰相として合議に加わった(七一一年以後、同中書門下三品を帯びない僕射は宰相職から外れた〔『大唐新語』巻一〇〕)。宰相会議ははじめ門下省の政事堂で行われたが、その後、門下省の地位低下と軌を一にするかの如く、高宗晩年の永淳二年(六八三)に政事堂が中書省に移され、開元一一年(七二三)には「中書門下」と呼ばれるに至った。

詔勅は、中書省が草案を作成し、門下省がそれを審査したのち、皇帝の裁可を得て尚書六部に下され執行された。各官庁から願い出て勅裁を仰ぐ奏抄《そうしょう》の場合は、諸司から尚書都省を経て上がってきた原案を門下省が審査し、問題がなければ中書省が批答《ひとう》(皇帝からの回答文)を起案し皇帝が決裁して諸司に下令した。門下省に封駁《ふうばく》(異議申立て)の権限が認められていたのは、魏晋南北朝時代の貴族政治の名残《なごり》とされる(内藤 一九三〇:一一—一三頁)。但し、侍中は元来、侍従として皇帝に意見を具申し政事について議論したのであり、その影響力は皇帝との力関係により左右された。帝権の強化に伴い門下省が封駁を行う機会は徐々に減少し、それにつれてその存在意義も薄れていった。

開皇時代の尚書省が「事として総《す》べざるは無し」(『隋書』巻二八百官志)と称されたのに対し、唐の尚書省は行政の執行機関としての色合いが強く、尚書省の「八座」は単に命令を受ける存在となった。六部は都省《としょう》に束ねられ、六部に下される文書はすべて都省を経由しそのチェックを受けた。尚書六部の構成は基本的には隋と変わらないが、その序列には変化があった[表3]。『六典』が『周礼』をふまえて編まれ(6)、六部を吏・戸・礼・兵・刑・工の順に記述していることから、尚書六部の職掌が『周礼』と直接関係するように思われがちであるが、それは違う。尚書は魏晋時代から重要度が増した官職であり、開皇令で六部二十四曹となるまでには相当の変遷があったが（雷 二〇〇三：七二―七三頁）、それは『周礼』の直接的な影響を受けてのことではない。『周礼』との関係は、光宅元年（六八四）、政柄を握る武太后が六部の名称と序列を六官にあわせて変更したことに由来し、神龍元年（七〇五）、クーデターにより武周王朝が終焉を迎え「唐」の国号が復活した際も(7)、六部の名称は旧に復されたが序列は温存され、開元令にそのまま継承されたのである。

中央官庁には尚書六部の外に、九寺（太常寺・光禄寺・衛尉寺・宗正《そうせい》寺・太僕寺・大理寺・鴻臚《こうろ》寺・司農寺・太府寺）・五監（国子監・少府監・軍器監・将作監・都水監）と総称される行政の実務機関があった。これらは六部からの指令を実行する組織であり、事実上、**図1**のような統属関係にあった（厳 一九五二：三九―六三頁）。九寺五監は秦漢以来の長い歴史をもつが、尚書諸曹が皇帝の直属機関として重要度を増しその職掌が多様化するにつれ、行政組織における役割が重複するようになった。重複を単純に切り捨てて廃止しないところに中国官制の妙味があるが、唐朝では尚書六部を指令所、九寺五監を実行部隊と役割分担することにより双方をうまく存続させた。人手が必要となる九寺五監に配属された人員の数が、尚書六部と較べ桁違いに多いのは当然である（流内官・流外官・雑任など尚書省に所属する人員が約一三〇〇人であるのに対し、九寺五監の人員は約二万人である（池田 一九七〇：三〇〇―三〇三頁））。

皇帝の威光を背に強大な権力を振るう官員たちの暴走を防ぐべく、中国では古

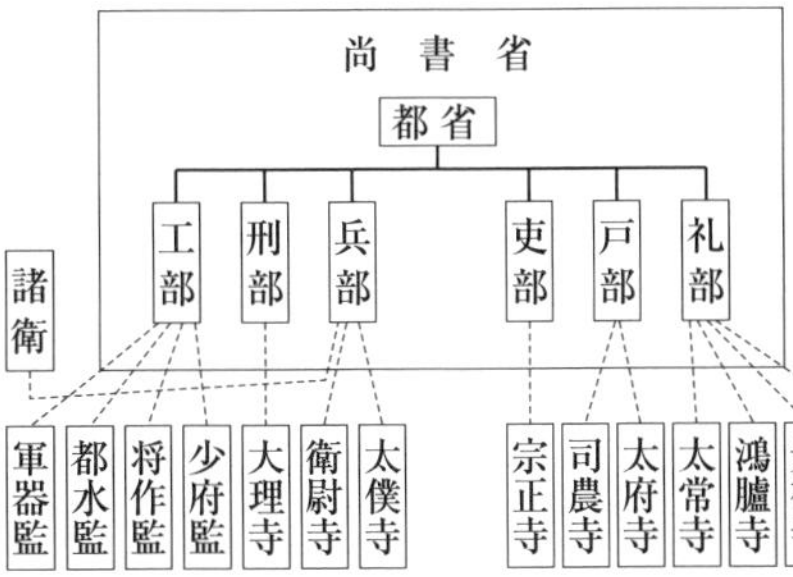

図1 尚書六部と九寺五監等との関係
（厳 1952：59の図をもとに一部加筆して作成）

くから監察組織が発達してきた。隋唐王朝にあっては御史臺《ぎょしだい》がそれに相当する。御史にはあらゆる官吏に対する弾劾が許され、大事に及ぶ場合には長官たる御史大夫《たいふ》が皇帝に直接奏上できた。地方官に対する監察は通常、御史が使者として赴き実施したが、皇帝の使者が御史の肩書を帯びて従事することもあった。御史臺の官員には、侍御史(従六品下)・殿中侍御史(従七品上)に至るまで供奉官《きょうほうかん》(皇帝側近の官)の待遇が与えられ、官品の低い監察御史(正八品上)でさえ、供奉官とともに毎日朝参に列する資格を有していた。

地方官制・広域行政

唐朝は、隋が整備した地方官制をほぼそのまま継承した。唐前半期にはおよそ三五〇の州と一五五〇の県があったので、一州に四—五の県が属したことになる。州県の官員はその多くが中央から派遣されたが、刺史やその補佐役(上佐)には左遷されて赴任する者も少なくなかった。県は王朝の地方統治の窓口であり、県令には風俗の教化・民生の安定など統治の根幹に関わる働きとともに登録人口を増加させることが期待された。そのためには、県により選任された里正(一〇〇戸ごとに置かれた里の責任者。職務の代わりに課役〔税役〕を免除)の協力を得て、戸籍・計帳の基礎資料となる手実《しゅじつ》の作成や租税徴収などの実務、あるいは村落における治安維持を行う必要があった。裁判の窓口も県であったが、県で結審するのは杖刑《じょうけい》以下の軽微な案件であり、裁判では情理を尽くして当事者間の和解を目指すのが通例であった。

地方官人事の重要性はどの時代においても力説されるが、唐朝においても「内重外軽」すなわち内官(中央官)が重んぜられ外官(地方官)が軽視される傾向を正すことは難しかった(辻 二〇一〇:三三一—三四六頁)。皇帝との物理的距離の近さはその官員の政治的重要度を示し、帝都を離れることは権力の中心地・情報の発信源から遠ざかることを意味した。安史の乱を契機として内地に藩鎮(節度使・観察使等)が列置されると状況は多少変化するが、藩帥《はんすい》として出鎮した官員は中央復帰を期待して朝廷有力者への進奉《しんぽう》(賄賂)を怠らなかった。

唐では、貞観初年に全国を十道に分かち(開元二一年〔七三三〕に十五道)、必要に応じて使者を送り広域の監察を実施してきたが、その重要性が高まるのは八世紀に入ってからのことである。宇文融《うぶんゆう》による括戸《かっこ》政策、裴耀卿《はいようけい》による漕運改革などにより、州の垣根を越えた広域行政の必要性が高まったことが背景にある。開元二二年(七三四)に置かれた採訪処置使は各道の要地に常駐したため、事実上、広域行政官としての役割を果たした。安史の乱勃発後の乾元元年(七五八)には観察処置使に改められ、軍事権をもつ節度使がしばしばこれを兼任した(日野 一九八一:一八〇—二六二頁)。

四、隋唐の律と令

士庶の別と良賤制

隋唐の社会は、士人《しじん》と庶民、良民と賤民といった身分秩序で成り立っていた。魏晋時代以来、各地の名族は九品官人法を通じて特権的な貴族階層を形成していた。北朝・隋唐では、魏晋南朝に較べて皇帝権力が強かったこともあり、官員たる資格を有する者が士人とされ、刑罰の減免や課役免除などの特権を有した。儒教思想の影響により庶民の間には農・工・商の身分秩序があり、庶民(良民)の下には賤民身分が存在した。賤民のうち奴婢《ぬひ》(官奴婢・私奴婢)は、財《ざい》物《ぶつ》と見なされ人格を認められない(名のみで姓をもたない)。奴婢より一等上の官戸と部曲・客女は一定の範囲で人格が認められる(姓名を有する)が、独立した戸籍をもたない。官戸のもう一段上が雑戸(戸籍を有し特定の官庁に番上)と工戸・楽戸《がくこ》(特殊技能で官に奉仕)で、工戸・楽戸の上に太常音声人《おんじょうにん》が位置する。恩赦等により賤民が解放され良民となることもあったが、良賤の身分は原則として世襲であった(滋賀 一九七九:一六二—一六五頁)。礼制も刑律も、この身分秩序の上に成り立っている。

礼制と刑律

伝統中国において礼制と刑律は、社会秩序を安定させるための「車の両輪」であった。礼制は儒教倫理に基づく国家・社会における人々の行動規範として、刑律は強制力により礼の思想を実現させるものとして、大きな役割を果たした。隋唐王朝は経書《けいしょ》解釈の整理に力を注ぎ、その成果は『五経正義《ごきょうせいぎ》』として結実した。また礼典・儀注として、隋代に『隋朝儀礼』一〇〇巻と『江都集礼《こうとしゅうれい》』一二〇巻が、唐の太宗の時に『大唐儀礼』（貞観礼）一〇〇巻が、高宗の時に『永徽《えいき》五礼』（顕慶礼）一三〇巻が、玄宗の時に『大唐開元礼』一五〇巻がそれぞれ編纂された。刑律については、隋初から唐前半期にかけての時期、ほとんど皇帝の代替わりごとに律令を編纂するほどの熱心さをもって、王朝は法典の整備に取り組んだ。

律（刑法）・令（刑法以外の法）・格（追加法）・式（施行細則）が編纂された隋唐時代は、「律令の古典期」と称される（滋賀 二〇〇三：七二頁）。このうち完全な形で現存しているのは唐律のみで、それ以外の法典は散佚《さんいつ》した。この事実は、後世に対する唐律の影響の大きさを物語っている。隋唐律令の淵源については、北斉の律令（河清三年（五六四）制定）の影響が強調されがちであったが（程 一九二七：「律系表」及び四一一頁、陳 一九四四：一一三―一一五頁、池田 一九七〇：二八三頁）、律について言えば、隋唐律にそのまま継承された篇目は一二のうち五に過ぎず（池田 一九九七：二八九―二九〇頁）、刑罰体系はむしろ北周律（保定三年（五六三）制定）に近い（池田 一九九七：二九三―二九四頁）[8]。令については、尚書二十八曹を篇名とした北斉令が隋唐令に直接つながるとは考えがたい（仁井田 一九三三：九―一〇頁）。

隋律

唐律の基本形はすでに隋の開皇律で完成していたと見てよい。文帝は王朝の成立直後、高熲・鄭訳らに律の編纂を命じ、早くも開皇元年(五八一)一〇月に成った。死刑二(絞、斬)、流刑三(一千里・居作二年、一千五百里・居作二年半、二千里・居作三年)、徒刑五(一年、一年半、二年、二年半、三年)、杖刑五(六十、七十、八十、九十、一百)、笞刑五(十、二十、三十、四十、五十)を主刑とする刑罰体系は、ほぼそのまま唐律に継承される。北斉律・北周律にあった鞭刑《べんけい》や梟首《きょうしゅ》(首級を高所にさらす刑)・轘裂《かんれつ》(車裂きの刑)は廃止され、徒刑・流刑についても軽減された。ところがこの律のもとでも死刑に処される罪人が多数に及んだため、五八三年に律の見直しが行われ、条文数が約五〇〇条にまで削減された(9)。唐律が継承したのは一二巻から成るこの開皇三年律である。

大業三年(六〇七)に煬帝が定めた大業律(一八篇一八巻、五〇〇条)では、開皇三年律の刑罰内容がさらに緩和された。文帝の治世の後半、法による統治が峻酷の度合いを強めたからである。しかし煬帝の治世においても、高句麗侵攻の失敗による治安の悪化と内乱の続発に対応すべく、厳刑を伴う法令が相次いで発布され、のちに「大業苛惨《かさん》の法」(『通典』巻一七〇)との非難を浴びることとなった。

隋 令

隋令については、五八二年に制定された開皇令二七篇三〇巻の篇目が伝わっている。律令条文の修正については議論のあるところだが(滋賀 二〇〇三：四五九—四六〇頁)、令については、詔勅のうち永式とするに相応しいものが、①新令制定時に「令」として採録されるか、②新格制定時に「格」として採録されたと考えられる。但し、文帝の遺詔に「律令格式のうち実用に不便なものがあれば、これまでの詔勅に依拠して修改せよ」(『隋書』文帝紀)とあることから、必要に応じた修正も可能であったらしい。開皇令頒行直後の逸話として、編纂に参画した蘇威《そい》が郡の廃止を主張した際、同じ編纂メンバーの李徳林が「どうして令の編纂時にそのことを提案しなかったのか」と批判している(『隋書』巻四二李徳林伝)。結局、文帝が蘇威の意見を支持して郡の廃止は実現した。地方行政制度に関する重大変更が令に記されなかったとは考えがたく、直後に令の修改が行われたと推測される。

唐律

唐王朝成立直後の法典運用状況については先にふれた。国内の対立勢力をほぼ平定しつつあった武徳七年(六二四)に制定された武徳律では、開皇律を基準としつつ流刑の制度に若干の変更が施された(流刑の距離を一千里ずつ増し、居作(労役)を三流ともに一年とした)。次いで貞観初年に肉刑《にくけい》つまり身体の一部を毀損《きそん》する刑罰の復活について議論され[10]、死刑と流刑の中間に断右趾《だんうし》刑が新設された。しかしほどなくこれに対する批判がおこり、結局、律の「五刑」の体系を維持する(肉刑を入れると「六刑」になる)ことを名目として肉刑は廃止され、加役流《かえきりゅう》(流三千里・居作三年)が代替の刑罰とされた。貞観一一年(六三七)に制定された貞観律では、武徳律の刑罰が緩和されるとともに、加役流が正規の刑罰となった。

唐律の修訂はその後も幾度かなされたが、貞観律の内容が大幅に修正されることはなかった。記録上最後の改定が開元二五年(七三七)に行われ、そのおもかげは『律 附音義』(開元二五年律に北宋・孫奭《そんせき》の「律音義」を附したもの。天聖七年(一〇二九)崇文院雕造《ちょうぞう》本を南宋時代に翻刻したものが伝存)に見ることができる。

永徽四年(六五三)、永徽律の公的注釈書として「律疏」三〇巻が撰定された。科挙(明法《めいほう》科)受験生らに対して統一的な律文解釈を提示するのが編纂の目的とされるが、後漢の馬融・鄭玄《じょうげん》ら以来連綿と続いてきた律文解釈の精華がここに結実することとなった。のち開元二五年に刊定(部分的修訂)がなされたものが、宋初の建隆四年(九六三)に成立した『重詳定刑統』(『宋刑統』)の中に取り込まれた。『故唐律疏議』として元代に版刻されたものも、この流れを汲む。

唐令とその復原研究

武徳七年(六二四)に唐朝最初の令として武徳令が制定されて以来、唐令は律よりも頻繁に編纂されてきた(辻 二〇一六：二六二頁)。にもかかわらず、夙に散佚して典籍として伝わらないのは、唐律が普遍性を具有したのとは対照的に、唐令が時代や社会のあり方に強く規定されたためであろう。唐令の内容を推し測る手がかりとなるのが、『六典』に記された開元七年令の篇目である。編纂時期が開皇令と一三〇年余り隔たるにもかかわらず、両者の構成は極めて類似している(ともに二七篇三〇巻)。官品令で文武百官を品階ごとに総覧し(池田 一九六七：一六〇―一六三頁)、職員令で各官職の定員・職掌などを規定する。祠令・戸令から喪葬令に至る各篇ではそれぞれの主題に関する行政規則や官署の役割などが定められ、これらに収まりきらぬ条文は雑令が引き受けた。

典籍としては伝存せぬものの、唐令の条文はさまざまな書物に引用されており(大半が取意文)、それらを集成して唐令を復原する試みは以前から行われてきた。研究の中心が日本であったのは、飛鳥・奈良時代から平安時代にかけて律令《りつりょう》制度を導入した歴史が深く関わっている。中国では散佚した令が日本では『令義解《りょうのぎげ》』『令集解《りょうのしゅうげ》』等の形で伝わったのも大きい。

唐令復原研究の嚆矢《こうし》とされるのは、元禄時代の京都に生きた学者松下見林《まつしたけんりん》(一六三七―一七〇三)の手になる「唐令」(静嘉堂文庫蔵)である。その内容は『故唐律疏議』所引の唐令を列記したにすぎないが、当時の資料状況を思うと(瀧川ほか 一九六五：一四四―一四五頁)、これだけのことを成し遂げるのにいかほどの労力を費やしたのかと慨嘆を禁じ得ない。明治以降、近代的図書館の整備が始まり、大学で研究が行われるようになると、状況は一変した。中田薫《なかだかおる》(一八七七―一九六七)が先鞭をつけた本格的な唐令の収集・復原は、若き仁井田陞《にいだのぼる》(一九〇四―六六)によって一九三三年に『唐令拾遺』として集大成された。該書では唐令七一五条が復原されたが、これは唐令の条文数(貞観令一五九〇条)の半ばに迫る数字である。仁井田はこの後も唐令復原に対する熱意を持ち続け「唐令拾遺補」刊行を目指した。氏の急逝後は池田温《いけだおん》を中心として作業が引き継がれ、一九九七年、『唐令拾遺補』の完成を見た。一五〇〇頁を超える巨冊は「唐令にかかわる仁井田陞論文」「唐令拾遺補訂」「唐日両令対照一覧」の三部から成り、一四〇条近くの復原新条文が掲出されたことで唐令復原研究も一段落したかと思われた。

ところが、その僅か二年後の一九九九年、戴建国《たいけんこく》による北宋天聖令発見の報が研究に新たな息吹を吹き込んだ。寧波《ニンポー》・天一閣《てんいっかく》博物館所蔵の「官品令」と題する明代の鈔本《しょうほん》がじつは天聖七年（一〇二九）に編纂された「天聖令」の写本と判明したのである。二〇〇六年に中華書局から出版された『天一閣蔵明鈔本天聖令校証 附唐令復原研究』（以下、『天聖令校証』）は上下二冊、七五〇頁を超える大冊であり、解説と明鈔本の全葉写真、校注附き録文、定本、唐令復原研究論文で構成される。天聖令が唐令復原の材料になり得るのはその成立事情による。宋王朝は、国初に刑法典（『重詳定刑統』）を定めたものの、令については唐令を準用し、編勅（唐代の格および格後勅に相当）を適宜編纂することで統治の現実に臨んできた。四代皇帝仁宗の時代に宋朝独自の令として編まれたのが『天聖令』三〇巻である。現行法令（唐令を母体とし必要最低限の修改を加えた条文。以下「宋令」）と死文となった唐令条文（以下「不行唐令」）とで構成されるこの法典は、結果として唐令復原研究にとって恰好の素材となった。現存する天聖令は田令・賦役令など末尾の一〇巻であるが、所収の令文は宋令二九三条・不行唐令二二一条、合計五一四条に及ぶ（大津 二〇〇七：二七九―二八八頁）。『天聖令校証』に附された研究論文以外にも、日本・中国・台湾を中心に唐令復原研究の成果発表が相次いでいる（牛・服部 二〇一八）。

五、軍制

隋の衛府制度

表4　隋唐衛府の名称変遷

年代	開皇初	開皇18年	大業令	武徳初	武徳5年	顕慶5年	龍朔2年	所属軍士
衛府名（左右は省略）	衛		翊衛〈驍騎〉	翊衛	衛府		衛	五府三衛、折衝府驍騎
		備身府	驍衛〈豹騎〉	驍衛	驍騎府（驍衛府）		驍衛	翊府翊衛、外府豹騎
	武衛府		武衛〈熊渠〉	武衛	武衛府		武衛	翊府翊衛、外府熊渠
	領軍府		屯衛〈羽林〉	屯衛	屯衛		威衛	翊府翊衛、外府羽林
			禦衛〈射声〉	禦衛	領軍衛		戎衛	翊府翊衛、外府射声
	武候		候衛〈佽飛〉	候衛	候衛		金吾衛	翊府翊衛、外府佽飛
	領左右府		備身府	備身府	府	千牛府	奉宸衛	
	監門府		監門府	監門府	監門府		監門衛	
典拠	隋書28百官志			唐書49上百官志、通典28職官典				

周隋革命の際、北周の国軍を継承した楊堅は、即位後、これを十二衛《じゅうにえい》に改編した。左右の衛（皇帝の身辺警護）・武候（出御の際の護衛）・領府（親衛隊）は内衛として宮廷内に駐留し、武衛府は外軍として宮外に駐屯した（以上の衛府は大将軍が統率）。宮門警備・守衛を掌る監門府は将軍が統率し、庶務（籍帳・差科・辞訟）担当の領軍府には将軍を配さない。大将軍を置く衛府の下には各地の軍府（驃騎《ひょうき》府・車騎府）が連なり、軍士が輪番で宿衛した。

大業三年（六〇七）、煬帝は十二衛の名称を一部変更し、禦衛《ぎょえい》を加えて十六衛に改めた［表4］。大将軍を置いた衛（十二衛）に軍府を従属させた点は開皇の制と変わらないが、軍府は鷹揚《ようよう》府に一本化され、軍府を統率する官員の肩書は将軍から郎将に格下げされてその待遇は一段低いものとなった（氣賀澤 一九八六a：二一五–二一六頁）。一方、軍士に対しては所属する衛ごとの美称が与えられ［表4の〈 〉内に示す］、衛士《えいし》と総称された。こうすることで、煬帝は軍士との距離感を縮め、集権的統治の実を上げようとしたのであろう。

王朝成立当初、唐は煬帝の十六衛制をそのまま引き継いだ。武徳五年（六二二）に開皇時代の名称に戻した（一部、新たに命名）のは、官制の場合と同じ理由からであろう。煬帝時代の名称が龍朔二年（六六二）までに改められていったのも、官制の場合と同じである。

軍府と総管府

南北朝統一の翌年(五九〇年)、文帝は各地に置かれていた軍府を、帝都のある関中地方を除いて大幅に削減すると同時に、兵籍(軍籍)に著《つ》けられていた者を民籍に編入した。前者の措置は軍府が長安の周辺に集中するという結果を招き、後者は「兵戸制」すなわち特定の戸に兵士の供出を義務づけていた魏晋以来の制度の廃止を意味した。但し、軍府の統属関係については旧来のままとされた点には留意する必要がある。

大業元年(六〇五)、煬帝は諸州に置かれていた総管府を廃止した。魏晋以来、州刺史は都督諸州軍事(北周・明帝の時に総管と改称)を兼任し一定の兵力を保有していたが、煬帝はこれを廃止することによって総管府所属の軍府を中央の十二衛に従属させ、それらを集権的に管理したのである(濱口 一九四二:八八〇―八八四頁)。

大業八年(六一二)、一〇〇万を超える将兵と二〇〇万の輜重《しちょう》部隊を動員した高句麗侵攻は失敗に終わり、隋の国軍は著しく疲弊した。出兵継続を企てた煬帝は、翌年募兵を行い、兵士に驍果《ぎょうか》の美称を与えた。形式上彼らは備身府に属したが、その運用は柔軟に行われた。驍果制の詳細は不明であるが、江南・嶺南出身者による部隊もあり、兵士の募集は広範囲でなされたらしい。江都に逃れた煬帝の身辺を警護したのも関中出身者で構成された驍果であった(氣賀澤 一九八六b:二四九―二五七頁)。

唐の軍府制度

煬帝は即位直後から政治の中心を洛陽に置いたが、高句麗侵攻の失敗を機に内乱が続発すると、親衛隊を伴って江都に難を避けた。六一七年に李淵が攻め込んだ当時、長安の防備は脆弱《ぜいじゃく》であり、それゆえ「太原元従」(11)なる混成軍団によって占拠することができたのである。王朝成立直後、李淵は「十二軍」を設置して関内の軍府を分属させ、のち各軍には軍額が賜与された(『唐会要』巻七二京城諸軍)。これは王世充・竇建徳ら屈強な敵対勢力を打破すべく軍の士気を高めるためであったが、軍額名を天象より採ったのは、唐が天下を統治する王朝であることを内外に示すためでもあった。

劉黒闥《りゅうこくたつ》(河北)・徐円朗(山東)ら強敵を平定した武徳六―七年(六二三―六二四)の時期、唐の軍事体制は面目を一新した。国初以来の十二軍が廃止され、大業の制に範を取った軍府制度が構築されたのである(驃騎将軍府に車騎将軍府が従属)。武徳令では驃騎将軍を統軍、車騎将軍を副統軍と改称し、貞観一一年(六三七)に統軍を折衝都尉、副統軍を果毅都尉と改めて、唐の軍府制度は一応の完成を見た(菊池 一九七〇:四二一―四二四頁)。軍士には、折衝府(十二衛に分属)が置かれた州(有軍府州)の戸籍に著けられた者の中から「六品以下の子・孫、及び白丁の職役《しょくえき》無き者」を選抜して充てた(同戸内で三丁に一人の割合で選抜。軍士は課役免除)。有軍府州の大半が関隴地方に集中していたのは、唐初における総管府・都督府の偏在に起因するとされるが(菊池 一九六八:三〇―三五頁)、その状態は唐前半期を通じて維持され、有軍府州から無軍府州への移住(楽遷《ごうせん》)は律令で禁じられた。(12)

衛士と防人

唐王朝は丁男に対し、徭役(13)の外に軍役を課した。軍役には衛士(軍士)と防人《ぼうじん》とがあり、衛士に選抜されなかったすべての丁男に対して防人の役務が課せられた。防人は、辺境・要地に置かれた鎮・戍《じゅ》に配属され警備を行うことを任務とし、原則として一年で交替した。しかしその後、交替年限はずるずると引き上げられ、八世紀前半には六年にまで延長された。負担に耐えきれなくなった農民はやがて逃亡し、制度は機能不全に陥る(渡辺 二〇〇三:三五七―三七三頁)。

行軍と兵募

衛士は、その名のとおり専ら宮城の護衛・警備に従事する兵士であり、戦闘要員ではなかった。隋唐王朝が大規模な軍事行動を起こす際には、行軍《こうぐん》とよばれる組織が編成され、動員する兵士は別途召集された。防人に平時の辺境警備を担わせ、戦時にのみ行軍を組織して兵員を大量動員するという安上がりな唐の国防体制は、隣接する諸勢力に対する羈縻州支配と表裏一体のものである(堀　一九九三：二〇八―二一六頁)。行軍は臨時の軍事組織であるため、王朝の制度を記す典籍にまとまった記述が無く、先学は制度解明のため零細な資料を集成・検討してきた。今その概要を記せば、以下のようになる(菊池　一九七〇：四二五―四二七頁)。兵士の徴募は有事に際し臨時に行われ、尚書兵部から各州に割り当てられる。州の負担と責任において召集される兵士は兵募《へいぼ》(募士、臨時募行者などとも)と呼ばれ、有軍府州・無軍府州の別を問わず、兵士の徴募・兵員輸送に便利な地域から集められた(丁男にゆとりのある無軍府州から徴せられることも多かった)。兵士の徴募は、裕福な戸・多丁の戸を優先する原則であったが、財物を支払い貧民を代役に立てることもあったという。

行軍は本来、任務が終われば解散し、兵募も逐次復員するはずであったが、辺境での駐留が長期化すると制度にも変化が生じた。行軍は鎮軍・鎮守軍と改称され、軍司令官も鎮軍大使・鎮守使などの使職を兼ねるようになった。鎮兵となった兵士は、制度上、年限がくれば交替するはずであったが、実際には次の兵士が来るまで居残り、やがて健児《けんじ》と呼ばれる兵士(中央の臨時召募・派遣にかかる兵士。給与も中央財政から拠出)がそこに加わり、八世紀前半には長征健児なる職業兵士が中心を占めるに至った。

北衙禁軍

十二衛(南衙《なんが》禁軍)が各地の軍府から上番する衛士で構成されたのに対し、宮城の北を守る北衙禁軍は、これとまったく異なる来源の将兵で成り立っていた。武徳九年(六二六)、クーデター(玄武門の変)により権力を奪取した李世民(太宗)は、政変の舞台となった宮城北門附近に旧秦王府《しんおうふ》配下の将兵を中心に編成した北衙七営を配置した。これが北衙禁軍の原型である(蒙 二〇〇五：二五一─三二頁、林 二〇一二：五六─六一頁)。貞観一二年(六三八)、部隊は南衙禁軍の一つ左右屯営に組み込まれるが、飛騎《ひき》の美称で呼ばれて他とは区別された。龍朔二年(六六二)、屯営は威衛と改称されたが、飛騎はそのまま屯営に別置され、直後に羽林軍《うりんぐん》の美名が与えられた。その後、垂拱元年(六八五)に麾下《きか》に羽林郎六〇〇〇人が置かれ、さらに武周の天授二年(六九一)には羽林衛と改称して大将軍が置かれるに至った。則天武后(武則天)が洛陽を舞台に権力を掌握した時代、羽林軍はその親衛隊として大いに発展を遂げたのである。

飛騎の中から屈強で騎射を得意とする将兵を選抜して組織されたのが、百騎である。きらびやかな衣装を身にまとい駿馬に騎乗して皇帝に随従した百騎はのちに組織を拡充し、六八九年に千騎、七一〇年には万騎と改称された。

おわりに──隋唐国制の特質

漢魏革命から隋唐革命に至るまで、王朝の交替は多く禅譲により、前王朝の国制は新王朝に継承されるのが通例であった。王朝交替に伴う政治的混乱を最小限に留めようとすればそれは当然のことのように思われるが、北周から隋、隋から唐への鼎革はその例に該当しない。前朝国制の継承を拒絶した理由は、いずれも新王朝の政治的立場にあった。楊堅は西魏北周との政治的訣別を印象づけるべく六官制を廃止し、李淵は煬帝政治を全否定するために大業律令の廃止を宣言したのである。但し、両者のスタンスに多少の差異があったことも見逃せない。隋王朝にとって北周は過去の王朝であり、前王朝として形式的に奉じておけばそれでよかった(14)。しかし唐王朝の場合、事情は些《いささ》か複雑であった。唐が否定したのは隋王朝そのものではなく、大業律令に象徴される煬帝政治であった。隋から皇統を継承したことは、皇泰主を擁する洛陽の隋王朝との対抗上、極めて重要な「事実」であり、それゆえ開皇旧制の継承を標榜することは、特に創業時においては必須であった。国内の敵対勢力を平定するにつれて、こうしたこだわりは徐々に薄れていったが、唐朝は北周・隋皇室の末裔を介公・酅《けい》公として貞観以降も手厚く保護し(『唐会要』巻二四二王三恪)、主要な国家儀礼に彼らを参列させることを礼典・儀注に定めたのである。

しかし、政治的なスローガンと現実の政治体制とは別物である。漢魏風の官名をちりばめた開皇の官制は『周礼』の束縛から解放されたように見えて、その実、北周官制の要素を多分に留めていた。宰相ポストの三公を名誉職に祭り上げ、侍従職であった内史令・納言を正宰相に据え、尚書省の力をそぎ落として政策施行機関へと変質させた開皇官制は、大冢宰を事実上の宰相とする宇文泰の六官制を換骨奪胎したシステムであった。

煬帝は開皇の制度に手を加えて中央集権化を推進したが、唐は、開皇旧制の継承を標榜しつつ大業令の制度をそのまま使い続けたところが多分にある。天下一統を目指す唐王朝にとって、中央集権を強く志向した煬帝の国制は捨てがたいものであった。

貞観年間に定まった唐王朝の国制は、八世紀前半の開元年間まで大枠としては維持されたが、則天武后の時代が介在したことにより、特に官制については『周礼』的な色彩を露わにすることとなった。龍朔年間に貞観官制の官名が一斉に変更されて一部は『周礼』を想起させるものとなり、その後多少の揺らぎを見せつつ、六八四年に尚書六部の官名が周の六官に則したものに改められ、序列もそれに従った。そしてこの序列が武周王朝の終焉後もそのまま維持されたのである。開元の官制が『周礼』から発想された『六典』に何とか収まっているのには、こうした背景がある。

法制について言えば、開皇律以来の刑罰体系が北周律のそれを濃厚に受け継いでいる。国都からの距離によって流刑に等級をつける発想は『周礼』「九服」の概念に基づき、隋唐律はこの考えを基本的に継承したが(15)、北魏や北斉の流刑にこの発想は無い。北周は五刑の刑罰をそれぞれ五等級に区分したが、隋唐律の五刑(死刑二等、流刑三等、徒刑から笞刑まで五等）はそれを現実的に調整したものである（辻　二〇一〇：二六―四〇頁）。軍制面では、十二衛の制度が西魏北周の遺制であることが『通典』の編者杜佑（七三五―八一二）により指摘され（巻二八職官）、北周の時に創始された行軍制度が隋唐に継承されたことも明らかにされている（孫　一九九五：四九―八二頁）。

冒頭に紹介した陳寅恪の学説では、北魏北斉・梁陳の制度が隋唐王朝の国制に大きな影響を与えたことが強調されるが、その結論は主に、制度の継承関係を示す史料の文言あるいは制度創設に携わった人物の経歴を検討して導き出されており、制度の実態に踏み込んだ分析は必ずしも多くない。そのためか、隋唐王朝の政治的都合に誘導された議論がまま見受けられるように思う。隋唐の国制を考える際、底流として見え隠れする『周礼』の影響を軽視することはできない（川本　一九九一：三八六―三八八頁）。制度史資料の解釈においても、政治史的バイアスの存在に細心の注意を払う必要があることに、改めて留意したいと思う。

注

（1）北周歴代皇帝の皇后は、孝閔帝皇后が西魏・文帝の五女、明帝皇后が独孤信の長女、武帝皇后が突厥・木扞可汗《ムカンカガン》の女と、いずれも胡族系の出身である。

（2）宣帝の行状・人格に対する『周書』宣帝紀の批判は峻烈だが、宣帝と楊堅との人間関係を考えれば、これにも何らかの政治的意図が働いたと見るべきであろう。

（3）朱皇后は江南出身、東宮府に没入され皇太子の子（のちの静帝）を身ごもった。陳皇后は、もと北斉の恩倖《おんこう》陳山提（北周に降り大将軍を拝命）の女。元皇后は西魏の宗室元晟《げんせい》の女。尉遅皇后は名将尉遅迥の孫女。五名の皇后の出身の多様さは、宣帝が目指した中華の統合に相通ずるものがある。

（4）周隋革命における楊堅の政治顧問の一人であった崔仲方（名門博陵崔氏の出身）は、楊堅の受禅に先立ち新王朝の正朔・服色を論じるとともに、「六官を除き、漢魏の旧に依る」よう進言した（『隋書』巻六〇崔仲方伝）。この逸話は、六官制の廃止が正朔・

服色と並んで隋王朝成立を正当化するための必須の要件と見なされていたことを物語っている。

（5）武照は、六五五年に皇后に冊立され（則天武后とよばれる）、六六〇年には高宗とともに政治を行い「二聖」と称されるに至った。六八三年に高宗が崩御した後も皇太后として権力を振るい、六九〇年には皇帝に即位した（皇帝となった武照を「武則天」とよぶ）。皇帝としての在位期間は六九〇年から七〇五年までだが、本章では彼女が政柄を握っていた時期も含めて「則天武后時代」とよぶ。

（6）七二二年、起居舎人陸堅が玄宗の詔を受けて『六典』の編纂は始まった。「六典」とは『周礼』天官大宰に見える語で、治典・教典・礼典・政典・刑典・事典を指す。後漢・鄭司農の注によれば、治典は冢宰（天官）、教典は司徒（地官）、礼典は宗伯（春官）、政典は司馬（夏官）、刑典は司寇（秋官）、事典は司空（冬官）がそれぞれ掌るという。つまり、玄宗は周の六官に擬えて自らの治世を描かせようとしたのだが、曖昧に過ぎるその要求に当時の学者は応えることができず、編纂作業は長らく停滞した。現在の形にまとめられ玄宗に進上されたのは七三八年（あるいはその翌年）のことである。

（7）神龍元年（七〇五）正月、武則天は皇太子（中宗）に帝位を譲り、翌月、国号が唐に復された。つまり、中宗は武周の皇帝として即位したのである。即位の直後、彼が武氏に「則天大聖皇帝」の尊号を奉り、百官を率いて彼女を見舞うなどしたのも、その意味では当然のことであった。武則天の定めた「神龍」の元号は、中宗の治世となってからも三年近くにわたり使用された。ちなみに中宗は武則天の実子、玄宗も武則天の直系の孫（中宗のおい）である。

（8）北斉律・北周律はともに五刑（笞・杖・徒・流・死）を主刑とするが、都からの距離によって流刑を等級づける発想は北周律に特徴的であり、これが隋唐律の流刑に継承された（辻 二〇一〇：二六一―三九頁）。

（9）この時の改定で、死刑八一条・流刑一五四条・徒杖刑等千余条が除かれた。これらの数字に五〇〇を加えると一七五〇条前後となり、開皇三年律の条数は元年律の三分の一以下であったことが知られる。

（10）肉刑は、前漢の文帝のとき（前一六七年）に廃止されたが、魏晋時代以降、その復活の是非について幾度となく活発な議論が展開されてきた（福原 二〇一二：二〇―三八頁）。貞観初年の議論の発端は、武徳律で絞刑となる五〇の条文を見直し、死刑を減刑することであった。

（11）長安占拠後、彼らには終身の課役免除特権が付与され（『故唐律疏議』名例三六条疏議）、太原への帰還が許された。

（12）武則天は六九二年、神都洛陽に隣接する一一州を「王畿」とし、そのうち五州に折衝府を置いた（辻 二〇一九：一七四―一七五頁)。この結果、洛陽近辺にも軍府が集中することとなった。

(13) 徭役(役務労働)には、正役(歳役)、雑徭、色役の三種があった。五〇歳以上の庶民は、庸を納入することで正役が免除され、さらに雑徭と防人徴発の対象からも外れた(渡辺 二〇〇八:四〇三―四一七頁)。

(14) 文帝は即位の五日後、宇文闡《せん》(静帝)を介国公としたが、これは実質を伴わない形式的なもので、介国公はこの約三か月後に死去している。

(15) 流刑では距離を基準に等級が区分されるが、刑の執行に際して流刑囚を距離の分だけ強制移動させたわけではない。北魏以来、流刑の実態は一貫して徙辺《しへん》(辺境への強制移動)と辺戍(辺境での労役・軍役)であり、配所は「辺州」(法に定められた特定の辺境州)に限られていた。刑名中の距離は、等級を示す記号に過ぎないとも言える(辻 二〇一〇:一〇〇―一〇四頁)。

参考文献

池田温(一九六七)「中国律令と官人機構」仁井田陞博士追悼論文集編集委員会編『前近代アジアの法と社会』勁草書房。

池田温(一九七〇)「律令官制の形成」『岩波講座 世界歴史』五、岩波書店。

池田温(一九九三)「唐令」滋賀秀三編『中国法制史――基本資料の研究』東京大学出版会。

池田温(一九九七)「律令法」谷川道雄ほか編『魏晋南北朝隋唐時代史の基本問題』汲古書院。

内田智雄編・梅原郁補(二〇〇五)『訳注 続中国歴代刑法志(補)』創文社。

内田昌功(二〇〇四)「隋煬帝期官制改革の目的と性格」『東洋学報』第八五巻四号。

宇野精一(一九四九)『中国古典学の展開』北隆館。『宇野精一著作集』第二巻、明治書院、一九八六年所収。

大津透(二〇〇七)「北宋天聖令の公刊とその意義」『律令制研究入門』名著刊行会、二〇一一年所収。

川本芳昭(一九九一)「五胡十六国・北朝期における周礼の受容をめぐって」『魏晋南北朝時代の民族問題』汲古書院、一九九八年所収。

菊池英夫(一九六八)「唐折衝府の分布問題に関する一解釈」『東洋史研究』第二七巻二号。

菊池英夫(一九七〇)「府兵制度の展開」『岩波講座 世界歴史』五、岩波書店。

菊池英夫(一九七三)「唐令復原研究序説――特に戸令・田令にふれて」『東洋史研究』第三一巻四号。

氣賀澤保規（一九八六a）「隋煬帝期の府兵制をめぐる一考察」『府兵制の研究——府兵兵士とその社会』同朋舎、一九九九年所収。

氣賀澤保規（一九八六b）「驍果制考——隋煬帝兵制の一側面」『府兵制の研究』所収。

滋賀秀三（一九七九）「唐律疏議名例律訳註」律令研究会編『訳註日本律令』五、東京堂出版所収。

滋賀秀三（二〇〇三）『中国法制史論集 法典と刑罰』創文社。

妹尾達彦（二〇〇一）『長安の都市計画』講談社選書メチエ。

妹尾達彦（二〇一四）「江南文化の系譜——建康と洛陽（二）」『六朝学術学会報』第一五集。

瀧川政次郎・小林宏・利光三津夫（一九六五）「律令研究史」『法制史研究』第一五号。

辻正博（二〇一〇）『唐宋時代刑罰制度の研究』京都大学学術出版会。

辻正博（二〇一六）「隋・唐」冨谷至・森田憲司編『概説中国史（上）古代—中世』昭和堂。

辻正博（二〇一九）「潼関と神都——武周時代の四面関」『中国史学』第二九巻。

礪波護（一九八六）『唐代政治社会史研究』同朋舎出版。

内藤乾吉（一九三〇）「唐の三省」『中国法制史考証』有斐閣、一九六三年所収。

仁井田陞（一九三三）「唐令の史的研究」『唐令拾遺』東方文化学院東京研究所。

仁井田陞著・池田温編集代表（一九九七）『唐令拾遺補——附唐日両令対照一覧』東京大学出版会。

濱口重国（一九四一）「所謂、隋の郷官廃止に就いて」『秦漢隋唐史の研究』下巻、東京大学出版会、一九六六年所収。

濱口重国（一九四二）「魏晋南北朝隋唐史概説」『秦漢隋唐史の研究』下巻所収。

濱口重国（一九六六）『唐王朝の賤人制度』東洋史研究会。

林美希（二〇一二）「唐代前期における北衙禁軍の展開と宮廷政変」『唐代前期北衙禁軍研究』汲古書院、二〇二〇年所収。

速水大（二〇一二）「唐武徳年間の法律について」『唐代勲官制度の研究』汲古書院、二〇一五年所収。

日野開三郎（一九八一）「観察処置使について」『日野開三郎東洋史学論集 第三巻 唐代両税法の研究 前篇』三一書房所収。

福原啓郎（二〇一二）「魏晋時代における肉刑復活をめぐる議論の背景」『魏晋政治社会史研究』京都大学学術出版会。

堀敏一（一九九三）『中国と古代東アジア世界』岩波書店。

宮崎市定（一九五六）『九品官人法の研究』『宮崎市定全集 六』岩波書店、一九九二年所収。

八重津洋平(一九九三)「故唐律疏議」滋賀秀三編『中国法制史――基本資料の研究』東京大学出版会。

渡辺信一郎(二〇〇三)「唐代前期における農民の軍役負担」『中国古代の財政と国家』汲古書院、二〇一〇年所収。

渡辺信一郎(二〇〇八)「唐代前期賦役制度の再検討」『中国古代の財政と国家』所収。


陳寅恪(一九四三)『唐代政治史述論稿』生活・読書・新知三聯書店、一九五六年。

陳寅恪(一九四四)『隋唐制度淵源略論稿』生活・読書・新知三聯書店、一九五四年。

程樹徳(一九二七)『九朝律考』商務印書館、一九五五年。

戴建国(一九九九)「天一閣蔵明抄本《官品令》考」『宋代法制初探』黒龍江人民出版社、二〇〇〇年。

高明士(二〇一二)『律令法与天下法』五南図書出版。

高明士(二〇一四)『中国中古礼律綜論――法文化的定型』元照出版。

雷聞(二〇〇三)「隋与唐前期的尚書省」『盛唐政治制度研究』上海辞書出版社。

劉後濱(二〇〇四)『唐代中書門下体制研究――公文形態・政務運行与制度変遷』斉魯書社。

蒙曼(二〇〇五)『唐代前期北衙禁軍制度研究』中央民族大学出版社。

牛来穎・服部一隆(二〇一八)「中日学者《天聖令》研究論著目録(一九九九―二〇一七)」『隋唐遼宋金元史論叢』八、上海古籍出版社。

孫継民(一九九五)『唐代行軍制度研究』文津出版社。

天一閣博物館・中国社会科学院歴史研究所天聖令課題組編(二〇〇六)『天一閣蔵明鈔本天聖令校証 附唐令復原研究』中華書局。

王仲犖《ちゅうらく》(一九七九)『北周六典』中華書局。

呉麗娯(二〇一四)「従唐代礼書的修訂方式看礼的型制変遷」『中国古代法律文献研究』第八輯。

呉宗国(一九九七)「三省制的発展和三省制的確立」『唐研究』第三巻。

厳耕望(一九五二)「論唐代尚書省之職権与地位」『唐史研究叢稿』新亜研究所、一九六九年所収。

周道済(一九六四)『漢唐宰相制度』嘉新水泥公司文化基金会。

焦　点　|　*Focus*

焦点 *Focus*

南朝の天下観と伝統文化

戸川貴行

はじめに

四世紀初頭、騎馬遊牧民が西晋(二六五—三一六年)の都である洛陽《らくよう》(現在の河南《かなん》省洛陽市)を攻略し、皇帝を捕虜にした後に殺害した。ときの年号をとって永嘉《えいか》の乱とよばれるこの戦乱によって、中原《ちゅうげん》は混乱の極に達した。その結果、大量の漢族が当時はまだ辺境としての性格をもっていた江南に避難し、建康《けんこう》(現在の江蘇《こうそ》省南京《なんきん》市)を行宮《あんぐう》(皇帝の仮住まい)とする東晋(三一七—四二〇年)が成立した。これは漢族が騎馬遊牧民によってそれまでの政治・文化の中心である中原から追われ、東南辺境の地に亡命政権をつくるという中国史上初の出来事であった。

こうした大規模な戦乱と王朝の滅亡は、儀礼音楽(以下、雅楽という)にどのような影響を及ぼしたのだろうか。中国音楽史の大家である楊蔭瀏《よういんりゅう》は、雅楽について次の三点を述べている。①雅楽は王朝の没落とともに失われること、②その後、雅楽再建にあたり民間の音楽が導入されること、③その結果、復古といいながら実際は新たな要素が付加され各時代によって異なるものになること(楊 二〇〇九:二三六頁)。同様の見解は、渡辺信一郎によっても次のように的確に指摘されている(渡辺 二〇一三:五頁)。

宮廷音楽は、楽人による楽伎・楽曲の直接的伝承を必要とした。それ故、王朝の滅亡にともなって楽人が四散すると、伝承を断絶することがままあった。王朝は、興起するたびに民間に分散する楽人の再呼集と民間に伝承する楽曲・楽伎の採集とをつうじて、楽制の再興と再編とをはかった。

読者のなかには、雅楽が国家儀礼で演奏される伝統音楽であるゆえに全く変化がないとする向きもあるかも知れない。かつては研究者においてさえ、東晋が西晋の国家儀礼に代表される伝統文化を「純粋培養」したという考えが主張されたこともあった。しかし、楊、渡辺両氏の見解を踏まえると、西晋が滅亡し漢族が東南辺境に追われるという未曽有の国難に遭いながら国家儀礼や雅楽が東晋で「純粋培養」されたとすることにはやはり無理があるといえよう。

一、東晋の中原恢復と雅楽整備

いまそのことを史料に拠りながら見てみよう。約一〇〇年つづいた東晋の礼楽について、『晋書』巻一六律暦志《りつれきし》上には次にように述べられている。

西晋末の混乱によって、東晋の初代皇帝である元帝〔在位三一七―三二二年〕のとき国家儀礼と雅楽はみな失われてしまった。……その後、王朝末期の安帝〔在位三九六―四一八年〕、恭帝〔在位四一八―四二〇年〕のときに至ってもまだ礼楽を備えることはできなかった。

ここには誇張もあるだろうが、永嘉の乱によって国家儀礼と雅楽の大部分が失われたことを窺うには十分である。たとえば東晋初めに皇帝の祖先をまつる宗廟《そうびょう》を建てるにあたり雅楽を整備しようとしたときのこと、賀循《がじゅん》という人物は「西晋末の混乱で礼楽に関する旧典は滅んでしまいました。……また音楽について詳しく知る者もいません」と述べた。結局、このとき宗廟儀礼の雅楽はつくられず、その後、半世紀をへてようやく登歌《とうか》がつくられた。登歌とは祖先の功徳を讃える歌のことであり、宗廟儀礼にとって重要なものである。そのほか東晋の宗廟儀礼には、正徳・大予とよばれる舞をともなう音楽（以下、舞楽という）もあった（『宋書』巻一九楽志《がくし》一）。

しかし、これは東晋の宗廟雅楽が完備していたことを示すものではない。たとえば『漢書』巻二二礼楽志《れいがくし》に、前漢（前二〇二―後八年）高祖（在位前二〇二―前一九五年）のとき叔孫通《しゅくそんとう》という人物が宗廟儀礼の各パートで演奏する歌曲を定めたことが伝えられている。

前漢の初代皇帝である高祖（劉邦《りゅうほう》）のとき、臣下の叔孫通が秦（前八世紀頃―前二〇六年）の楽人に依拠して宗廟の音楽をつくった。大祝《はふり》が祖先の魂を宗廟の門に迎えるパート①で、嘉至《かし》を演奏した。……つづく皇帝が宗廟の門に入るパート②で、永至を演奏した。……供物がそなえられるパート③で、登歌を演奏した。……その後、休成を演奏するのは、祖先の魂がもてなしを受けてくれたのを喜ぶパート④においてである。……永安が演奏されるのは、儀式の成功をいわうパート⑤においてである。

右にあるように前漢の宗廟儀礼は、①祖先の魂を迎える（迎神）→②皇帝が宗廟の門に入る（皇帝入廟門）→③供物がそなえられる（乾豆《かんとう》上）→④祖先の魂がもてなしを受けてくれたのを喜ぶ（美神明既饗）→⑤儀式の成功をいわう（美礼已成）という順番で行われた。この五つのパートに対応してそれぞれ演奏されたのが、①嘉至、②永至、③登歌、④休成、⑤永安とよばれる歌曲であった。そのほか前漢の宗廟儀礼には、武徳・昭徳という舞楽もあった（渡辺 二〇一三：九〇―九六頁）。このように前漢の宗廟儀礼では登歌、舞楽以外に、嘉至、永至、休成、永安などの歌曲も演奏された。そうした視点からみると、登歌、舞楽しかない東晋の宗廟雅楽は完備というにはほど遠いものであった。

一方、天地をまつる郊祀《こうし》という儀礼の雅楽は、西晋の伝統の継承という点からすればさらに深刻な状況にあり永嘉の乱で滅んでしまっていた。そのため東晋の郊祀には王朝を通じて雅楽が設けられなかった（『宋書』巻一九楽志一）。これは漢以来の中国王朝において前代未聞のことである。ここで漢の郊祀雅楽について確認しておきたい。前漢の郊祀はパートの数がやや多い。煩瑣なので基本の三パートと演奏される歌曲、舞楽のみを挙げておく。基本の三パートは、天地の神を迎える↓神をもてなす↓神を送るである。その歌曲には、①練時日、②帝臨、③青陽、④朱明、⑤西《せい》顥《こう》、⑥玄冥《げんめい》、⑦惟泰元《いたいげん》、⑧天地、⑨日出入、⑩天馬、⑪天門、⑫景星、⑬斉房、⑭后皇、⑮華《か》燁燁《ようよう》、⑯五神、⑰朝《ちょう》隴首《ろうしゅ》、⑱象載瑜《しょうさいゆ》、⑲赤蛟《せきこう》があった(渡辺 二〇一三：三三―三七頁)。これらは全部で一九曲であったが、後漢(二五―二二〇年)ではそのうち③青陽から⑥玄冥までの四曲が演奏された。また舞楽については雲翹《うんぎょう》、育明が用いられた(目黒 二〇〇八：四〇頁)(以下、歌曲、舞楽をあわせて楽曲という)。こうした宗廟・郊祀でそれぞれ異なる楽曲を演奏する国家儀礼のあり方こそ、漢の雅楽の特徴であり、それは後漢についで同じく洛陽を都とした曹魏(二二〇―二六五年)、西晋にも継承された。しかし、永嘉の乱によって東晋における宗廟・郊祀の雅楽は、前者に登歌、舞楽があったとはいえ、ほぼ有名無実に近い状態になったのである。

もちろん渡辺が「王朝は、興起するたびに民間に分散する楽人の再呼集と民間に伝承する楽曲・楽伎の採集とをつうじて、楽制の再興と再編とをはかった」というように、東晋でも楽人の再呼集、楽曲・楽伎の採集が全く行われなかったわけではない。まして東晋が約一〇〇年つづいた王朝であれば、初代元帝のときならともかくなぜ末期の安帝、恭帝のときに至ってもなお再呼集・採集にほとんど効果があらわれなかったのかについて疑問に思う向きもあるだろう。

しかし、そこには中原を追われた漢族の亡命政権特有の事情があった。東晋にとって最大の目標は故地である中原の恢復《かいふく》(もとの領土を取り戻すこと)であり、その成功までは行宮の地である建康において国家儀礼や雅楽の整備を控えるべしとする者が政権内にいたのである。たとえば元帝のとき郊祀の祭壇について朝廷で議論された際、中原を恢復した後で洛陽に建設すべきか、あるいは行宮の地とはいえ建康に建設すべきかで官僚たちの意見が分かれた(『宋書』巻一六礼志《れいし》三)。結局、郊祀の祭壇は建康に建設されたが、その儀礼が雅楽のない前代未聞のものであったことは先述したとおりである。政権内で建康こそ皇居があるに相応しい天下の中心であると明確に意識されていれば、こうした郊祀の祭壇建設に関する議論や雅楽の不在という事態はまずあり得なかっただろう。その後、東晋中期になると長江中流の軍事長官たちによって楽人・楽伎の再呼集・採集が行われたが、やはり中原恢復のための戦争によって実を結ぶことはなかった(『宋書』巻一九楽志一)。東晋後期にも建康である儀礼の祭壇をつくろうとしたところ皇居が本来あるべき洛陽に帰還してから建設すべしという意見が出され、それに当時の重臣たちも賛成し、結局、沙汰止みになっている(『宋書』巻一六礼志三)。

また国家儀礼の継承は書物から得られる知識のみでは決して十分とはいえず、それを再現するための実演・実見といった経験をへることが不可欠である。しかし、そうした経験による継承は、東晋成立から次節にみる劉宋(四二〇―四七九年)の孝武帝(在位四五三―四六四年)に至るまでの約一五〇年間、江南政権では極めて限定的にしか行われなかった。その過程で忘却される中原の伝統も少なからず存在しただろう。さらに江南政権における宗廟・郊祀の儀式次第は、曹魏・西晋のときの詳細が残っていなかったため、後漢の儀式次第に関する記述をもとに新しくつくられたものであった。このように江南政権の国家儀礼は西晋からの継承というよりもむしろ断絶の方が大きかったのである。

二、南朝の天下観と雅楽整備

漢族の南下を受けて成立した東晋では中原恢復が最大の目標として掲げられ、その達成までは国家儀礼や雅楽の整備を控えるべしとする者が政権内にいた。しかし、そうした状況は避難民の子孫が土着し、自らの故郷を中原でなく江南と考えるようになるにつれ徐々に変化していく。とりわけ東晋につづく劉宋の第三代皇帝である文帝(在位四二四―四五三年)のとき北伐に失敗し中原恢復の可能性が極めて低くなると、右の体制にも抜本的な改革が求められるようになった。こうしたことを受け、劉宋の第四代皇帝である孝武帝は中原恢復をあきらめ行宮の地に過ぎなかった建康を洛陽に代わる新たな天下の中心にしようとした。妹尾達彦は天下の中心となる都をつくるとき、国家儀礼の整備が極めて重要であったと述べている(妹尾 二〇〇一：一五八頁)。劉宋孝武帝も東晋以来、控えられていた国家儀礼を行宮の地に過ぎなかった建康で陸続と整備していくが、当然それは儀礼音楽である雅楽にも及んだ。

まず論の展開の都合上、孝武帝の整備した雅楽の特徴が宗廟・郊祀という異なる国家儀礼の間で同じ楽曲を通用する点にあったことを確認しておきたい。先述したように漢、曹魏、西晋において宗廟と郊祀の楽曲はそれぞれ異なっていたが、東晋では郊祀雅楽が滅んでしまっていた。では、そうしたなか劉宋孝武帝はどのような雅楽をつくったのだろうか。『宋書』巻一九楽志一に、孝武帝のときのこととして次のように述べられている。

> 南郊では、天の神を迎えるパートで、＊肆夏《かいか》を演奏した。皇帝が最初に祭壇に登るパートで、登歌を演奏した。最初に酒を献上するパートで、◎凱容《がいよう》・宣烈の舞楽を演奏した。神を送るパートで、＊肆夏を演奏した。
> 宗廟では、祖先の魂を迎えるパートで、＊肆夏を演奏した。皇帝が宗廟の門に入るパートで、永至を演奏した。皇帝が東側の壁に至るパートで、登歌を演奏した。最初に酒を献上するパートで、◎凱容・宣烈の舞楽を演奏した。最後に酒を献上するパートで、永安を演奏した。祖先の魂を送るパートで、＊肆夏を演奏した。

史料冒頭にみえる南郊とは郊祀のうち天をまつる国家儀礼のことであり、一方、地をまつる国家儀礼の方は北郊といった。ポイントは宗廟の＊肆夏という歌曲、◎凱容・宣烈という舞楽が、壊滅した南郊雅楽にも通用されている点である。これが中国史上、南朝で初めて誕生した宗廟・郊祀間の楽曲通用であった。

劉宋につづく南斉(四七九—五〇二年)、梁(五〇二—五五七年)、陳(五五七—五八九年)など江南に成立した四王朝をまとめて南朝という。このうち南斉の歴史書である『南斉書』巻四六蕭恵基《しょうけいき》伝によれば、雅楽の質は劉宋孝武帝期から低下したという。同時期に文学の方面で江南の民歌に合わせた作品が盛んにつくられるようになったことを踏まえると

（佐藤 二〇〇三：一四一―一七頁）、このときの雅楽は中原に比べて非伝統的とされる江南に立脚した制度・思想の特徴を濃厚にもっていた蓋然性が高い。また『南斉書』巻三九劉瓛《りゅうけん》伝によれば、南朝では雅楽器である「金石」（編鐘《へんしょう》・編磬《へんけい》とよばれる楽器）の音程が江南特有のものになったという。中国音楽の音程は音を定める竹の長さによって決められる。その長さは西晋よりも南朝の方が長く基準音も低かった。これらは劉宋孝武帝期以降、雅楽が江南に立脚した制度・思想の特徴を濃厚にもつようになったことを示している。

四九四年、華北を支配していた北魏（三八六―五三四年）の第六代皇帝である孝文帝（在位四七一―四九九年）は、理想上の周の制度について記したとされる儒学の経典『周礼《しゅらい》』にもとづき洛陽に遷都した。かかる『周礼』にもとづく北魏の正統性の主張に応じる形で、南斉に代わった梁では同じく『周礼』によって楽曲通用が正統化された。具体的にいうと、梁の初代皇帝である武帝（在位五〇二―五四九年）は『周礼』春官、鍾師《しょうし》の条に、

およそ楽を用いるには、鍾鼓をうって九夏《きゅうか》を演奏する。九夏とは王夏・肆夏・昭夏・納夏・章夏・斉夏・族夏・祴夏《かいか》・鷔夏《ごうか》のことである。

とあるように『周礼』の歌曲名に「夏」の字がついているのにちなみ、宗廟・郊祀間で通用する歌曲名に「雅」の字をつけたのである。いまそれを示すと**表1**のようになる。

表1の最上段「儀式次第」については難しいかも知れないが、とりあえず神を迎える↓神をもてなす↓神を送るが基本の三パートであり、あとは皇帝や官僚の入退場、供物の献上、御神酒《おみき》の頂戴などが添えられて

表1 梁の宗廟・郊祀の楽曲編成表
（『隋書』巻13音楽志上，梁の条を使用し作成）

儀式次第	宗廟	南郊	北郊
衆官出入	俊雅	俊雅	俊雅
牲出入	滌雅《てきが》	滌雅	滌雅
薦毛血	牷雅《せんが》	牷雅	牷雅
降迎神	諴雅《かんが》	諴雅	諴雅
皇帝出入	皇雅	皇雅	皇雅
皇帝飲福酒	献雅	献雅	献雅
送神	諴雅	諴雅	諴雅
〈固有祭事〉	―	禋雅《いんが》（就燎位《しゅうりょうい》）	禋雅（瘞埋《えいまい》）
舞楽	大壮・大観	大壮・大観	大壮・大観

いると考えて欲しい。なお、**表1**の最後の行に示しているのは舞楽の大壮・大観である。

表1から梁では宗廟・郊祀の各パートで、それぞれ「雅」の字のついた歌曲が使われていることが見て取れよう。梁武帝は劉宋孝武帝による楽曲通用を保持、展開しつつ、北魏孝文帝の洛陽遷都に応じる形で『周礼』にちなみ雅楽の歌曲名を「雅」の字で統一したのである。その後の中国王朝の雅楽は、個々の楽曲についていえば戦乱等によって失われ新たに民間音楽が導入されることもあった。しかし、歌曲名は**表1**にみられる「雅」に代わり陳では「韶《しょう》」、北斉(五五〇—五七七年)・北周(五五七—五八一年)・隋(五八一—六一八年)では「夏」、唐(六一八—九〇七年)・明(一三六八—一六四四年)では「和」、趙宋(九六〇—一二七九年)では「安」、元(一二七一—一三六八年)では「成」、清(一六三六—一九一二年)では「平」というように宗廟・郊祀間で特定の一字が使われた(以下、宗廟と郊祀をあわせて郊廟《こうびょう》という)。つまり、これら劉宋孝武帝以後の中国雅楽は、すべて郊廟間の楽曲通用が一貫した特徴となっているのである。

では、こうした郊廟間で同じ楽曲が通用されることは何を意味するのだろうか。この点について、国家儀礼に関する先学の見解に拠りながら見てみよう。趙宋の鄭樵《ていしょう》という人物が撰した『通志《つうし》』楽略《がくりゃく》第一、楽府総序に次のように述べられている。

宗廟の儀式次第を天をまつるときに通用しないのは、祖先を尊ぶことを明らかにするためである。反対に天地をまつるときの儀式次第を人に通用しないのは、両者に厳然とした区別があるからである。しかし、梁武帝は郊廟間で楽曲を通用する雅楽をつくり、……本来異なるはずの天地・祖先をまつるときの儀式次第を同じものにしてしまった。……天地・宗廟を区別する儀式次第は、梁になって滅んだのである。

先述したことを踏まえると、右の梁武帝による楽曲通用の淵源は、＊肆夏という歌曲、◎凱容・宣烈という舞楽が通用された劉宋孝武帝期にあるといえよう。

一口に国家儀礼といっても、たとえば宗廟は皇帝が祖先をまつる儀礼、郊祀は天地をまつる儀礼という区別が存在する。こうした本来は異なる皇統と天の結びつきに関連して、かつて西嶋定生は漢における帝位継承のときの即位儀礼が世襲と受命という矛盾する二つの事柄を結びつけるものであったと述べた(西嶋 一九八三:九九一一〇〇頁)。世襲とは皇帝の位が世襲されることであり、受命とは初代皇帝が天から地上の支配を委託されることである。本来、受命はあくまで初代の皇帝一個人に限られ世襲されないものであった。この問題を解決するため、漢では第二代以降の皇帝が帝位を世襲するとき即位儀礼において受命した初代皇帝を媒介とし天とつながる工夫が施されたのである。

また金子修一は前漢武帝(在位前一四一―前八七年)期の郊祀に皇帝の始祖を天に配祀する(一緒にまつる)「配天」の考えがまだなかったこと、そうした考えは前漢末の王莽《おうもう》執政期に皇帝と天の結びつきが重視されるに伴い出現したことを指摘している(金子 二〇〇六:一五二頁)。本章の関心に引きつけていうと皇帝の祖先、天は本来、別々にまつられていたが、前漢末になると天の祭祀で皇帝の祖先も一緒にまつられ両者が結びつけられるようになったのである。もともと天と截然《せつぜん》と分けられその下にいた人が、徐々に天と結びついていく姿が見て取れるだろう。

著者は両氏の見解に賛同するものであるが、とすれば郊廟間の楽曲通用は世襲と受命の統一、始祖の「配天」という考えをいま一歩おしすすめ、音楽の共有によって皇統と天を強力に結びつける政策であったということができるだろう。

三、北斉・北周・隋への影響

一方、目を華北に転じると、五胡十六国(三〇四―四三九年)・北魏でも『周礼』が受容されていた。川本芳昭によれば、『周礼』はすでに五胡十六国時代に騎馬遊牧民の政権による受容が見られ、北魏孝文帝期になると洛陽遷都に見られるように国策決定の根本とされるまでに至った(川本 一九九八:三八四―三八六頁)。

そうした『周礼』の受容は、爾朱兆《じしゅちょう》が洛陽を襲撃した後の雅楽再建においても見られる。すなわち北魏では五三〇年、権臣の爾朱栄が孝荘帝（在位五二八―五三〇年）に誅された後、従子の爾朱兆がその仇をとるために洛陽を襲撃した。その結果、洛陽の雅楽器が略奪・燔焼《はんしょう》されてしまい、五三三年、新たな雅楽がつくられることになった。この新たな雅楽は『周礼』にもとづき大成楽と命名された。大成楽のうち「大」の字は『周礼』春官、「成」の字は『周礼』の作者とされる周公にそれぞれ由来するものであった（『魏書』巻一〇九楽志）。

もともと北魏は四世紀末から五世紀に騎馬遊牧民の鮮卑《せんび》の音楽を利用して雅楽をつくっていた（田 二〇一一：二〇二―二一二頁、渡辺 二〇一三：一八四―一八五頁）。その後、孝文帝は鮮卑中心の部体制国家から中国王朝に転身する過程で（川本 二〇一五：一七―二〇頁）、北魏雅楽をつくり直そうとした。しかし、孝文帝の雅楽はほぼ一からすべてをつくり直そうとするものであったため膨大な時間がかかってしまい、次の宣武帝（在位四九九―五一五年）期に至っても不完全なものしかできなかった。結局、これらの雅楽は爾朱兆の洛陽襲撃によって灰燼に帰したため、新たに大成楽がつくられることになったのである（『魏書』巻一〇九楽志）。

この大成楽には西涼楽《せいりょうがく》が導入された。西涼楽とは五胡十六国時代、西域地方の亀茲楽《きゅうじがく》に関中《かんちゅう》地方の秦声《しんせい》をまじえてつくられた音楽のことであり、もともと秦漢楽といったが北涼《ほくりょう》（三九七―四三九年）をへて北魏の第三代皇帝である太武帝（在位四二三―四五二年）の手に渡り西涼楽と改名された（渡辺 二〇一三：一八六頁）。大成楽は普泰《ふたい》年間（五三一―五三二年）に制作を始めてからわずか一、二年後に完成している（『魏書』巻一〇九楽志）。短期間で完成できたのは孝文帝のようにほぼ一からつくり直そうとはせず、大成楽に既存の西涼楽を導入したからであった。

では西涼楽と大成楽の違いは、どこにあるのだろうか。部体制国家のときの西涼楽は、鮮卑の音楽に比べると、まだ脇役ともいうべき位置づけにあった。一方、大成楽は中国王朝でもっとも重要な儀礼である郊廟で演奏された。つまり、両者には国家にとっての位置づけという点に違いがあったのである。また西涼楽がもともと秦漢楽と呼ばれていたことは、すでに述べた通りである。秦漢楽については史料的制約もあって『周礼』が全く意識されなかったとは断言できないが、少なくとも「秦漢」という名前からしてそうした意識は大成楽ほど強いものではなかっただろう。一方、大成楽は、『周礼』およびその作者とされる周公の事跡を踏まえて命名されたものであった。とすれば両者の違いは、楽名に採用されるほど『周礼』が意識されていたか否かという点にもあるといえよう。

こうした『周礼』の利用は、梁の影響を受けてさらに展開した。前節で述べたように劉宋孝武帝は江南の音楽を導入して雅楽を再建するにあたり、郊廟という異なる儀礼の間で同じ楽曲を通用するそれまでの中国王朝にない新たな礼楽制度をつくった。その背景には雅楽の整備によって東晋以来の国是であった中原恢復を断念し、仮住まいの地に過ぎなかった建康を新たな天下の中心にせんという亡命政権の江南王朝化ともいうべき国策の存在があった。梁武帝は孝武帝による楽曲通用を保持、展開しつつ、北魏孝文帝の洛陽遷都に応じる形で『周礼』にちなみ郊廟雅楽の歌曲名を「雅」の字で統一したのである。

同様のことは北魏の後に成立した北斉、北周でも起こった。たとえば北斉の都となった鄴《ぎょう》（現在の河北《かほく》省邯鄲《かんたん》市臨漳《りんしょう》県）について、佐川英治は近年の考古学による発掘成果を踏まえた上で「「洛京を模写」したとあるのはまさに北魏の洛陽城を再現することであった」と述べている（佐川 二〇一七：一六〇頁）。かかる鄴の中心化も、やはり郊廟雅楽の整備によって進められた。すなわち北斉武成帝（在位五六一―五六五年）のとき郊廟雅楽は梁の影響を受け、肆夏、昭夏、皇夏という「夏」の字のついた歌曲が通用されるようになった（『隋書』巻一四音楽志《おんがくし》中、斉の条）。この「夏」の字は前節の『周礼』春官、鍾師の条から採用されたものであった。

また北周では北魏の洛陽に代わり長安（現在の陝西《せんせい》省西安《せいあん》市）を天下の中心とする政策が打ち出された（『周書』巻四明帝紀、明帝二年（五五八年）三月庚申の詔）。かかる長安の中心化も、やはり郊廟雅楽の整備によって進められた。すなわち北周武帝（在位五六〇―五七八年）のとき郊廟雅楽は梁の影響を受け、昭夏、皇夏という「夏」の字のついた歌曲が通用されるようになった(『隋書』巻一四音楽志中、周の条)。こうした北斉・北周の雅楽は、西涼楽をはじめとする西域系の音楽が導入されたものであった(『旧唐書』巻二八音楽志一)。つまり北斉・北周は『周礼』を利用して新しい雅楽を「伝統」的なものとして正統化したが、そこには一貫して西涼楽が導入されていたのである。

五七七年、北周は北斉を滅ぼすが、五八一年、遣隋使で知られる隋に取って代わられた。五八九年、隋は南朝の陳を併合し、中国の長い分裂時代を終わらせ統一を果たす。この隋でも肆夏、昭夏、皇夏、誠夏、需夏のように北斉、北周と同じ「夏」の字のついた歌曲が郊廟間で通用された(『隋書』巻一五音楽志下、隋の条)。これら北斉・北周・隋における「夏」の字の通用は、五胡十六国時代および北魏孝文帝期をへた『周礼』の受容が梁の影響を受けてさらに展開したものであった。

このように永嘉の乱と爾朱兆の洛陽襲撃によってそれまでの雅楽が失われたことにより、その後の劉宋・南斉・梁・陳と北斉・北周・隋は宗廟の雅楽を郊祀にも通用して演奏するようになった。このうち梁・陳と北斉・北周・隋は『周礼』を利用し歌曲名を周の制度に合うように改め、新しい雅楽を「伝統」的なものとして正統化したのである。その際の『周礼』の用いかたについては、同時代の梁において復興しつつあった『周礼』研究の影響が認められる。最後にこの点について北周・隋に仕えた南朝系の沈重《しんちょう》、何妥《かだ》という人物に焦点をあてて見てみたい。

沈重とはもともと梁に仕えていたが、その後、西魏(五三五—五五六年)の傀儡政権である後梁《こうりょう》(五五五—五八七年)に仕え、その経学と音楽の知識を高く評価した北周武帝によって長い間、長安に留め置かれた南朝系の人物である。彼は『周官礼義疏』四〇巻を撰しただけでなく、後梁皇帝である蕭詧《しょうさつ》(在位五五五—五六二年)の命を受け『周礼』を講じた(『隋書』巻三二経籍志《けいせきし》一、経、礼の条。『周書』巻四五沈重伝)。

こうした沈重の学問的特徴は、梁における『周礼』研究の復興を背景とするものであった。すなわち梁武帝が五経博士を設置した際、沈峻《しんしゅん》という人物が代々農夫であったにもかかわらず『周礼』に詳しいという理由で五経博士に抜擢された。彼を推薦した陸倕《りくすい》は梁における『周礼』研究の復興をはかっており、その後、沈峻の講義を聴く者は常に数百人にも及んだという(『梁書』巻四八沈峻伝)。こうした梁における『周礼』研究の復興を受け、沈重は国子助教・五経博士に任命されたのち後梁で『周礼』を講じることになったのである。かかる沈重の『周礼』に関する知識は、関中政権でも重視された。すなわち北周武帝は梁の『周礼』研究を導入するにあたり沈重の知識に目をつけ彼を丁重に招き、先述の昭夏、皇夏のように『周礼』にちなみ歌曲名を周の制度に合うように改めたのである。

五八一年、華北では北周に代わり隋が誕生する。翌五八二年、南朝系の顔之推《がんしすい》という人物が雅楽の胡楽化を批判し隋の楽制改革が始まった。胡楽とは西域系の音楽のことである。この楽制改革は五八九年の陳併合による南朝楽制の導入によって本格化し、五九四年になし遂げられる。こうしてできあがった隋の楽制は、雅楽、燕楽《えんがく》、鼓吹楽《こすいがく》、散楽《さんがく》の四種類から構成された。燕楽とは元旦の元会儀礼などで演奏される宴会音楽のこと、鼓吹楽とは軍楽のこと、散楽とは雑伎・サーカス・仮面舞踊のことである(渡辺 二〇一三：一七一―一七五頁)。

このうち隋の雅楽は五八九年の陳併合をきっかけとして、西涼楽に替わり南朝の清商楽《せいしょうがく》の影響を受けた音楽を『周礼』により正統化したものになった。清商楽とは呉声《ごせい》、楚声《そせい》とよばれる江南の民間音楽の影響を受けて成立した宴会音楽のことである(渡辺 二〇一三：一八三頁)。この点について、沈重と一緒に仕事をした南朝系の何妥に焦点をあてて論じてみたい。何妥とはもともと梁に仕えていたが、梁滅亡後、その経学と音楽の知識を高く評価した北周武帝によって太学博士に、隋文帝(在位五八一―六〇四年)によって国子博士に任命された南朝系の人物である(『隋書』巻七五何妥伝)。

何妥は沈重らとともに礼楽に関わる封禅書《ほうぜんしょ》、楽要《がくよう》という書物を編纂している(『隋書』巻七五何妥伝)。彼は『周礼』を特に専門とはしなかったかも知れないが、隋において南朝系の経学と音楽に関する知識を兼ね備えた人物であった。何妥はそうした知識を買われ陳併合後、当時、楽制改革を主管していた太常《たいじょう》の牛弘《ぎゅうこう》という人物らとともに「黄鍾《こうしょう》」の音程を定めた。「黄鍾」とは中国の音階の一つであり、隋の雅楽の基準音でもあった。このとき「黄鍾」の音程を定めた人物のうち、南朝系の人物は何妥のみであった(『隋書』巻一六律暦志上、律管囲容黍《りっかんいようしょ》の条)。

この雅楽の基準音は、南朝の清商楽の音程をもとにつくられた。隋文帝は五八九年の陳併合によって獲得した清商楽を中華の正しい音楽であると高く評価し、その音程をもとに新しく雅楽の音程をさだめ楽器をつくるように命じたのである(『隋書』巻一五音楽志下、隋の条)。何妥はこの雅楽の音程決定にあたり、南朝系の人物として重要な役割を果たした。

また何妥は隋における清商楽の整備にも大きな役割を果たした。すなわち五九二年、彼が「三調」と「四舞」を雅声をそなえたものとしその整備を求める上表を行った結果、文帝は太常に命じて何妥の指示を仰がせ「三調」と「四舞」をつくらせた(『隋書』巻七五何妥伝)。「三調」とは清商楽の三種類の調べ(清《せい》・平《へい》・瑟調《しっちょう》)のことであり、「四舞」とは清商楽の四種類の舞(鞞《へい》・鐸《たく》・巾《きん》・払舞《ふつぶ》)のことである。このように南朝系の経学と音楽に関する知識を兼ね備えた何妥は、隋の楽制改革で極めて重要な役割を果たしたのである。

さらにこのときの清商楽の整備に関連して、太常の牛弘は鞞・鐸・巾・払舞など四種類の舞を存続させ宴会では西涼楽の前に演奏するように請うた(『隋書』巻一五音楽志下、隋の条)。これは五八九年の陳併合以後、南朝の清商楽の位置づけが高まっていき、ついには西涼楽を凌駕せんばかりになったことを示すものである。

こうして清商楽の影響を受けてできあがった隋の雅楽は、先述した肆夏、昭夏、皇夏、誠夏、需夏のように「夏」の字のついた歌曲で構成された。以上のように隋の雅楽は五八九年の陳併合をきっかけとして、西涼楽に替わり南朝の清商楽の影響を受けた音楽を『周礼』により正統化したものになったのである。

おわりに

本章を終えるにあたり、以下の二点を指摘しておきたい。その一は江南独自の制度・思想の重要性である。かつて東晋南朝の国家儀礼は中原王朝である曹魏・西晋の伝統を「純粋培養」したものとされた。しかし、そのような見方を強調すると江南の特殊性が「辺境」という形で否定的にとらえられ、その制度・思想などを積極的に評価する姿勢が生まれにくくなるだろう。これに対し本章では西晋が滅亡し漢族が東南辺境に追われるという未曽有の国難に遭いながら国家儀礼をはじめとする伝統文化が東晋で「純粋培養」されたとすることには無理があること、江南で伝統文化が創造された背景には建康を新たな中心にせんとする天下観の誕生があったことを述べた。

その二は『周礼』による正統化が果たした役割である。かつて神矢法子は、貴族制研究だけでは魏晋南北朝時代の国家論を十分に解明できないとした上で礼制研究の重要性を説いた(神矢 一九九四:二三、三四頁)。本章はそうした礼制研究にもとづく国家論を騎馬遊牧民と漢族の対立・融合の視点からとらえようとしたものである。その際、本章ではとくに『周礼』が儀礼整備に果たした役割に注目した。南北朝の国家儀礼の特徴は騎馬遊牧民と漢族の対立・融合によって生まれた制度・思想が『周礼』を用いて正統化され、隋唐に至る過程で新たな伝統として確立していくところにある。この点について本章では南朝の『周礼』による正統化が北魏孝文帝の洛陽遷都に応じる形で本格化したこと、そうした『周礼』研究の成果は北斉・北周・隋の礼楽制度にも大きな影響を与えたことを述べた。

文献一覧

金子修一(二〇〇六)『中国古代皇帝祭祀の研究』岩波書店。

神矢法子(一九九四)『「母」のための喪服――中国古代社会に見る夫権―父権・妻=母の地位・子の義務』日本図書刊行会。

河上麻由子(二〇一一)『古代アジア世界の対外交渉と仏教』山川出版社。

川本芳昭(一九九八)『魏晋南北朝時代の民族問題』汲古書院。

川本芳昭(二〇一五)『東アジア古代における諸民族と国家』汲古書院。

小林聡(二〇〇九)「漢唐間の礼制と公的服飾制度に関する研究序説」『埼玉大学紀要(教育学部)』五八巻二号。

小林聡(二〇一九)「河西出土文物から見た朝服制度の受容と変容――魏晋・五胡期、胡漢混淆地帯における礼制伝播のあり方」関尾史郎・町田隆吉編『磚画《せんが》・壁画からみた魏晋時代の河西』汲古書院。

佐川英治(二〇一七)「鄴城に見る都城制の転換」窪添慶文編『魏晋南北朝史のいま』勉誠出版。

佐藤大志(二〇〇三)『六朝楽府文学史研究』渓水社。

妹尾達彦(二〇〇一)『長安の都市計画』講談社選書メチエ。

谷川道雄(一九九八)『増補 隋唐帝国形成史論』筑摩書房。

戸川貴行(二〇一四)「僑民の土着化と文化の変容――『世説新語』を手がかりとしてみた」『東洋学報』九六巻三号。

戸川貴行(二〇一五a)『東晋南朝における伝統の創造』汲古書院。

戸川貴行(二〇一五b)「東晋南朝における民間音楽の導入と尺度の関係について」『東洋史研究』七三巻四号。

戸川貴行(二〇一五c)「漢六朝における国家儀礼の関係性について――食挙楽・祖宗頌歌の併存から宗廟・郊祀間の雅楽通用へ」『日本秦漢史研究』一六号。

戸川貴行(二〇一六a)「隋文帝「亡国の音」考――中国古代における新音程の正統化」『歴史学研究』九四五号。

戸川貴行(二〇一六b)「大中小祀の成立――北朝の楽曲編成からみた」『中国――社会と文化』三一号。

戸川貴行(二〇一八)「南北朝における天下の中心について」『唐代史研究』二一号。

戸川貴行(二〇二〇)「華北における中国雅楽の成立――五~六世紀を中心に」『史学雑誌』一二九編四号。

中村圭爾(二〇一三)『六朝政治社会史研究』汲古書院。

西嶋定生(一九八三)『中国古代国家と東アジア世界』東京大学出版会。

目黒杏子(二〇〇八)「後漢郊祀制と「元始故事」」『九州大学東洋史論集』三六号。

六朝楽府の会編著（二〇一六）『隋書』音楽志訳注』和泉書院。

渡辺信一郎（二〇一三）『中国古代の楽制と国家――日本雅楽の源流』文理閣。

陳寅恪（二〇〇一）『陳寅恪集 隋唐制度淵源略論稿・唐代政治史述論稿』生活・読書・新知三聯書店。

田余慶（二〇一一）『拓跋史探（修訂本）』生活・読書・新知三聯書店（田中一輝ほか訳『北魏道武帝の憂鬱――皇后・外戚・部族』京都大学学術出版会、二〇一八年）。

閻歩克（二〇〇九）『服周之冕――『周礼』六冕礼制的興衰変異』中華書局。

楊蔭瀏（二〇〇九）『楊蔭瀏全集』第二巻、江蘇文芸出版社。

集点 Focus

東南アジア世界と中華世界

桃木至朗

序　この章の課題と目的

この章の役割は、二〇世紀末に刊行された前回の講座世界歴史やその直後に出た『岩波講座東南アジア史』(全九巻+別巻、二〇〇一—〇三年。モンゴル時代以前は最初の二巻)などを踏まえつつ、その後現在までの新しい研究成果を紹介し、四—八世紀の東南アジア史の見取り図を提示することにある。ただし前回の第6巻に対応して、今回のシリーズでも一五世紀以前の南アジア・東南アジアを扱う巻が別にあり(第4巻)、その東南アジア部分の土台をなすような碑刻文と美術史・考古学に関する共同研究の、七—一〇世紀の重要事項年表を含む報告書も公表されているので(深見編 二〇一六)、域内の時期・地域ごとの変動はそちらで比較的詳しく叙述されるはずである。したがって、「漢文読み」で前回は三—一三世紀の中華世界の南方との関係について第9巻に執筆した筆者としては、やはり中華世界との関係や漢籍史料に焦点を当て、概説というより史学史ないし研究入門風の文章を綴るのが適切と考える。筆者の近年のエフォート率の配分や本シリーズの趣旨から考えると、「わかりにくい」とされがちな東南アジア史について、旧来の構図や説明の何が問題か、新しい教育内容はどうあるべきかを他分野の研究者だけでなく高校教員にも理解していただく手がかりの役を、本章がつとめられれば幸いである。

ところで、東南アジアの四–八世紀を一つの時代と見なすことは不可能ではないが、その時期だけで本巻や本シリーズの構成に見合った重みのある論考を書くほどの材料があるかどうかは疑わしく、前後の時代にまたがる叙述が不可避になるだろう。特に、筆者の狭義の専門は一〇–一四世紀のベトナム史であるが、八–一四世紀の東アジアを扱う第七巻では、日本におけるその時期の東アジア世界史(東部ユーラシア史)の多くと同様に、東南アジアに関心を示さない。そのため本章では編者の許可を受けた上で、九世紀以降のいわゆる唐宋変革期の東南アジア史についてやや詳しく言及させていただく。なお本章で紹介する新発見などの個別例は、筆者が専攻する北部・中部ベトナムに偏る。これを補うものとして、上記報告書(編者の深見は漢籍にも詳しい)以外にも日本語で書かれた国・地域や領域別の著書・論文が色々出ており(カンボジアで〔石澤 二〇一三〕のほか〔北川 二〇〇六〕、タイの〔飯島・小泉編 二〇二〇〕、美術史の〔肥塚編 二〇一九〕が特に重要)、英語圏ではリードの東南アジア通史(リード 二〇二一)が、一冊本の中に多くの個別論点を盛り込む。

一、「インド化された諸国の古代史」の刷新

最初に、東南アジア史にかかわるパラダイムの変遷を整理しておこう(桃木 二〇〇一、二〇〇九、桃木ほか編 二〇〇八)。史上初めて東南アジアという地政学的単位が世界に認知された第二次世界大戦前後の時期に、各国史を超えて学界が共有したヨーロッパ進出以前の枠組みは、「古代」の「インド人植民地」ないし「インド化された諸国 Indianized states」の歴史であった(「中国式国家」ベトナムの場合は、地理的に東南アジアに位置するが歴史・文化的には東アジアの一部と見なされた)。現地語による文字史料がひどく少ない中で組み立てられたその歴史像(最も包括的な著作は〔Cœdès

1964、英訳 1968〕は、サンスクリットなどインド系文字による碑刻文と漢籍、建築・美術様式などの研究を土台とするもので、日本の東洋学・東洋史の学界において昭和初期から活発化した「南方史」や「南海東西交渉史」の枠組みを介して、戦後日本の世界史教育にも強く影響した。

ただ、文字史料が乏しい中で東洋的専制概念その他古いオリエンタリズムの残滓を引きずりながら組み立てられた「インド化された諸国」の歴史像は、植民地史観の克服が目ざされマルクス主義やアメリカ式近代化論などの社会科学的方法が主流となった二〇世紀半ばの世界の歴史学界では、ごく周辺的な地位しか与えられなかった。それが組み込めなかった「国家を持たない人々」の広範な存在は、東南アジアやアフリカを「歴史なき地域」と見なす偏見の温存に手を貸した。東南アジアがようやく歴史学界の完全な市民権を獲得したのは、米日の「東南アジア地域研究」や文化人類学、農学・生態学、海域史、それらにもとづく新しい国家論などの成果が注目され、『ケンブリッジ東南アジア史』(Tarling (ed.) 1992)が出版された一九九〇年前後のことだった。日本では上記の『講座東南アジア史』と、同時期の『山川世界各国史』(池端編 一九九九)などが出た二〇〇〇年前後が画期とも言える。それらにおいては、インド化史観の脱構築が進み、英語圏では受け身のイメージが強い Inidianized に代えて現地側の主体性やローカライゼーションを含みうる Indic の語を用いることが一般化した。他地域の専門家が東南アジアを「よくわからないが特段理解する必要もないマイナーな地域」と見なし続けることは批判を免れない段階が、ここに到来した。その間のASEAN諸国の経済成長と地域統合の成果が、こうした学界の動きを後押ししたことは言うまでもない。タイやフィリピン、ベトナムを先頭に、世界レベルの研究者も次々現れ、各国語で発表される成果も増加した。域外の研究者がそれらを読み、また対象地域の言語で成果を発表することも当たり前になった。

二一世紀にはさらに新しい展開が見られた。「世界でここにしかない東南アジアの個性」を追求した東南アジア地域研究の成果は、中華世界と華人ネットワーク、海域アジア史(桃木・山内・藤田・蓮田編 二〇〇八、羽田編 二〇一三など)やグローバルヒストリーといった、より広域の枠組みへの位置づけを求められるようになった。都城研究や水中考古学を含む歴史時代考古学の大発展など、新しい研究領域も広がった。考古学(雑誌『東南アジア考古学』の充実を見よ)や美術史では、理系的方法の影響も無視できない。また二〇世紀末から、各国の公定史観の書き直しが進んだことも大きな変化である。それを可能にしたのは、世界の学界の国民国家批判や広域史の潮流だけではない。支配民族だけの固いナショナリズムへの批判が「多様性の中の統一」を誇る柔らかいナショナリズムに回収されてしまう可能性は常にあるにせよ、東南アジア各国の「自国史」が多元化したのである。たとえばタイ国内では、(雲南から南下したタイ人による?)スコータイ朝からアユタヤ朝・ラタナコーシン朝に至る単線的歴史が見直され、現在のタイ王国の領域内にあったモン・クメール系やマレー系の諸勢力の歴史がタイ史の一部と見なされるようになったし、同様にベトナム国内では、北部のドンソン文化を基盤に発展したキン族社会だけでなく、中部のサーフィン文化を基盤としたチャンパー、メコン下流の文化を基盤とした扶南などの歴史がベトナム史の複数の源流と評価されるようになった。最後に、近年では世界の学界で、山地民などの「意図的に国家から距離を置く世界」(ゾミア)に着目する議論(スコット 二〇一三)が幅広い影響を与えている。

なおここで、新しい研究を進めるために注意すべき点を二つあげておきたい。第一は漢籍史料の使い方である。中国・台湾などそれぞれの政策も背景にしつつ研究が活発化した中国語圏(『海交史研究』ほか多くの雑誌がある)など東アジアの学界は、漢籍そのものには強いが、地域研究的な現地事情・現地語の理解が相変わらず弱い。一方東南アジア史側では、漢籍(やインド古典)に通じた研究者がひどく少ない。結果としてどちらも、かつての東西交渉史全体が陥りがちだった、漢籍と現地語史料(東南アジアではサンスクリット語碑文)などの無理な接合による「ああも言える、こうも言える」式の推論の繰り返しから脱却しにくい。

第二は、二〇世紀末に広がった交易史と海域ネットワーク論が、南方諸国の中国への朝貢はすべて交易目的であったかのような議論をしがちだった点である。それは、水力社会論と東洋的専制論や素朴な中国中心主義、農民と土地制度しか見ない通俗マルクス主義などの古い歴史観を批判し、後述するように農業基盤を強く支配できない王権にとっての交易の意義に光を当てるうえでは、たしかに有効だった。だがそれがシンボリズムと威信や文化的・思想的ヘゲモニーの研究(文化の政治性の研究)に目をつぶった場合には、容易に「タダモノ論」に堕する危険をもつ。その場合、南方諸国の朝貢はあくまで形式に過ぎず中華帝国の威信に服していたわけではないという立論は、日明貿易に関して日本の中学・高校で一般的な「朝貢形式で貿易を行った」という説明と同様、中国に対する自律性を強調したい各国のナショナリズムや、その寄せ集めという意味でのＡＳＥＡＮの地域主義に奉仕する役割を担うだろう。一国史を超えるはずのネットワーク論も、そこに回収されかねない。一国史の罠は至る所に仕掛けられている。

二、「マンダラ国家」群の形成(四―八世紀)

本章で扱う時期の歴史像と解明すべき課題の基本線は、冒頭で挙げた各講座ですでに示されているが、その後も考古学などの発見とそれによる定説の見直しは続いている(世界の考古学の研究動向は(Bellwood and Glover (eds.) 2004; Higham 2014 など)。東南アジアでは紀元前一〇〇〇年紀までに水稲耕作と金属器文化が根を下ろし、紀元前後には、ビルマとフィリピンを除く広い範囲でのドンソン銅鼓の運搬と現地生産が示すような域内の交流も日常化していた。同じ時期に「海のシルクロード」や雲南経由の「西南シルクロード」が開通し中国やインドとの交流が活発化すると、東南アジアの特産品や交通ルートだけでなく港市や階層化された社会の存在が、中国史料や考古遺跡と遠隔地交易の遺物を通じて知られるようになる。紀元後数世紀間に成立した「国家」のうち、メコンデルタを拠点にタイ湾を渡ってマレー半島中部港市群を押さえた扶南(三国時代に呉との交渉が成立)、ベトナム中部に成立した林邑(後漢末に日南郡から自立。六〇〇年ごろからチャンパーと自称)などは、日本の世界史教科書でもおなじみである。

ただし英語圏の学界では、扶南がインド移民を建国者とするような「インド化」の結果として成立したという理解を否定するだけでなく、紀元後初期に本当に扶南という社会科学的な意味での「国家」が存在したかどうかについても懐疑的である。中国人が国家だと思い込んだものは、実際は「首長制」社会に広がった交易やバラモン教・仏教など宗教のネットワークの集合体だった可能性は小さくない。他方、同じくインド化の結果として建国されたように考えられてきた林邑については、後にチャンパーの中心となる現在のベトナム・クアンナム省のチャーキュウ都城址とその周辺において、四世紀以前の中国系遺物が大量に発見されたことから、紀元前後に発展した金属器文化であるサーフィン文化の上に国際的な交易・交流と中国文明の影響などが重なって林邑が成立したという理解が、現在の通説となっている。もっともチャーキュウが初期林邑の都(中国史料の典沖)だったというはっきりした証拠はない。中国史料の林邑(主な住民はオーストロネシア系よりモン・クメール系かもしれない)はハイヴァン峠以北のフエ地域にあり、それが四〇〇年前後からサンスクリット碑文などを作り始めるクアンナムの初期チャンパーによって併合されたのだというスタインの仮説(Stein 1947)は、いまだ論破されてはいない。

東南アジアで、島嶼部も含めて仏教・ヒンドゥー教やサンスクリット語などインド文明の系統的な摂取が始まり、インド系の文字で表記したサンスクリット語などの碑刻文を残すようになるのは、おおむね四世紀末以降のことである。国家の定義次第ではあるが、むしろこの時期以降の動き(セデスが第二次インド化と呼んだもの)が、東南アジアに「首長制」や「初期国家」を超えた一般的な意味での国家を成立させたと考えるのが良さそうに思える。その過程は現在の学界では、「サンスクリット・コスモポリス」(Pollock 2006)というべき文明圏の拡大ととらえられる。東晋末頃の事情を述べる段で扶南が「制度を改めて天竺の法を用いた」とする中国の『梁書』の記述と、近年の考古学調査の結果からオケオがもっとも発展したのは四—七世紀段階と見られる事実も、こうした理解を補強する。

湿潤熱帯に位置する東南アジアの建築物は、近代まで木造が主流だった。ところが七、八世紀ごろから、内陸の平原(真臘、ドヴァーラヴァティ、ピューや後のパガン)ないし火山麓の盆地(ジャワ)に築かれた農業基盤の生産力と人口に立脚する諸国家が、石やレンガでヒンドゥー教・仏教などの宗教建築を造る動きが活発化する。大陸部では土塁や堀をもつ大規模な都市も増加する。雨季と乾季の差が大きいこれらの地域で稲作は通常雨季だけに行われた。雨季の高い生産力と乾季に労働力を動員するシステムの組み合わせが、それらの大規模建築を可能にしたのだろう。ただしそれらの農業国家が、熱帯雨林の中の点としての港市国家(マレー半島横断ルートに代わって東西交易の主流となったマラッカ海峡を支配したシュリーヴィジャヤが代表的。航路の「線」も支配する。しかし巨大宗教建築はほとんど残さない)には困難であるような、広域の面的支配を実現していたとは考えられない。文化人類学においては早くから、東南アジア国家の組織としての実態は首都のみに存在し、首都は「呪的中心」ないし「模範的中心」として周辺地域の首長たちと儀礼や婚姻を通じた関係を結ぶだけだったと理解されてきた。巨大建築を残したのは王権の強さそのものというより宗教ネットワークの強さ(それに頼ってはじめて王権が神聖化でき農村を含む経済・社会もコントロールできる)だったかもしれず、かつまた周辺においては、「国家」と「ゾミア」の遷移帯と言えるような空間が広がっていただろう。一九七〇年代以降に農業国家と交易国家の双方を包摂するものとして流行した「東南アジア的」国家論ないし王権論も、たとえば古代史家ウォルターズのマンダラ論(Wolters 1999)に示されるように、国家なき(首長制)社会の「ビッグマン」のあり方と、多数の地方首長の上に君臨する上級君主(overlord)の権力を同型のものととらえていた。

官僚制・法制や身分など制度の役割は最小限で、君主個人のカリスマとそれにもとづく支配層の二者関係の連鎖が最大限の力を発揮した、不安定な権力と、中心の移動や勢力範囲の伸縮を繰りかえす領域というマンダラ権力のモデルは、東南アジアにおける国家の原像として広く受け入れられたが、それが東南アジア全地域の全時代をカバーする超歴史的なパターンとして提起された点は、さまざまな異論を呼び、時代による変化と地域ごとの偏差が論じられた。

たとえばチャンパー(林邑時代を含む)については、これを地方勢力の連合体と見なす見解が一九八〇年代から一般化した(Trần Kỳ Phương and Lockhart (eds.) 2011 ほか)。そこではシュリーヴィジャヤ研究と同様に中心の複数性と地方勢力間の覇権交替が想定されていたが、より最近の研究をまとめた論集(Griffith, Hardy and Wade (eds.) 2019)では、現クアンガイ省やフーイエン省などクアンナム以外の地方権力の研究が深められる一方で、後述する新たな碑刻文研究と、同型の地方権力群の儀礼的統合および分裂のメカニズムを説明するインド史などの「分節国家論」を利用して、有力な王たちの時代には常に、クアンナムを中心とする統一国家の側面が発現していたことが、あらためて強調されている。

以上のIndicな諸国家だけでなく、漢代に中国の支配下に組み込まれた北部ベトナム(交州)についても、考古遺跡や文物の発見が相次いでいる。前漢の交趾郡治ルイラウ(嬴𨻻《れんろう》)に比定され後漢末の士燮《ししょう》政権の本拠とも見なされてきた現バクニン省のルンケー城址(遺物は二—六世紀)が、後漢代に設置された竜編県に比定されるべきであることが、西村昌也の発掘と文献考証によって証明された(西村 二〇一一)。他方ハノイでは、二〇〇二年に都心で発掘され二〇一〇年に主要部分がユネスコ世界遺産に指定された「タンロン皇城遺跡」で、一〇一〇年の建都以前の層からも多くの遺構・遺物が発見されており、最下層の建築址は七世紀の交州総管府ないし安南都護府に遡ると見られる(初期の代表的研究が日越対訳の論集[Nguyễn Quang Ngọc, Momoki (eds.) 2012]にまとめられているほか、『考古学 *Khảo cổ học*』誌上に現在も新発見の報告が相次ぎ掲載されている)。また、唐代までの北部ベトナムで造られた碑刻文は隋末(六一八年)の一点しか知られていなかったが、近年、二基の碑文がルンケー城址の近傍で相次いで発見され話題を呼んだ。二〇〇四年に発見された「舎利塔銘」は、隋の文帝が仁寿元年(六〇一)に全国に建てさせた舎利塔の一つの碑銘である。次に二〇一三年には、西晋の交州牧だった陶璜《とうこう》を記念した「晋故使持節冠軍将軍交州牧陶列侯碑」(碑陽は三一〇年代半ばの作。碑陰は四五〇年の追刻)が発見されている。いずれもベトナムのファム・レー・フイが精力的に研究するほか、前者では河上麻由子(二〇一三)、後者では新津健一郎(二〇一八)など日本の若手が研究に着手しており、「北属期ベトナム」在地社会における政治・社会変動、そこにおける漢人勢力と土着勢力の絡み合いなどのテーマに新しい光が当てられることが期待される。

「インド的国家」の対中関係をめぐる二つの謎

この北部ベトナムの状況を含め、六朝時代の中国と東南アジア・南海諸国との関係については究明すべき課題がなお多い。たとえば『岩波講座東南アジア史』第1巻(山形真理子・桃木「林邑と環王」)ですでに論じた通り、三世紀中葉に始まる林邑の北進に対して、東晋・劉宋代には中国側も交州刺史などがたびたび出兵して、三五七年や四四六年には林邑の国都を陥落させている。すると大明年間(四五七—四六四年)以降の林邑は南朝宮廷に頻繁に遣使朝貢し、范諸農(四九二年)から高式律陀羅跋摩(五三〇年)に至る各王が「持節・督縁海諸軍事・安南将軍(もしくは鎮南将軍、綏南将軍)・林邑王」といった称号を得る。他方、五〇三年には扶南の闍邪跋摩が「安南将軍・扶南王」の称号を得る。「倭の五王」と朝鮮半島の諸国家の君主が「安東将軍」などの称号を争ったのと似た事態が想像できるだろう。林邑は隋代にも交州道行軍総管劉方の遠征(六〇五年)によって都を陥され、唐代前期から八世紀中葉まで頻繁に朝貢する。そこには対中貿易や隣接国間の権力争いを有利に導く目的があっただろうが、林邑の場合特に、中国朝廷と直結することにより交州の圧力を封じる意図があったと推測できないだろうか。たとえば晋代の交州や隣接する広州・寧州(雲南・貴州方面)などでは、土着の「州人」が北からの僑民と対立しつつ刺史の廃立を行う例がしばしば見られた(新津二〇一八:二九—三五頁)。つまり交州は後漢末の士燮政権以後も、中国領といっても自治領的な状況にあり、朝廷からは独立して東南アジア大陸部や南海交易ネットワークのプレイヤーとして動くことが多かったと思われる。すると、そうした「属領」の勝手な動きを抑えようとする朝廷と他の「朝貢国」が手を結ぶというパターンも、異とするに当たらない。問題はそれが東南アジア側における「インド化」の本格化と並行していることである。イスラーム商業ネットワークが東南アジア海域から南シナ海まで広がった八世紀前後から、東南アジアにヒンドゥー教・仏教の巨大宗教建築の時代が始まることとあわせて、東南アジアには政治・経済的な覇権とは別の文明(宗教)を導入することで両者のバランスを取ろうとするベクトルが働いていたと見るのは、妄想だろうか。

もう一つの課題は、六朝・隋唐期中国に蓄積された、南方に関する諸情報である。中でも最大の「謎」は、南朝正史が記録する「海南諸国」や天竺からの上表文(提出後に漢訳されたもの)にある。婆利国(五一七年)の上表文前半部が訶羅陁国(四三〇年)のそれとほぼ同文であるなど、崇仏で名高い梁武帝に対する東南アジア・インドからの上表文の多くが、劉宋・南斉代の上表文から仏教的表現を流用しており、一部は「梁職貢図」に残された西域諸国からの上表文と共通の表現も含む。南朝正史が南方からの上表文をまめに採録した背景には、北朝に対抗して正統性を主張する政治姿勢が反映しているが、そこで役立つ前例を踏まえた「翻訳」については、梁の官僚の作為とする説と、扶南(建康で訳経に従事した僧侶の存在や仏髪献上の記録あり)の関係者の介在を想定する説がある(河上 二〇一一のほか、鈴木・金子編 二〇一四所収の新川登亀男「「梁職貢図」と『梁書』諸夷伝の上表文」および河上麻由子「「梁職貢図」と東南アジア国書」)。どちらにせよ南方の通交のハブとしての扶南の位置は認めてよいし、朝貢の背後に仏僧や海商、南朝側担当官などの演出があったという推測も、宋元代・明清代の南方や日本との通交に関する近年の研究動向に照らせば、十分可能だろう。また、両宋期の南方からの朝貢についてその媒介者や通訳と文書の翻訳過程などを研究した遠藤総史(遠藤 二〇二二)は、タイ湾沿岸の真里富国が新洲(現在のビンディン省にあったチャンパーの都ヴィジャヤ)で「大朝(中国)の消息」を得ていたという『宋会要輯稿』の記事を紹介する。そもそも非漢族社会の海に浮かぶ「植民地都市」であった唐代以前の広州や交州(漢代の日南郡を含む)が中国の「窓口」の役割を果たしていたとすれば、林邑・占城のチャーキュウやヴィジャヤが、またオケオなどの扶南の港市が同様の役割を担うことも、その主導権の所在は別として、不思議ではない。

三、「憲章時代」の東南アジアと唐宋変革(九―一四世紀)

『岩波講座東南アジア史』第1巻の総説で桜井由躬雄は、紀元前千年紀から後一〇世紀までに形成された東南アジアの諸「歴史圏」がその後の各歴史圏への連続性をもたないことを指摘した。単純化して言うと、西暦第二千年紀の諸国家の記憶の中に残っていないのである。逆に九―一四世紀の諸国家は、現存する近世の歴史叙述の中にその多くが姿を見せる。九―一四世紀を英語圏では「古典時代」と呼んできたが、東南アジア大陸部を基準とするユーラシアの政治・文化統合の比較史を書いたビルマ史家リーバーマン(Lieberman 2003, 2009)は、八〇〇年前後から一四世紀前後までの数世紀間を、東南アジアのほか日本・東欧・西欧などユーラシア周縁部(遊牧民の恒常的な影響下に歴史が展開する中国・南アジアなどの exposed zone とは対照的な protected zone の諸地域)で一斉に、その後の「近世 early modern era」に連続する宗教・政治・行政などの基本型が成立した「憲章時代 Charter Era」と呼んだ。

憲章時代の東南アジアについて、リーバーマンはビルマのパガンをはじめ、アンコール期のカンボジアとチャンパー(いずれも近世には衰退するが)、北部ベトナムの大越、さらに島嶼部のシュリーヴィジャヤやジャワ諸王朝などの諸国家(憲章国家)の統合のあり方を、農業開発や交易の状況を含めて細かく検討した。当初その多くは首都以外に対しては名目的・儀礼的な統治を行うだけの「太陽政体」に過ぎず、エスニックな凝集度も低かった、東南アジア大陸部でより面的な政治統合や垂直的(支配層と被支配層の間の)および水平的な(首都・地方間の)文化統合が進むのは、「一四世紀の危機」を乗り越えた後の「近世」のことだとされる。なお「古典時代」論が包含していた一三世紀以降のタイ族諸国家を、リーバーマンはモンゴル帝国の東南アジア大陸部への軍事侵攻とその失敗を利用して憲章時代を終わらせた新勢力(カンボジアの「憲章」を継承した面ももつ)として描く。この点はむしろ、タイ族の勃興を「インド化された国家」の終焉に結びつけたセデスの理解と共通点をもち、それに対する反論も出されている(飯島・小泉編 二〇一九：第二章)。また巨大宗教建築(そこでは上智大学のアンコール遺跡調査保存など、考古・建築や文化財学の新たな活躍が著しい)の隆盛の背景にマンダラの帝国化を見る見解もあるが、むしろマンダラないし「太陽政体」における権威のあり方(強いのは王権一般でなく宗教と一部の王の個人的カリスマ)に注目すべきだろう。いずれにしても一三―一四世紀におけるカンボジアやパガンの衰退・解体の背景には、「一四世紀の危機」をもたらした気候変動(寒冷化があまり問題にならない東南アジア大陸部でも、南西モンスーンの弱まりによる雨季の降水量減少が農業生産力を低下させた)だけでなく、それ以前のカンボジアにおけるすべての建設事業を上回る大量の建築を一代で行ったカンボジアのジャヤヴァルマン七世(在位一一八一―一二一八年頃)に象徴される、資源や国家組織のキャパシティを超える建設事業や寺院への土地・人間の寄進があったと見るのが説得的である。

東南アジアの「憲章時代」は言うまでもなく、東アジアないし東部ユーラシアにおける「唐宋変革」の時代とほとんど重なり合う。その時期に中国が得た南海情報の多くをもたらしたムスリム・ネットワークの拡大や、中国商人の海上進出などを背景として、海上貿易が大発展したことも早くから知られており、大規模宗教建築を残したような内陸の農業国家も、港市や海陸の交易ルートの支配に力を入れたことが注目される。もっとも前節でも述べた中国側史料とその情報源や、一一世紀前後の各地に残されたタミル商人の活動の記録その他を見ると、貿易世界での主導権は各国家より商業ネットワークの側にあったようにも見える。いずれにしても近年では、水中考古学による沈船の調査・引き揚げや、その引き揚げ品を含む貿易陶磁器の研究が、貿易の具体像の解明に大きく貢献している。たとえば一九九八年にインドネシア・ブリトゥン島沖で発見された九世紀前半の沈船(中国では黒石号として知られる)はインド洋西部の縫合船で、インド洋以西の市場に向けたと思われる長沙窯などの大量の陶磁器や金製品、それに銅銭を積み込んでおり(Krahl et. al 2010)、陶磁器に含まれていたムスリム風の髭のある人物を描いたものや白地にコバルトで絵を描いたもの(モンゴル時代の染め付けの原型?・)が話題を呼んだ。

こうした交易の活況が定説の書き換えにつながった例は少なくない。たとえば「インド化」論と農業中心史観のもとで大越(ベトナム)やアンコール帝国(カンボジア)に一方的に押されて衰退の道をたどったとされていたチャンパーが、宋代南海交易の主役として見直されたことは再三紹介されてきたが、ヴィッカリーはさらに歩を進め、政治史でも大胆な新説を提起した(Trần Kỳ Phương and Lockhart (eds.) 2011 所収論文 "Champa Revised")。彼によれば一〇四四年、六九年に大越が攻めた占城の「都」は南方のヴィジャヤ(現在のビンディン省)ではなく旧来の中心であるクアンナムに造られたインドラプラと見られるし、チャンパーによるアンコール占拠とカンボジア王ジャヤヴァルマン七世によるその駆逐と理解されてきた一一七七—八一年の事件は、ヴィジャヤ統治に赴いていたジャヤヴァルマン七世のチャンパー兵を用いたアンコール攻撃と権力奪取のストーリーに読み替えられる。

島嶼部では深見純生(『岩波講座東南アジア史』第2巻の「海峡の覇者」ほか)が、宋代の代表的朝貢国である三仏斉をシュリーヴィジャヤ(単独の港市の名前)のアラブ語訛りのスリブザの音写と見なす定説を批判し、アラブ語のスリブザ(パーリ語のジャーヴァカやタミル語のシャーヴァカ、マルコ・ポーロの「小ジャワ」に対応するマラッカ海峡域の交易圏全体の地域呼称で、クダや単馬令=ナコン・シー・タンマラートなどマレー半島側にも中心がある)の音写とする、より説得的な説を提唱した。英語での発信が不十分なためこの説は海外で認められていないが、日本では最近の高校世界史教科書もこの方向に書き改められた。なお南宋代以降につぎつぎ編まれた「南海諸国ハンドブック」を代表する『諸蕃志』(一二二五年)三仏斉条の属国リストにパレンバンが含まれることは、三仏斉の中心都市(同じ南宋代の『嶺外代答』に言う南方各地域の「都会」)をパレンバン以外に求める理由にはならない。『諸蕃志』などの「属国」リストは、三仏斉のような港市連合やマンダラについて「それを構成する諸勢力(地域名)を列挙したリスト」だから、支配的な港市の名前が含まれていてもおかしくないのである(前回の『岩波講座世界歴史』第9巻の拙論「南の海域世界」を見よ)。

大越における唐の遺産と記憶

唐宋変革期の東部ユーラシア論やリーバーマンの憲章時代の比較史は、ベトナム(大越)の位置をも変えつつある。かつて東アジアの一部と見なされたベトナムは、一九八〇年代の東南アジア地域研究の発展や九〇年代のＡＳＥＡＮ加入を背景として、文化的・社会的にも東南アジアの一員だったことが強調されるようになった。近世の「小中華」的国家・社会(中国に対抗する「南の中華」)は、もともと東南アジア的だったベトナムの国家・社会が一〇世紀の独立後に「脱中国のための自己中国化」(桃木 二〇〇一ほか)を進めた——それはより「東南アジア的」な南方への領土拡大による「東南アジア性」の維持とバランスを取りつつ進められた過程ではあったが——結果として出現したものと見なされてきた。双系制的家族原理を背負った権力構造の中に中国的・儒教的な父系王朝を創り出した過程なども、その理解に合致するように見える。だが、全体はそれほど単純で一方向的な変化だったろうか。

本シリーズ第7巻で紹介されるはずの、唐末から「五代十国」をはさんで北宋に至る「中国史」(外部では東部ユーラシアの政治的多極化、内部では藩鎮系諸政権の位置づけを軸に学界での見直しが進められている。遠藤総史〔二〇二〇〕のまとめも見よ)の新しい理解から見れば、中華世界側から見た大越は、その多くが唐の後継者を自称した藩鎮系諸政権の一つとして出発したことになる。なおかつ当時の北部ベトナムは、キン族の祖先や、宋代中国には儂智高の反乱の記憶を残すタイ語系の諸勢力、さらにチャンパー系の住民などを含む多元的な世界だった(桃木 二〇一一、Anderson and Whitmore (eds.) 2015)。漢字文化圏の内部で中華帝国から離れて独自の小帝国を形成しようとした側面を見るには、高麗や中世前期の日本との比較も有効なはずである(桃木 二〇一一、三谷・李・桃木 二〇一六)。

大越の国制に関する唐の遺産についての具体的な研究は、長らく法制史の領域でのみ行われてきた。一〇世紀以来の法典編纂の過程は詳細不明だが、その積み重ねの上で一五世紀黎朝が編纂した「国朝刑律」は、明律でなく唐律に由来する多数の条文を有する（八尾隆生による画期的な校合本（八尾編 二〇二〇）を見よ）。それに対し、李朝が一〇一〇年に建設した当初の都城昇竜（タンロン）については、朝政の場である乾元殿とその前方の五鳳星楼など宮殿のネーミングと配置が、唐代後期の洛陽や北宋の開封をモデルにしていることが明らかにされた（Phạm Lê Huy 2012）。これを含む一一世紀までの大越での唐的な文化の継承と変容については河上麻由子（二〇二一）が論じている。

関連して注目されるのは、皇帝の妻・母や娘と並んで「マンダラ」的な初期の政権を支えていた近臣たちの肩書きである（Momoki 2016）。官制の中国との比較も研究が遅れているが、編纂史料からも李朝の宰相クラスの官爵は唐代後半から宋初のそれに近いことが知られる。より詳しい情報を伝えるのは金石文で、幼帝仁宗の即位に伴う混乱を聞いた王安石の出兵（一〇七五―七六年）を霊仁皇太后の聴政のもとで見事に撃退した名将李常傑（一〇一九―一一〇五年。宦官とされる）は、「安獲山報恩寺碑記」（一一〇〇年）によれば最晩年に「推誠協謀保節守正佐理翊戴功臣・守中書令・開府〔儀〕同三司・入内内侍省都都知・検校太尉・兼御史大夫・遥授諸鎮節度使・同中書門下平章事・上柱国・天子義弟・開国上将軍・越国公・食邑一万戸・食実封四千戸」の肩書きを有した。また一二世紀半ばに幼帝英宗の母である感聖皇太后と組んで政権を握った武臣杜英武（一一一四―五九年。李常傑を強く意識している）は「古越村延福寺碑銘」（一一五七年）に「推誠協謀保節守正佐理翊戴功臣・守尚書令・開府〔儀〕同三司・入内内侍省都都知・検校太尉・兼御史大夫・遥授諸鎮節度使・同中書〔門〕〔下〕平章事・上柱国・天子賜〔姓〕・〔輔〕〔国〕上〔将〕軍・元帥〔大〕都〔統〕・〔食〕〔邑〕一〔万〕〔戸〕・食実封四〔千〕戸・越国公」の肩書きを残す（漢文はすべて新字体に直した）。

二人はどちらも、功臣号に始まり散官（開府儀同三司）と職事官（守中書令と守尚書令。ただし唐の後半以降は宰相の職名としては名目化している）、兼官（御史大夫）・検校官（名目的な高い地位に就ける際の表示）・勲官（上柱国）や節度使職（おそらく宋的な名誉職）、将軍号（これはおそらく唐的な実態を有する）などの称号をあわせもち、唐代後半から王安石の元豊改革までの中国で宰相職を表した同中書門下平章事も帯びる。散官の品級が職事官より高い際の「守」という表示も、これらの肩書きが単なる美称の羅列でなかったことを推測させる。他方、学士・編集など文人官僚的な称号はもたない。類似の官爵を与えられた地方首長などの場合に見えない称号を探すと、この二人の権力を真に示すのは内官のトップとしての「入内内侍省都都知」の肩書き（宋で一〇〇六年に設置された入内内侍省の長官で、官品は従五品だが「内宰相」と呼ばれる権力を有したとされる）であるように見える。杜英武が宦官ではないらしい点は、内官イコール宦官ではなかった高麗を思い出させるが、禁軍を握る内官が政権を動かす唐代後半的な状況と、それに合致した唐代後半―北宋前期をモデルにした官爵システムをこれらの史料から見出しても大過なかろう。大越の憲章国家建設における唐の遺産と宋が構築する新しい国際秩序（遠藤 二〇二〇）の影響は軽視できない。

次の陳朝でも近侍官が主導する権力構造はなかなか変わらないが、そこでは宦官より書記官系の文人の役割が次第に大きくなり、彼らによって「北国＝中国と対等な南国つまり南の中華帝国」というイデオロギーと歴史が徐々に練り上げられる（桃木 二〇一一：第四章）。李朝末期からの大越官制は、元豊・政和の官制改革の影響を受ける（Phạm Lê Huy 2017）。こうして「唐の後継者を自称する藩鎮系政権」の記憶は忘れ去られてゆく。唯一残ったのが、安南都護府を南詔から奪回しタンロン都城の原型となる「大羅城」を築いた節度使高駢（高王と称したらしい）の記憶かもしれない。一四世紀の『越甸《えつでん》幽霊集』で彼が李朝の皇帝をたびたび助けたことが記録される一方、おそらく一四世紀に始まる風水説話群（明の征服時にすでに知られ、一八世紀以降には多種のテキストが生み出される）では、彼は都護府（タンロン）をはじめ各地の風水をくまなく調べて記録し、そこに「王気」が存在すれば（唐皇帝のために）自らの術でこれを鎮圧しようとしたことが物語られる（桃木 二〇一一：第四章、ファム・レ・フイ 二〇一四）。唐の遺産と記憶を含め、憲章時代の大越を東部ユーラシア史に位置づけ直す仕事は、まだ多くの研究課題を残している。

参考文献

飯島明子・小泉順子編(二〇二〇)『世界歴史大系 タイ』山川出版社。

池端雪浦編(一九九九)『東南アジア史Ⅰ・Ⅱ』(世界各国史 五・六)山川出版社。

石澤良昭(二〇一三)『〈新〉古代カンボジア史研究』風響社。

石澤良昭ほか編(二〇〇一)『岩波講座東南アジア史 2 東南アジア古代国家の成立と展開』岩波書店。

遠藤総史(二〇二〇)「宋代の冊封・朝貢の理念と実態」大阪大学提出博士学位論文。

遠藤総史(二〇二一)「宋代の朝貢と翻訳――南の海域世界との関係を中心に」『東方学』一四一輯。

河上麻由子(二〇一一)『古代アジア世界の対外交渉と仏教』山川出版社。

河上麻由子(二〇一三)「ベトナムバクニン省出土仁寿舎利塔銘、及びその石函について」『東方学報』八八号。

河上麻由子(二〇二一)「唐滅亡後の東アジアの文化再編」吉村武彦・吉川真司・川尻秋生編『シリーズ古代史をひらく 国風文化 貴族社会のなかの「唐」と「和」』岩波書店。

北川香子(二〇〇六)『カンボジア史再考』連合出版。

肥塚隆編(二〇一九)『アジア仏教美術論集 東南アジア』中央公論美術出版。

桜井由躬雄ほか編(二〇〇一)『岩波講座東南アジア史 1 原史東南アジア世界』岩波書店。

スコット、ジェームズ・C(二〇一三)『ゾミア 脱国家の世界史』佐藤仁監訳、池田一人ほか訳、みすず書房。

鈴木靖民・金子修一編(二〇一四)『梁職貢図と東部ユーラシア世界』勉誠出版。

妹尾達彦ほか(一九九九)『岩波講座世界歴史 第9巻 中華の分裂と再生』岩波書店。

新津健一郎(二〇一八)「ベトナム・バクニン省所在陶列侯碑と三国・西晋期の交州社会――三・四世紀の嶺南・北部ベトナム地域社会に関する事例分析」『中国出土資料研究』二二号。

西村昌也(二〇一一)『ベトナムの考古・古代学』同成社。

羽田正編・小島毅監修(二〇一三)『東アジア海域に漕ぎだす 一 海から見た歴史』東京大学出版会。

ファム・レ・フイ(二〇一四)「ベトナムにおける安南都護高駢の妖術 その幻像と真相について」水口幹記編『古代東アジアの「祈り」――宗教・習俗・占術』森話社。

深見純生編(二〇一六)『東南アジア古代史の複合的研究』二〇一三―一五年度科学研究費(基盤研究(B))報告書(課題番号 25284140)。

三谷博・李成市・桃木至朗(二〇一六)「「周辺国」の世界像――日本・朝鮮・ベトナム」三谷博『日本史のなかの「普遍」』東京大学出版会、二〇二〇年所収。

桃木至朗(二〇〇一)『歴史世界としての東南アジア』第二版(初版一九九六年)、山川出版社。

桃木至朗(二〇〇九)『わかる歴史・面白い歴史・役に立つ歴史――歴史学と歴史教育の再生をめざして』大阪大学出版会。

桃木至朗(二〇一一)『中世大越国家の成立と変容』大阪大学出版会。

桃木至朗ほか編(二〇〇八)『新版 東南アジアを知る事典』平凡社。

桃木至朗・山内晋次・藤田加代子・蓮田隆志編(二〇〇八)『海域アジア史研究入門』岩波書店。

八尾隆生編(二〇二〇)『大越黎朝国朝刑律』汲古書院。

山崎元一・石澤良昭ほか(一九九九)『岩波講座世界歴史 第6巻 南アジア世界・東南アジア世界の形成と展開』岩波書店。

リード、アンソニー(二〇二一)『世界史のなかの東南アジア 歴史を変える交差路 上下』太田淳・長田紀之監訳、青山和佳・今村真央・蓮田隆志訳、名古屋大学出版会。

Anderson, James A. and John K. Whitmore (eds.) (2015), *China's Encounters on the South and Southwest: Reforging the Fiery Frontier Over Two Millennia*, Leiden and London, Brill.

Bellwood, Peter and Ian Glover (eds.) (2004), *Southeast Asia: From Prehistory to History*, New York, Routledge.

Cœdès, George (1964), *Les États Hindouisés d'Indochine et d'Indonésie*, Paris: E. de Boccard. (初版 1944 ハノイ、第二版 1948 パリ。1964 年版の英訳が W. Vella (trans.), *The Indianized States of Southeast Asia*, Honolulu, The University Press of Hawaii, 1968)

Griffiths, Arlo, Andrew Hardy and Geoff Wade (eds.) (2019), *Champa: Territories and Networks of a Southeast Asian Kingdom,* Paris, École Française d'Extrême-Orient.

Higham, Charles(2014), *Early mainland Southeast Asia: From first humans to Angkor,* Bangkok, River Books.

Krahl, Regina et al. (eds.) (2010), *Shipwrecked: Tang Treasures and Monsoon Winds*, Washington, D. C., Arthur M. Sacker Gallery, Smithsonian Institution; National Heritage Board, Singapore; Singapore Tourism Board.

Lieberman, Victor (2003, 2009), *Strange Parallels: Southeast Asia in Global Context, c. 800-1830,* 2 vols, Cambridge, Cambridge University Press.

Pollock, Sheldon (2006), *The Language of the Gods in the World of Men, Sanskrit, Culture and Power in Premodern India*, Berkeley, University of California Press.

Stein R. A. (1947), "Le Lin-yi, sa localisation, sa contribution à la formation du Champa et ses liens avec la Chine", *Han-hiue, Bulletin du Centre d'Études Sinologiques de Pékin*, vol. II, facs 1-3.

Tarling, Nicholas (ed.) (1992), *The Cambridge History of Southeast Asia* (2 vols.), Cambridge, Cambridge University Press.

Wolters, O. W. (1999), *History, Culture and Region in Southeast Asian Perspective* (revised edition), Singapore, Singapore University Press (first edition 1982).

Momoki Shiro (2016), "Thử phân tích quan chế Đại Việt thời Lý thông qua tài liệu văn khắc", *Tạp chí Khoa học*, Đại học Quốc gia Hà Nội (*VNU Journal of Science*) Vol. 32, 1 S.

Nguyễn Quang Ngọc, Momoki Shiro (eds.) (2012), 『日越タンロン城関連研究論文集 *Selected Japanese-Vietnamese papers on the Thang Long Citadel; Nhật-Việt Tuyển tập bài viết nghiên cứu Hoàng thành Thăng Long*』 Tokyo: National Research Institute for Cultural Properties.

Phạm Lê Huy (2012), Ảnh hưởng mô hình Lạc Dương và Khai Phong đến qui hoạch hoàng thành Thăng Long thời Lý-Trần, trong Quỹ tín thác UNESCO—Nhật Bản. *Tòa đàm khoa học: Về Khu trung tâm hoàng thành Thăng Long*, Hà Nội, ngày 21 tháng 8.

Phạm Lê Huy (2017), "Hiện vật ấn 'Sắc mệnh chi bảo' nhìn từ tổ chức Hành khiển ty (Nội mật viện) thời Lý-Trần", *Khảo cổ học* 208.

Trần Kỳ Phương and Bruce M. Lockhart (eds.) (2011), *The Cham of Vietnam: History, Society and Art*, Singapore, NUS Press.

集点 *Focus*

チベット世界の形成と展開

岩尾一史

はじめに

本章では、七世紀頃からおよそ一一世紀頃までのチベットとその周辺の歴史について述べる。チベット高原にはじめての統一王朝が登場したのは六世紀末から七世紀初めにかけてである。隋からは附国《ふこく》と呼ばれたその国は、唐になると吐蕃《とばん》(古代チベット帝国)と呼ばれるようになる。この国家はチベット高原の様々な集団を配下に入れて勢力を拡大させ、さらに中央アジアへと進出を始め、そして建国以来九世紀半ばに至るまでの二世紀半ほどの間、君臨し続けたのである。この国家が登場する前にも、チベットの存在は外界に知られていないわけではなかったが、しかしチベット世界が東ユーラシア地域の国際政治へ明確に連結されるようになったのは、吐蕃以降である。

同時に、吐蕃も周囲の文明の影響を大きく受けた。軍事体制は明らかに北方の遊牧国家の影響を受け、また文字自体は南方のインド系文字を採用するも紙や墨の使用は中国から習い、さらに美術はソグド、ペルシアから、建築様式はネパール、コータンから影響を受けた。外界の影響を受けて完成した吐蕃の制度と文化は、後の時代へと受け継がれて独特のチベット文化へと継承されたのである。

吐蕃のときに国教となった仏教もその一つである。国家宗教として採用された仏教は、吐蕃崩壊後もゆるやかにつながる旧領域内で広く信仰され、後のチベット仏教の基盤となった。そしてチベット社会の基層にまで仏教が浸透し始めると、独自の権威と権力を持ち出した仏教教団は、その教線をチベット高原のみならず河西地域やさらには西夏《せいか》、そしてモンゴルにまで伸ばし、後には輪廻転生を前提とした化身ラマ制度を定着させた。こうして、かつては軍事大国として東ユーラシア地域に連結したチベットは、今度は仏教センターとして登場したのであった。本章では、吐蕃の勃興と崩壊、そして仏教が復興する時代までを概説したい。

一、吐蕃の興隆とその国家体制

チベット高原とそこに住む人々の存在は、吐蕃登場以前にも外界に知られていた。現在チベットの自称はbod（現代ラサの発音では「ポェ」）であるが、元来は高原のなかでも中央チベット地域のみを指したらしい。この自称を元にインド世界からはボータと呼ばれた。インドの情報はギリシアまで到達し、プトレマイオスもまたbautと記述している。『後漢書』に登場する「発」（発羌）もこの自称に由来すると考えられる。一方で、中央アジアのソグド人たちやテュルク人はチベットをtwp'ytやtöpütと記し、それがペルシア語、そしてアラビア語のtubbatなど、ヨーロッパにおけるthibetやtibetへとつながる。「吐蕃」はこの他称の系統に属する（Bazin & Hamilton 1991: 224; 武内 二〇二一）。

高原には西から東へ、そして南へと大河ヤルンツァンポが流れている。そのヤルンツァンポに南側から流れ込む支流ヤルルン川周辺は、「ギェル（rgyal、王者の意）であるプ氏（spu）」と自称する氏族（プギェル氏 spu rgyal）が支配していた。彼らと、そして東チベットのコンポにいた親族の集団（コン・カルポ）やチベットの東南部の諸勢力が後の吐蕃の中核となる。プギェル氏の始祖はニャティツェンポで、天からギャンド神山に降りてきたとされる。

敦煌で発見されたチベット語文書や後代に成立した古典チベット語の史書などでは、ニャティツェンポ以降の系譜が記録されるが、その大半は伝説上の存在に過ぎず、かろうじて史実とみることができるのは六世紀後半頃のタクブニャジクあたりからであろう。

当時、グディ・ジンポジェという氏族がヤルンツァンポの北側のペンボ地域(ラサ北方)を根拠地として周辺の氏族を治めていたが、タクブニャジクは他の氏族とともに反旗を翻すことを誓った。彼自身は事を起こす前に亡くなったが、その遺志を継いだ息子のナムリロンツェンはジンポジェを撃ち、ついにラサ河周辺の肥沃な地域へと進出し、そしてさらに西側のツァン・ポェ(rtsang bod)と呼ばれていた地域を手に入れた。また東北チベットの蘇毗や白蘭などや、西チベットのシャンシュンと同盟を結んだ。

なお『隋書』や『北史』には「附国」が登場するが、これは「プ(spu)の国」を意味する(Beckwith 1977: 121)。そしてこの後、吐蕃の領域が拡張すると、中央チベット地域を指すポェがチベット全体の呼称に使われるようになったようだ。

ナムリロンツェンはその後すぐに暗殺されてしまうが、息子のティソンツェン、あるいは「深き(ガムポ)」ソンツェン、つまりソンツェン・ガムポ(六〇〇頃―六四九年)は、君臣のガル・トンツェンとともに、一旦は瓦解した同盟関係を修復し、最大の敵であった西のシャンシュンを征服して、国内を統一することに成功した。

ソンツェンは六四九年に死去し、孫のマンソンマンツェン(在位六五〇―六七六年)が後を継いだが、実権を握ったのはガル・トンツェンとその一族であった。この時期チベットは積極的な拡大路線をとり、東西の二方向から中央アジアに向けて進出した。[1] 西はラダック～バルティスタン・ギルギットからパミールを越えるルートが、東は青海から進出するルートがとられた。西側では西突厥《とっくつ》と連携し、東側ではツァイダム盆地を拠点としてシルクロード交易を支配していた吐《と》谷渾《よくこん》を下して進出し、安西四鎮を擁する唐軍に勝利して一時期はタリム盆地を支配した。

次のティドゥーソン(在位六七六―七〇四年)はガル家を粛清して主導権を取り戻したが(六九九年)、ほどなく雲南にて戦死した。皇位継承をめぐり国内が安定しないなか、皇太后ティマロが実権を握りつつティデックツェン(在位七〇五―七五五年頃)を即位させ、再び中央アジア・河西回廊方面へと進出をはかったが、吐蕃軍はパミールと青海の両方面で唐軍により押さえ込まれた。

ところが七五五年に安禄山の乱が勃発すると、中央アジアから唐の主力部隊が引き、その間隙をつくように吐蕃が再び進出した。七六〇年代になると、吐蕃と唐の国境は青海から大きく東に移動して固原《こげん》から隴山《ろうざん》山脈に至るまでの地に位置するようになり、さらに七六三年には吐蕃軍が長安を二週間占領するような事態にまで至った。

七九〇年代に至ると唐軍が固原～隴山山脈の防衛を固め、また四川・雲南方面でも南詔《なんしょう》と手を結んだ唐軍に吐蕃軍は大敗を喫した。さらにオルドス方面でもウイグルと唐の連合軍が吐蕃の進軍を阻んだ。一方で七九〇年前後、ウイグルに北庭で敗れてからタリム盆地北辺への進出は閉ざされている。また九世紀初めからカルルク・吐蕃連合軍はパミール方面にてアッバース朝と衝突したが、八一〇年代後半以降は消息がない。おそらく九世紀初めには、吐蕃の軍事的拡大路線は手詰まりとなったようである。

そこで九世紀初めから吐蕃は講和外交に切り替え、結果として唐と吐蕃間で長慶会盟《ちょうけいかいめい》が締結された(八二一―八二二年)。なお、長慶会盟は吐蕃が行なった外交政策の一部に過ぎなかったことが、敦煌文書と古典チベット語史料の研究により明らかになっている。吐蕃はウイグル、そして雲南の南詔とも独自に外交を展開し、各国と同時期に盟を結んでいたのである(岩尾 二〇一四)。外交の成功により吐蕃は最大の版図を維持し、そして八四〇年代に吐蕃とウイグルが相次いで崩壊するまで、ユーラシア東方に平和がもたらされることとなった。

二、吐蕃の国家

チベット高原は起伏に富む自然環境を有し、地域によって農耕、牧畜あるいはその両方が営まれる。プギェル氏の本拠地であるヤルルンは穀倉地帯であり、その経済基盤が農耕にあったことは間違いない。一方でその軍事制度は明らかに遊牧国家の影響を受け、首脳はつねに天幕(ポタン pho brang「宮廷」と呼ばれた)で暮らすなど、中枢は遊牧的文化を有していた。農耕・牧畜の両方に支えられた吐蕃は、農耕の経済的安定性と牧畜民の機動力を併せ持つ国家であった。

国家統一の当初、吐蕃の中核にいたのは南チベットのヤルルンを拠点とするプギェル氏、コンポ(東チベット)の親戚、ニャンポ、ダクポなどの有力氏族である。諸氏族は代々プギェル氏から自分たちの首長を選び(首長はツェンポ btsan po「堅き者」と呼ばれた)、一方でプギェル氏は諸氏族と誓約を結び、婚姻関係によって紐帯を補強した。プギェル氏と婚姻関係を結ぶ際に重要視されたのが、母方のオジ(zhang)とオイ(dbon)の関係である。彼らは遺産相続がなく利害関係を超えた親戚になることで、相互の紐帯を強化することを目指した。そして一般の役人たちがロン(blon)を称するのに対し、妃を輩出した氏族出身者は特別にシャン(zhang)と称しツェンポを支えたのである。

この関係は元来内政を固めるためのものであったが、外交にも活かされ、シャンシュン、吐谷渾、そして唐などと婚姻外交が行われた。特に唐からは文成公主《ぶんせいこうしゅ》(七世紀)と金城公主《きんじょうこうしゅ》(八世紀)の二人がプギェル氏へ輿入れをして関係が強化され、チベットと唐は「舅甥」(母方のオジとオイ)関係を外交手段として最大限に活用した。

敦煌出土のチベット文『年代記』(*Old Tibetan Chronicle*)には、法律・駅伝制度・度量衡・税制・文字など国造りの基礎作業は全てソンツェン・ガムポの業績として列挙されている(Bacot et al. 1940-46: 118, 161; 王・陳 一九九二:六〇―六

一、六九頁)。これらが全て彼の時代に作られたとは考えにくいが、いずれにせよかなり早い段階で国家制度が確立したことは間違いない。以下、行政に関する主なものを列挙しよう。

文字と文書行政

六三〇年から四〇年代の間に文字が導入され(van Schaik 2011)、各種の書式が定められて文書行政が始まった。当初は木簡が使われたが、八世紀中頃には紙が公式に使われはじめ、以降は両者が併用された。また領域内には駅(ルンslungs)が置かれ、使者が行き交った。特に早馬は唐から飛鳥使と呼ばれ、吐蕃の象徴として詩に登場するまでになった。吐蕃の砦跡であるミーラーンやマザールタークからは大量の手紙文書が発見され、チベット人たちが公私にわたり大量の手紙をやり取りしていたことが見て取れる。

序　列

有力氏族と役人たちの身分を明示化するために独自の位階制度が作られ、トルコ石、金、金メッキ銀(2)、銀、錫、銅(それぞれ上下の区別があった)を基本とした。身分の上下は量刑にも影響したことが法律文書から明らかになっている。

徴　税

被支配民を管理し徴税するために、まず土地の調査(コーmkhos)と人口調査(パローpha los)が行われた(Uebach 2003)。これらの調査の後、被支配民はキャ(rkya)という納税単位に属したようだ。大麦で支払われるテル税(khral)や地方の特産物を供出するチャ(dpya')などが存在したことが確認できるが、徴税体制の全貌についてはいまだ明らかではない。

軍事行政制度

さらに被支配民は軍戸(ゴー rgod)と民戸(ユン g. yung)に分けられ、前者の軍戸は兵士を出す義務を負い、民戸は軍需産業を担った。軍戸は千の戸で一つの集団を作り(千戸部)、それぞれに名称が付けられた。千戸部は一つの軍隊組織として機能したが、民戸部は職能ごとに一つの集団を作り、その規模は一定していなかったと考えられる。

　これら軍千戸部と民戸部を統括するために、チベット中央にはル(ru)が、その他の地域にはトム(khrom 軍団、軍管区)が設置された。また広域の占領地を統括するため、カム(khams /gams)を置いた(今仮にこれを属州と訳す)。青海にいた吐谷渾の支配地にまず「ド(mdo 谷)の属州」が置かれ、また河西地域一帯には「デ(bde 安楽)の属州」が置かれた。さらに、八世紀以前の領地を「中央地域」、以降に支配地に入った地域を「周辺地域」と呼んで区別した(Iwao 2018)。

　以上が行政組織のあらましであるが、吐蕃はそれとは別に民族集団に基づく支配概念を有した。吐蕃はもともと非チベット人を含む多民族国家であり、「スムパ人の地域」「吐谷渾の地域」など各民族集団の居住地域が、前記の行政単位と重なる形で設定された。各民族集団の首長(ジェ rje)が置かれたが、実際には中央政権から送り込まれた役人や軍人が実効支配した。さらに八世紀半ば以降にタリム盆地南辺〜甘粛《かんしゅく》〜陝西《せんせい》にまで至る新領土を獲得し多くの非チベット人集団を抱え、「コータン人の地域」「漢人の地域」などが次々と設定された。また様々な出自をもつ人々を一つにまとめたトンキャプ(mthong khyab 通頬)という集団も設定されている(栄 一九九〇)。

　各居住地域の支配方法は一律ではなく、例えば独自の王制と行政が残されたコータン人の地域、王制は残ったもののチベットの人口調査・土地調査が実施され軍千戸も設置された吐谷渾の地域など、様々である。どうやら、軍事行政単位と民族集団・居住地域という二種の支配概念が併存し、まず後者である民族集団・居住地域が優先して設定され、その後で地域によってチベット式の行政単位が置かれたようである。二つの支配概念の領域は一致することが多く、スムパ人の地域にはそのままスムパのルが、シャンシュンの地域にはシャンシュンの一〇千戸が、そして吐谷渾の地域にはドの属州が設置されたのである。

三、宗教と吐蕃

チベット仏教史の文脈では、吐蕃史は仏教を広げようとする勢力と、それより前にチベットに存在したボン教を信奉する勢力との闘争である。ただし吐蕃期のボン教は後のように組織された宗教であったかどうか、さらにはボン教という名称で呼ばれていたのか、またこの信仰の淵源についても様々な議論がある。わかっていることは、この宗教が天孫であるプギェル氏や自然神を信仰の対象とし、また占いや国家的な祭儀を司っていたことなどである。

チベットに仏教が最初に入ったのがいつ頃かはわからないが、ティデソンツェン(在位八〇〇年頃―八一五年)統治下に建てられたカルチュン碑文によると、ソンツェン・ガムポのときにはラサに仏堂があった(Richardson 1985: 74-75)。これは現在のトゥルナン寺院(ジョカン、大昭寺)とみられる。実際にその最古の部屋はインドのナーランダ僧院などのヴィハーラと同じ建築方法であることがわかっている(Gyurme Dorje et al. 2000: 211-212)。しかし吐蕃が仏教を公式に受け入れたのは、ティソンデツェン(在位七五六―七九七年)統治下の七七九年であった。様々な人々を領民として有したチベットでは、ローカルな神の子孫としてではなく、より普遍的な宗教権威による王権の正当化が必要となり、世界宗教の一つである仏教が選ばれたのである。仏教を守護する転輪聖王《てんりんじょうおう》としてツェンポは理念化され、そして後に生まれ変わりの思想がチベットに浸透すると、やがて仏教を保護したツェンポたちは菩薩の化身とみなされるようになっていく。

ほどなくして六人のチベット人が最初の戒律を受けて出家し(「試みの六人」)、サムイェ僧院が建立された。しかしすぐに中国の禅が問題となった。禅はチベットの宮廷でも大流行し、ツェンポの妃も信仰するほどであった。そこでインドと中国の仏教僧侶の間で公式な討論会が企画され、禅僧代表として摩訶衍《まかえん》がチベットに招かれた（サムイェの宗論）。チベットの各地で数度行われた討論の結果、その後のチベットではインドの中観派《ちゅうがんは》が主流となり現在に至っている。

仏教導入後、仏教教典は急速度でチベット語に翻訳され、九世紀前半にはほぼ全ての顕教《けんぎょう》経典が翻訳完了されていたことが『デンカルマ』『パンタンマ』などの経典目録からわかる。特にティツクデツェン（在位八一五―八四一年）の治世下では仏教に関する活動が盛んに行なわれ、敦煌ではチベット文『十万頌般若経《じゅうまんじゅはんにゃきょう》』と漢文『大般若経』が複数部写経されて帝国内の各寺院に送られた。(3) 仏僧の地位も向上し、ティツクデツェンのときには宰相の地位に仏僧のペルギヨンテンが就いていた。

しかし一方で古代の信仰は国家理念の根幹であり、国家儀式を取り仕切っていたことも間違いない。八二二年、ラサ近郊で長慶会盟の締結式が挙行されたが、ペルギヨンテンが基本的に仕切っていたのにもかかわらず、肝心の誓いの場では吐蕃と唐双方の代表者がチベット古来の方法に則って犠牲の血を啜《すす》り、ペルギヨンテンのみは別途、鬱金水を代用で啜った。無用な殺生を避けるのが仏教の基本理念であるが、仏僧が宰相にまで昇り詰めた段階でも、古代の信仰を払拭することはできなかったのである。(4) 言い換えれば、吐蕃期は仏教がチベット社会に完全に浸透する前段階にあたり、ツェンポの権威は古代の信仰と仏教の両方で支えられていたのである。

四、チベット仏教文化圏の登場

吐蕃の崩壊

八四二年、時のツェンポであるダルマ(在位八四一―八四二年)が暗殺されると、それを機に吐蕃は徐々に、しかし確実に分裂し始めた。中央地域ではツェンポの後継者をめぐってオースンとユムテンが争いを始め、オースンはヤルルンなどを含むヤルンツァンポ南側の地域に、ユムテンはラサを中心としたヤルンツァンポ北側の地域にそれぞれ本拠地を置いて対立した。

オースンとユムテンの出自については、プトンの『仏教史』(一三二二年)以降の仏教史書にしばしば、オースンこそがダルマの実子であり、ユムテンは実子ではない、という逸話を載せ、また『王統明鏡史』(一三六八年)は、ユムテンの系統は不純である、と述べる。一方で『新唐書』巻二一六下吐蕃伝下には「乞離胡」なるツェンポが現れ、彼がオースンかユムテンか、あるいはダルマを指すのか、議論がある(Richardson 1971; 佐藤 一九八六:二六―三〇、四六―五〇頁、山口一九八〇a、b)。

いずれにせよ後継者争いは長引き、中央の分裂は周縁にも甚大な影響を与えた。青海~隴右地域ではド氏の尚婢婢《シャン》とバー氏の論恐熱《ロン》という二人の将軍が覇権を争い、またコータン~青海~河西の地域では各集団が独立し始めた。八四八年に敦煌では在郷の漢人を中心とする集団が帰義軍《きぎぐん》政権を樹立し、また八五〇年頃にはコータン王国が再独立している。この時期の混乱ぶりは、敦煌漢語文書S. 5697に「河西諸州、蕃・渾・嗢末・羌・龍(チベット、吐谷渾、オンバル、羌、龍族)狡雑、極難調伏」とあったことからもわかる。またチベットの史書によると、チベットでは民衆反乱が起こり、そしてツェンポの墓が暴かれた。天孫の聖性と求心力はもはや失われ、プギェル氏は徐々に分散していっ

たのである。(5)

チベットの仏教復興とツェンポ

一〇世紀後半頃、ユムテン系に追われたオースン系は西へ移動した。オースン系は大きく分けて西チベットのガリに移ったキデニマゴンと、ラトゥーへ移ったティタシツェクパペルの二系統に分かれ、特に前者の系統はグゲ・プランの諸王国を建てて仏教復興へ貢献した。(6) オースンの後裔は一五世紀頃まで追うことができる一方で、ユムテン系は一一世紀以降史料から知り得ることは少ない。一三世紀後半には中ルと左ルに居る諸侯の大半がユムテン系であると記録されるが(ネルパ・パンディタ著『華鬘《けまん》』、一二八三年成立)、一四世紀に入ると跡を辿ることはほぼできなくなるのである。しかしいずれの系統もプギェル氏が吐蕃の栄光を取り戻すことはなく、地方の氏族へと規模を縮小していった。それでもオースン系がチベット史上に名前を残し得たのは、その権威の拠り所が血統から仏教へと変化しつつあった時代の波に乗ることができたからである。

吐蕃という巨大な国家の後ろ盾を失い、仏教教団はかつての勢いを失い衰えたが、チベットにおける仏教の火が消えたわけではなかったことは、後で述べる青海地域の様子からもうかがえる。さらに西チベットでは新しい仏教を輸入し始めた。そして一〇世紀初頭、まず東から吐蕃時代の戒律が中央チベットに再びもたらされ(低地律)、ついで西からも新たに戒律がもたらされた(高地律)。チベット仏教史の伝統的歴史区分では吐蕃期を(仏教の)前伝期と呼ぶのに対し、この戒律復興以降を後伝期と呼ぶ。

西チベットは金の産地として有名である。西に拠点を置いたオースン系のツェンポたちはその豊富な資金力を活かし、仏典翻訳を支援し、外国の仏教学者を積極的に招請した。その代表格であるリンチェン・サンポ(九五八―一〇五五年)は若くしてカシミールやインドで学び、西チベットに帰るとツェンポ・イェシェオーの庇護のもとで仏典翻訳や寺院建立に勤しみ、チベット仏教復興の立役者となった。

さらに、この時期にヴィクラマシーラ僧院の長であったアティシャ(九八二―一〇五四年)が招請された。アティシャは西チベットに三年留まった後、インドには帰らず中央チベットへと赴き、各地で布教を続けた。彼の死後、弟子たちによって創生されたカダム派は、他の宗派、そして後にゲルク派に大きな影響を与えることになったのである。

チベット語文化圏の形成

以上が吐蕃の崩壊と、その後のチベット高原における仏教復興の概要である。しかしこのような仏教の復興はけっしてチベット高原のみで起こった動きではないことが、最近の出土文書研究からわかってきた。以下ではチベット高原外の動きを中心にみてみよう。

タリム盆地南辺から青海、河西、隴右にわたる広大な地域が吐蕃の支配下にあった期間は、最も支配期間が短い敦煌やコータンでも六〇年前後である。二世代以上にわたる支配の結果、吐蕃崩壊後もチベット語は利用され続け、特に国際共通語として利用されていたことが文書研究によって明らかにされている。コータン王や甘州《かんしゅう》ウイグルと敦煌の帰義軍との応答や、様々な集団を抱える帰義軍政権内でもチベット語が公文書に利用されるだけでなく、習得しやすくかつ「民族性を離れた「ファッショナブル」なイメージ」(武内 二〇〇二:一一九頁)のある第二言語として広く利用されたのである。

敦煌チベット語文書から観測できる世界の東端はおよそ涼州あたりまでであるが、実際のところ、吐蕃の支配領域ははるか東の隴山山脈まで広がっていたわけであるから、さらに広域においてチベット語が使用されていた可能性がある。実際に漢文史料からは、一一世紀初頭の涇原路や秦州《しんしゅう》(天水《てんすい》)において、権力がある「蕃僧」が高僧や化身ラマに対するチベット語の称号リンポチェ(琳布斉 rin po che)を有していたり、明らかにチベット風の名前であるツェリンペンジョル（策凌班珠爾 tshe ring dpal 'byor）を名乗っていたことが確認できる。[7]

チベット語を使用するこの世界には、仏教を媒介とするネットワークが保持されていた。敦煌チベット語文書IOL Tib 689（一〇世紀）からは、中央チベット、チェンザ、ツァイダム盆地周辺、甘州に仏教センターが存在したことがわかっている（Uebach 1990）。吐蕃期における河西地域の仏教拠点は甘州に置かれていたらしく、[8] 吐蕃崩壊後も各地のチベット仏教のセンターが維持されたことがわかる。同じく敦煌チベット語文書IOL Tib J 754はインドへ向かうある仏僧の持ち物であったと考えられているが、その内容は今風に言えば「パスポート」である（van Schaik & Galambos 2011）。当文書を持参していた仏僧は、五台山から河州《かしゅう》（臨夏《りんか》）の「金館、トルコ石の館」へ向かい、ダンティク山、そしてツォンカ（西寧《せいねい》付近）の「金館、トルコ石の館」へ行き、涼州《りょうしゅう》（武威《ぶい》）、甘州《かんしゅう》（張掖）、沙州《さしゅう》（敦煌）まできて、そしてインドを目指していた。興味深いことにその行程において仏僧の安全を図るように、と言う指示がチベット語で記されている。チベット語による仏教ネットワークが仏僧の旅を支えていたのである。

さらに敦煌莫高窟の蔵経洞《ぞうきょうどう》入口には、四川から参詣に来た漢人がチベット語で落書きを残している（岩尾 二〇一七：二〇七頁）。[9] 蔵経洞はもともと敦煌の僧洪辯《こうべん》の禅室であったのを八六二年の死後御影堂としたのであり、閉洞されたのが一一世紀初頭であるので、この漢人は九世紀後半―一一世紀初めの間に参拝したことになる。

つまり、チベット本土のみならずタリム盆地南辺～河西～青海～隴右という広大な地域にまでチベット語とチベット仏教文化圏が残り、それらはゆるやかにつながっていたのである。その頃、チベット本土では仏教の革新が進んでいた。西チベットで翻訳された最新の密教文献は敦煌やコータンにまでもたらされていたし、また西チベットの仏教を保護するツェンポたちの情報も到達していた。敦煌文書P. t. 849（一〇世紀末作）にはチベットにおける王統が記されるが、吐蕃期のツェンポとして「大乗仏教の戒を実践した」ソンツェン・ガムポ、ティソンデツェン、ティツクデツェンの三ツェンポと、その後に「大乗仏教の灌頂を受けた」オースン系のツェンポたちが言及されているものの、ユムテン系のツェンポには言及がない。(10) このことは、一〇世紀末においてオースン系統のツェンポたちは仏教王として認められていた一方で、ユムテン系統はそうではなかったことを明白に示すと共に、敦煌にもチベット本土の動きが正確に伝わっていたことを意味する。

一一世紀初めに西寧を中心にした青唐国も、前記のような歴史的背景のもとに建てられた。その初代の王はチベットから招請された唃廝囉(rgyal sras「仏の子」)である。『宋史』によると彼の本名は欺南陵温籛逋《ぎなんりんおんせんぽ》といい、『赤冊史』などのチベット語史料に現れるティデ(khri sde)と同一視されている(岩崎 一九七五：八三—八四頁)。ティデは当時マンユルのラトゥーに拠点を置いていたオースン系のティタシツェクパペルの孫にあたる。青海の人々は、単にツェンポの血筋を求めていたのではなく、仏教王としてのオースン系のツェンポを求めたのである。

さらに一一世紀に入ると、チベットの各地でカダム派、カギュ派、サキャ派など各宗派が形成された。カギュ・カルマ派やサキャ派の教線がチベット高原にとどまることなく河西地域を越えて西夏の支配地域にまで到達していたことはよく知られるが、カダム派も同様であったことがカラホトから出土したチベット語文書によってわかった(井内 二〇一〇)。チベットの各宗派は新興政権の西夏やモンゴルに教線を広げ、それが最終的にはモンゴル帝国におけるサキャ派の重用へとつながり、そしてモンゴルのクビライとパクパの間で結ばれた施主と檀越《だんおつ》の関係が後世のチベット世界と中華帝国との関係を決定することになるが(中村 一九九七)、その前段階には、チベット語を基盤とした仏教文化圏が存在したのである。

おわりに

本章では、七世紀以降一一世紀に至るまでのチベット世界の形成と発展について概括した。七世紀初頭から台頭した吐蕃は急速に国家制度と軍事体制を完成させて周辺地域に進出し、唐、西突厥、ウイグル、アッバース朝などと並ぶ一大帝国となった。九世紀半ばに突然瓦解して以降、チベットは分裂期に入るが、旧領域はチベット語とその文化によってゆるやかにつながり、またその上に仏教文化が広がった。チベット本土でチベット仏教の各宗派が登場すると、彼らの教線は青海から河西地域へ、さらには西夏にまで到達し、のちのモンゴル帝国とチベット仏教との邂逅へとつながるのである。

注

(1) 吐蕃の中央アジア進出については、以下の論考を参照されたい(佐藤 一九五八—五九、森安 一九八四、Beckwith 1987)。

(2) 原語はphra men。かつてオパールや象嵌細工という説があったが、漢語文献や敦煌莫高窟銘文から考えるとやはり金メッキ銀であると考えるべきであろう。以下の論考を参照(Takata 2006: 164; Uebach 2015)。

(3) 拙論(Iwao 2012)参照。またチベットの寺院にて発見された敦煌写本チベット文『十万頌般若経』については馬徳の論考(二〇〇九)などを参照されたい。

(4) この例で見られるように、仏教僧たちは、古代の信仰にもとづく儀式や供物の一部を代替することで、徐々に仏教を広げようとしていた(Imaeda 2000: 95-96; 今枝 二〇〇六:一〇八—一一〇頁)。

(5) なおヴィターリ(Vitali 2013: 428-433)によると、ツェンポの後裔はカム(東チベット)にも広がっていたようだ。

(6) 各系統の系図については、井内真帆の論考(二〇一二)が参照に便利である。

(7) 『続資治通鑑長編』巻八四大中祥符八年二月壬戌条(琳布斉)、同巻九三天禧三年春正月丁卯条(策凌班珠爾)。また岩崎力の論考(一九八七:一一四—一一五頁)参照。

(8) 吐蕃支配期の甘州には修多寺が置かれ、経典翻訳などが行なわれていたと考えられる。上山大峻の著書(二〇一二:一〇六頁)参照。

(9) ただし、拙論(岩尾 二〇一七:二〇七頁)ではse chvanを「四川」としたが、「西川」と修正したい。

(10) アッカンの著書(Hackin 1924: 36)参照。山口瑞鳳はリスト中の'khri lde mgon をユムテンの子 khri lde mgon と同一視しようとするが(山口 一九八〇a：二二四頁)、前後の文脈からみるとオースン系に属する ye shes'od の長子 khri lde mgon btsan であることは明らかである。また以下の論考を参照されたい(武内 二〇〇二：一一四―一一三頁の注三五、Dalton 2005: 150, fn. 81)。

参考文献

井内真帆(二〇一〇)「カラホト出土のカダム派関係写本」『仏教学セミナー』九二号。

井内真帆(二〇一二)「皇帝家の失墜と仏教の復興」岩尾一史・池田巧(編)『チベットの歴史と社会』上：歴史篇・宗教篇、臨川書店。

今枝由郎(二〇〇六)『敦煌出土チベット文『生死法物語』の研究』大東出版社。

岩尾一史(二〇一四)「古代チベット帝国の外交と「三国会盟」の成立」『東洋史研究』七二巻四号。

岩尾一史(二〇一七)「敦煌石窟チベット語銘文集成」荒川慎太郎・松井太(編)『敦煌石窟多言語資料集成』東京外国語大学アジア・アフリカ言語文化研究所。

岩崎力(一九七五)「西涼府政権の滅亡と宗哥族の発展」『鈴木俊先生古稀記念 東洋史論叢』山川出版社。

岩崎力(一九八七)「宋代河西チベット族と仏教」『東洋史研究』四六巻一号。

上山大峻(二〇一二)『増補 敦煌仏教の研究』法蔵館。

佐藤長(一九五八―五九)『古代チベット史研究』上下巻、同朋舎、一九七七年所収。

佐藤長(一九八六)『中世チベット史研究』同朋舎。

武内紹人(二〇〇二)「帰義軍期から西夏時代のチベット語文書とチベット語使用」『東方学』一〇四輯。

武内紹人(二〇一二)「チベットの名称」岩尾一史・池田巧(編)『チベットの歴史と社会』上：歴史篇・宗教篇、臨川書店。

中村淳(一九九七)「チベットとモンゴルの邂逅――遥かなる後世へのめばえ」『岩波講座世界歴史一一 中央ユーラシアの統合』岩波書店。

森安孝夫(一九八四)「吐蕃の中央アジア進出」『東西ウイグルと中央ユーラシア』名古屋大学出版会、二〇一五年所収。

山口瑞鳳(一九八〇a)「ダルマ王の二子と吐蕃の分裂」『駒沢大学仏教学部論集』一一号。

山口瑞鳳(一九八〇b)「ダルマ王殺害の前後」『成田山仏教研究所紀要』五号。

馬徳(二〇〇九)「西蔵発現的《喇蛙経》為敦煌写経」『敦煌研究』二〇〇九年五期。
栄新江(一九九〇)「通頬考」『文史』三三輯。
王尭・陳践(一九九二)『敦煌本吐蕃歴史文書(増訂本)』民族出版社。
Bacot, J., F. W. Thomas & G.-Ch. Toussaint (1940-46), *Documents de Touen-houang relatifs à l'histoire du Tibet*, Paris, Librairie orientaliste Paul Geuthner.
Bazin, L. & J. Hamilton (1991), "L'origine du nom Tibet", in E. Steinkellner (ed.), *Tibetan History and Language: Studies Dedicated to Uray Géza on His Seventieth Birthday*, Wien, Arbeitskreis für Tibetische und Buddhistische Studien, Universität Wien.
Beckwith, Ch. I. (1977), *A Study of the Early Medieval Chinese, Latin, and Tibetan Historical Sources on Pre-Imperial Tibet*, Indiana Univresity. Ph. D. Dissertation.
Beckwith, Ch. I.(1987), *The Tibetan Empire in Central Asia*, Princeton, Princeton University Press.
Dalton, J. (2005), "A Crisis of Doxography: How Tibetans Organized Tantra during the 8th-12th Centuries", *Journal of the International Association for Buddhist Studies*, 28-1.
Gyurme Dorje et al. (2000), *Jokhang: Tibet's Most Sacred Buddhist Temple*, London, Edition Hansjörg Mayer.
Hackin, J. (1924), *Formulaire Sanskrit-Tibétain du Xe siècle*, Paris, Librairie orientaliste Paul Geuthner.
Imaeda, Y. (2000), "Rituel des traités de paix sino-tibétains du VIIIe au IXe siècle", in J. P. Drège (ed.), *La sérinde, terre d'échanges*, Paris, La documentation française.
Iwao, K. (2012), "The Purpose of Sutra Copying in Dunhuang Under the Tibetan Rule", in I. Popova and Liu Yi (eds.), *Dunhuang Studies: Prospects and Problems for The Coming Second Century of Research*, Slavia, St. Petersburg.
Iwao, K.(2018), "*Dbus mtha'*: Centre and Periphery in the Old Tibetan Empire", *Central Asiatic Journal*, 61-1.
Richardson, H. E. (1971), "Who was Yum brtan?", in H. E. Richardson, *High Peaks, Pure Earth: Collected Writings on Tibetan History and Culture*, London, Serindia Publications, 1998.
Richardson, H. E. (1985), *A Corpus of Early Tidetan Inscriptions*, London, Royal Asiatic Society.

van Schaik, S. (2011), "A New Look at the Tibetan Invention of Writing", in Y. Imaeda et al. (eds.), *New Studies of the Old Tibetan Documents: Philology, History and Religion*, Tokyo, Research Institute for Languages and Cultures of Asia and Africa, Tokyo University of Foreign Studies.

van Schaik, S. & I. Galambos (2011), *Manuscripts and Travellers: The Sino-Tibetan Documents of a Tenth-Century Buddhist Pilgrim*, Berlin/Boston, De Gruyter.

Takata, T. (2006), "A Note on the Lijiang Tibetan Inscription," *Asia Major*, 19-1/2.

Uebach, H. (1990), "On Dharma-colleges and Their Teachers in the Ninth Century Tibetan Empire", in P. Daffinà (ed.), *Indo-Sino-Tibetica: Studi in Onore di Luciano Petech*, Rome, Bardi Editore.

Uebach, H. (2003) "On the Tibetan Expansion from Seventh to Mid-Eighth Centuries and the Administration (khö) of the Countries Subdued", in A. McKay (ed.), *Tibet and Her Neighbours: A History*, London, Edition Hanjsörg Mayer.

Uebach, H. (2015), "Two Indian Loanwords in Old Tibetan: Men-tri and Phra-men", in H. Havnevik & C. Ramble (eds.), *From Bhakti to Bon: Festschrift for Per Kværne*, Oslo, Institute for Comparative Research in Human Culture.

Vitali, R. (2013), "Khams in the Context of Tibet's Post Imperial Period", reprinted in *Zentralasiatische Studien*, 45, 2016.

コラム｜*Column*

中華におけるソグド人の生活・文化

——墓葬資料から探る

影山悦子

中国におけるソグド人といえば、駱駝に乗る胡人俑を思い浮かべる人が多いだろうか。ソグド商人は前漢末には康居《こうきょ》の使節に紛れて中国まで来ていたようである。ソグド人の居住地は、現在のウズベキスタンのサマルカンドを中心とした地域で、ブハラやキシュなどのオアシス都市によって構成されていた。イラン系の民族で、固有の言語と文字を持ち、ゾロアスター教の系統に属す宗教を信仰していた。

東方に移住したソグド人については編纂史料や敦煌文書に記録があり、五四五年に西魏から突厥のもとに派遣された安諾槃陀や、七世紀初めに西域南道のロプノール付近に聚落を築いた康艶典などは概説書にもよく引用される。漢字で記されたソグド人の姓は、出身のオアシス都市にちなんだもので、安姓はブハラ、康姓はサマルカンドの出身である。唐の長安城の西市付近や洛陽城の南市付近にはソグド人の住居が集中していた他、ソグドの神々（祆神）を祀る廟（祆祠）も建っていた。唐代に流行した胡旋舞、胡曲、胡食、胡服にはソグド文化の影響を認めることができる。最近では、漢文で記されたソグド人の墓誌の研究も行われ、定住したソグド人が商業以外の分野でも活躍した実態が明らかにされている。

これらの文字資料に加えて、近年注目されているのが西安や太原で発見されたソグド人の墓葬資料である。とくに、遺体を納めるための石製葬具には、裕福なソグド人の生活や信仰が生き生きと表現されている。このような葬具は、ソグド人聚落を管理する「薩保」という官職や、「天主」という職に就いていたソグド人のために五七〇年代から五九〇年代に制作されたことが、漢文墓誌の記述から知られる。

これまでに、康業（五七一年埋葬、天主）、安伽（五七九年埋葬、同州薩保）、史君／wyrk’k（五八〇年埋葬、涼州薩保）の墓が西安で、虞弘（五九二年埋葬、検校薩保府）の墓が太原で発見され、浮彫と彩色が施された葬具が出土している。また、墓誌の内容や出土状況は不明だが、図像の特徴からソグド人のものであると推定される葬具が中国や海外の博物館に所蔵されている。史君墓からは漢文とソグド語が併記された墓誌が発見されて注目を集めたが、最近、もう一点、漢文とソグド語が併記された同時代の墓誌の存在が明らかにされた。相州商客の遊埿埿槃陀／nnyβntk の墓誌で、五八〇年に妻の康紀姜／kyk”n とともに相州（鄴）に埋葬されたと記す。

ソグド人の墓の構造と遺体を納める葬具の形態（三方を屏風で囲んだ寝台タイプか家形タイプ）は、北朝期のものと同じである。全体としては北朝の墓葬形式に従っているが、葬具に表す図像は自分たちの好みに合うように変えている。葬具表面

図1　史君墓出土家形葬具
(上)南面(正面),(左)同東面
(西安市文物保護考古研究院編著・楊軍凱著『北周史君墓』2014年,文物出版社,図80より)

は、屏風の縁取りや建物の柱によって仕切られ、その中に墓主が登場する様々な場面が配置される。妻と並んで座る様子、狩猟や合奏、ダンスを楽しむ様子、馬に乗った墓主が従者を従えて出発する様子、エフタルや突厥など遊牧民の首領のもとを訪れる様子などを表し、生前の墓主の経済的にも文化的にも満ち足りた生活や輝かしい経歴を示している。一方で、北朝政権との関係を示すような場面は見当たらない。

墓主の生前の姿の他に、儀式や死後の運命を表す場面も含まれている。火の祭壇の左右で儀式を行う半人半鳥の神官を表す構図はソグド人の間で共有されていたようで、知られているソグド人葬具のほぼすべてに認められる(図上、下方左右)。また、儀式を行う神官の後ろで、ナイフで顔を切るなど(剺面)、死者哀悼儀礼をする人々の姿も認められる。さらに、史君の葬具には橋を渡り、天馬に乗って飛び立つ墓主夫妻の様子が表現されているが(図左)、この橋はゾロアスター教徒が死後に渡るとされるチンワト橋(選別の橋)を表したものであると考えられる。ソグド人は一見、移住先の墓葬形式を受け入れているように見えるが、葬具の細部を観察すれば、移住後も古来の儀式や終末観を保持していたことが分かる。

焦点 *Focus*

朝鮮史の形成と展開

李成市

はじめに

本章で扱う「朝鮮史の形成と展開」は四世紀から一〇世紀初めまでの過程を論じる。この時代は朝鮮半島において高句麗《こうくり》を先駆とし百済《くだら》、新羅《しらぎ》の三国が古代国家の形成、展開をとげた時代である。また秦漢以来、中国諸王朝とのおびただしい接触、交流によってそのつど多大な影響を受けながらも、当該期に朝鮮半島に中国王朝とは異なる独自の王権思想をもった王朝が成立する。三国は相互に覇を争いながら対立を深め、百済、高句麗の破局をへて最終的には新羅によって統合がなされ、統一後の新羅史の展開は、それ以後の朝鮮史を規定することになる。そのような意味において本章を「朝鮮史の形成と展開」と位置づけることにする。

このような歴史的展開に対する解釈については、朝鮮半島の古代史を主体的に論じる大韓民国(韓国と略す)や朝鮮民主主義人民共和国(北朝鮮と略す)では、古代国家の抗争と統合の帰結をいわゆる統一新羅ではなく、一〇世紀の高麗王朝の成立に求めている。あえて九三六年における高麗王朝に最初の国家統合を求めるのは、七世紀末に新羅の北辺に成立した渤海《ぼっかい》を朝鮮史の展開の一部とみなし、新羅と渤海が併存した時代を韓国では「南北国時代」と捉えるためである。一方、北朝鮮では統一新羅ではなく「後期新羅」と呼称し、北部の渤海を、高句麗を継承する朝鮮半島の古代国家と捉えて、新羅よりは渤海を正統な国家とみなしている。

そうした歴史認識の是非はおくこととし、本章においては高句麗、百済、新羅の三国鼎立から、統一新羅とその滅亡までの過程を前述のごとく朝鮮史の形成と展開と捉え、これまでの研究成果に基づき、その到達点をふまえて叙述することに努めたい。

統一新羅までの朝鮮史の歴史的な過程については、すでに武田幸男によって一九八〇年に理論的な概括がされており、その大枠において変更すべき点はほとんどない。そこで、以下で示すように、まず武田が先駆的に提示した当該期における朝鮮史の展開の枠組みを提示し、四世紀から一〇世紀にいたる過程を論じることにする。

すなわち、武田によれば、統一新羅をひとつの完結的な国家体制と措定し、そこに到達するまでの国家形成の過程をたどるとき、各国の独自の発展の過程の特徴について、高句麗の早期的、先駆的な国制の展開過程が、また百済の形式的、制度的整備が、新羅はそれらをうけて独自の組織化を進めた点を認めつつ、各々の独自性をとおして国制上の共通した発展形態がみいだせるとしている。また、三国を通じて、王権の析出《せきしゅつ》を史的前提としながら身分的に結集された支配共同体が王都に成立し、それが外方の邑落《ゆうらく》＝城村共同体を支配するという政治体制の形成が認められ、この政治体制は、高句麗では四世紀の段階において、次いで百済・新羅では六世紀に認められるとする。この段階での三国における国家支配の特質は、十分な官司制の発展をみない状況下での支配共同体による城村共同体の累層的支配にあり、この点から最高首長たる君主を頂点とした在地首長層の累層的支配を意味する限りにおいて、それを首長制国家と呼ぶ。その国家の基底には普遍的に存在する自然発生的な邑落＝城村共同体の具体的かつ普遍的な内容に関する積極的な理解が不十分であることから、これを身分制国家と規定している。

こうした朝鮮三国の身分制国家は新羅による三国統一によって変貌する。つまりは、王を戴く支配共同体による在地首長＝城村共同体の累層的支配という点では変わりがなかったものの、高句麗・百済の故地を収め、統治領域の拡大とその支配によってうちだされた身分制の改編（骨品制《こっぴんせい》）に新たな史的課題が課せられたこと、そして、統一前に着手された官司制の継承発展が七世紀中葉から後半にかけて、新羅的形態の集権的な官僚制的支配機構が完成する。こうした過程を重視して、この段階の国家を官僚的身分制国家と規定している。

要するに、古代朝鮮の国家類型の諸段階は、それ以前の部族制国家（部族国家→部族連合国家）の段階を史的前提として、支配共同体が在地の城村共同体を累層的に支配する身分制国家が形成され、その段階は高句麗では四世紀、百済・新羅では六世紀に成立し、それが七世紀中葉頃、統一新羅を前後して身分制の改編と官司制の完成によって改編された官僚的身分制国家へと転換し、国家形成の新段階を迎えると捉えるのである。

そこで本章において、まず支配共同体・官位制・官司制・地方支配体制などの展開を中心に、新羅の統一までの国制を対照しながら、三国の併存、鼎立した国制をみてゆくことにする。高句麗の早期的な形成と展開と、それが新羅へと継承する過程と共に、百済の独自の展開に注目したい。次いで、統一新羅を前後して展開される官僚的身分制国家への転換と、その後の変容過程を論じることにする。

一、朝鮮三国の国家形成の諸相

高句麗王権とその基盤

高句麗の興起は紀元前に遡るが、その歴史は公孫氏《こうそん》の干渉によって分裂したことが大きな転機となり、その一派が三世紀初めに国内城（丸都《がんと》、現・中国集安市《チーアン》）へ移った頃から次第に国力を増していく。とりわけ四世紀初めに即位した美川王《びせんおう》の頃には、楽浪《らくろう》・帯方郡《たいほう》を滅ぼし、急速に国制を充実させていく。その当時の高句麗の支配集団である五部・

五族については、美川王即位に先立つ三世紀中頃において消奴《しょうな》部・絶奴《ぜつな》部・順奴《じゅんな》部・灌奴《かんな》部・桂婁《けいろう》部からなる族制的性格の濃厚な五つの集団とされ、王京に集住した支配共同体を構成した五部のうち桂婁部は王を、絶奴部は王妃を輩出して、消奴部はかつて王を輩出したという。それらの部の大人(族長)は、古鄒加《こすうか》を称し、各々宗廟を霊星《れいせい》・社稷《しゃしょく》を祀り、各族の有力者(大加《だいか》)は使者・皁衣《そうい》・先人という家産的な直属官僚を保持していた。王を輩出した桂婁部の優位性はゆるがないものの、各部が祭祀集団や政治集団として相対的な自律性を有していた。

　このような五部・支配共同体は、高句麗王のもとに、相加《そうか》・対盧《たいろ》・沛者《はいしゃ》・古鄒加・主簿《しゅぼ》・優台《ゆうだい》・丞《じょう》・使者・皁衣・先人といった一〇等からなる初期官位制が形成されていた。ただし相加から先人までは一元的な上下序列で律された同質の秩序というわけではなく、王を中心に結集した諸大加は相加～古鄒加の官名をえて支配者層を構成し、彼らは王者や王家と同様に、上述のような家産的な直属官僚層を設置して、各々自律の共通基盤としていた。

　美川王が即位する四世紀に至ると、従前の一〇等の初期官位制は上下序列的な秩序体系に改編され一三等の官位制が整備されることになる。こうして支配階層の一元的な身分的組織化がはかられたのであるが、それは王権の確立を意味するものであり、およそ二〇〇年遅れて高句麗の影響のもとに百済、新羅に官位制が成立する。ただし、高句麗の官位制には族制的な性格が残存し一三等中には階層的な区分があった。たとえば、上位の五等の官位は特定の集団によって独占されていた。一元的な身分的組織化がめざされながらも、族制的な制約を受けていたのである。また、第一等の大対盧《だいたいろ》が官位制に位置づけられながらも、国政を惣知《そうち》し、武力を行使してその実権を保持し王の統制も及ばなかったことである。大対盧は国政の中心にあって高句麗王を脅かす強大な力を有していた。さらに個人的身分体系としての官位制は、ほぼ唯一の国家的身分制としてあるために、官位制の展開が官職制の形成に先行し、官位自体が官職的性格をおびていた。

　このように王権の下に組織化された五部・支配共同体は外方の諸邑落への支配をおよぼしており、四世紀末には、守事《しゅじ》とよばれる地方官が派遣され、高句麗の支配は契丹《きったん》、粛慎《しゅくしん》、東夫余《ひがしふよ》および南方の韓族にもおよんでいた。四一四年に建立された広開土王《こうかいどおう》碑には、三九一年に即位した広開土王の事績が記され、高句麗王による諸民族の支配のありようがうかがえる。

とりわけ重要なことは、四世紀末頃の高句麗を中心とする王権思想および世界観についてである。碑文の冒頭には王家の由来は天帝の子が天下って始祖・鄒牟王《すうむおう》が即位したと記し、一七世孫の広開土王の治世において「恩沢は皇天にあまねく武威は四海に振るった」という。こうした天下観のもとに、広開土王が永楽年号を用い永楽太王と号したことに注目される。碑文にみられる高句麗の太王号は、官司制の形成、五部共同体の結集、官位制の展開、地方支配の進展など、四世紀の高句麗の国制を基盤とするものであった。

留意を要するのは、当該期の高句麗において太王号とは中国皇帝からの王爵とは関係なく、冊封体制内では通用しない二次的に形成された独自の王号であったことである。つまり、高句麗が冊封体制とは別に、みずからの実力で形成した高句麗勢力圏を現実的な基盤としていたのである。碑文には稗麗《ひれい》(契丹の一部族)、粛慎、東夫余、百済、新羅を属民と位置づけ、朝貢がなければ武力で制圧する武威による統属関係が強調されている。高句麗を中心とする異民族支配を含めた政治秩序に君臨するのが高句麗太王であった。

このような高句麗独自の国家体制の歴史的背景として同時代における五胡十六国の諸国における君主号とその国制が参照されるべきである。すなわち、五胡十六国の諸国には皇帝を称した国が一三あり、多くは当初は王あるいは天王を称し、しばらくして皇帝に即位していた。天王は皇帝より一段下がる称号ではあるものの、上に皇帝の存在を前提とした「王」とは全く異なり、至上の地位である点では皇帝の範疇に含まれることに特徴があるという。こうした君主の称号の観点から五胡十六国は二つのグループに分けて分類すれば、前者は中国を支配しているという意識をもっており、後者は天下を支配する段階には達せず、従属国としての地位に留まっている。二つのグループを分ける重要な要素は、せんじ詰めれば、対東晋意識であり、自己を正統王朝と位置づけるか否かに関わっていたとされる。

つまりは、広開土王碑文に刻まれた太王を中心とする独自の世界とは、淝水《ひすい》の戦い以降に顕著となる皇帝、天王が並存するという中華世界が相対化された分裂状況を背景としなければ考えがたい。よく知られるように、広開土王碑文は、広開土王の軍事活動を描写するにあたって、中国との関係を一切無視する高句麗太王を中心とする世界の記述を特徴とする。広開土王碑にみられる独自の天下観を有する高句麗を中心とする世界とは、華北の変動のなかで新たに生まれた相対化された中華世界に連なっていたのである。こうした高句麗の四世紀末に認められる二次的な王号のもとに形成された勢力圏を有する国家は、倭国やその後の新羅に継承されることになる。

このような高句麗の国家体制の進展は、高句麗に内属した中国系人士との関係にも見て取れる。平壌の安岳《あんがく》三号墳の冬寿《とうじゅ》墓誌(三五七年)には楽浪相が確認されるが、これは高句麗王故国原王《ここくげんおう》が三年前に前燕から楽浪公を封爵《ほうしゃく》されていたことから、冬寿は故国原王の陪臣であったことを示すとみられている。ところが平壌徳興里古墳の永楽一八年(四〇八)に没した安平《あんぺい》郡を本貫とする某鎮《ぼうちん》の墓誌では、被葬者は高句麗官位の「国小大兄《こくしょうたいけい》」を受けていた。この間に高句麗独自の勢力圏の形成が進化していたのであり、ここには四世紀から五世紀にかけての古代国家としての不可逆的な展開をみてとることができる。

百済の勃興・挫折と復興

百済史の展開は、三期に分けられる。百済が勃興した漢城時代(四世紀―四七五年)、高句麗による攻撃で滅亡してから復興する熊津《ゆうしん》城時代(四七五―五三八年)、中興から滅亡にいたる泗沘《しひ》城時代(五三八―六六〇年)である。

百済は四世紀初頭の楽浪郡滅亡後に、現在のソウル地方から興起する。その象徴的な姿は三六〇年代の末に、南進する高句麗と鋭く対立し、北上して高句麗故国原王との戦闘に勝利した近肖古王《きんしょうこおう》、近仇首王《きんきゅうしゅおう》の父子の時代に現出する。

近肖古王は高句麗に勝利すると、東晋に朝貢し三七二年に「領楽浪太守」に冊封された。また加耶《かや》諸国の仲介を得て倭国との外交を成就させた証としての七支刀が今日に伝わっている。こうした勃興期の百済の外交戦略は、その後の百済史の展開においても継続されていくこととなる。

百済の淵源は、馬韓五十余国の伯済《はくさい》国にあるとされる。一方、『三国史記』所載の建国伝説には百済の始祖温祚《おんそ》・沸流《ふつりゅう》が扶余出自と結びつけられ、さらには初めての中国外交であった近肖古王の東晋への朝貢に際して「余句《よく》」と称し国姓を余と称していたことから、夫余出自は史実と認められてきた。しかしながら、近年では考古学的知見から百済の夫余出自は否定される傾向にある。ただし重要なのは、百済が一貫して夫余の出自をくりかえし国際的に標榜したことである。国力を充実させて泗沘城に遷都した際(五三八年)には、国号を南扶余と称したことは軽視できない。滅亡後に唐にわたった王族は扶余姓を名乗り、新羅は八世紀半ばに百済の旧都泗沘城を扶余郡と命名したことも、これにちなむと見られるからである。

それゆえ、百済の夫余出自説は、中華世界における百済自らの位置づけにも関わり、たんなる出自意識に止まるものではない。百済が高句麗・新羅と異なり、一貫して年号を立てず、太王号を称した痕跡がないこともまた百済の中華世界における自らの位置づけの志向性との関係を問う必要がある。百済王室の夫余出自説は、その由来が史実に合致するか否かという点にあるのではなく、その後の百済史展開においても自己規定となり王権の連続性を訴え続け格別の意義を発揮した事実にこそ注目すべきである。

ところで華々しい漢城時代の百済勃興期の国制は不明なところが多い。百済史の諸制度が伝わるのは高句麗による南下によって蓋鹵《がいろ》王《おう》ら王族が惨殺されるなど、一時の滅亡から熊津城で復興を遂げ中興を果たした武寧《ぶねい》王《おう》の時代になってからである。武寧王と異母弟の前王・東城王は百済復興期の担い手であるが、この二王が倭国で生まれたこと、とりわけ武寧王は即位する以前の長期間を倭国で過ごしたことが、その後の武寧王による朝鮮半島西南部への進出や、加耶地方への侵攻に倭国が少なからず関わっていたと推測される。

父王・武寧王の後を襲った聖王は百済の復興から六十余年にして泗沘城に遷都し諸制度を一新している。とりわけ注目されるのは、この頃までには個人的な身分制である官位制が確立している事実であり、佐平《さへい》以下、達率《たつそつ》から克虞《こくぐ》にいたる一六等の体系からなっていた。その特色として達《たつ》・扞《かん》などの固有語的表記に混じって恩・徳・文・武などの漢字義に基づく好字がもちいられ、この点に高句麗や新羅との差異がみられる。また、第一等の佐平は六佐平など役職にしたがって分掌され、官司制の早期の発展に応じて佐平に集中した百済権力のありかたがみてとれる。

六佐平は宣納《せんのう》・庫蔵《こぞう》・礼儀《れいぎ》・宿衛《しゅくえい》・兵馬《へいば》・刑獄《けいごく》などの職事を各々分担する体制を取っており、六世紀に成立した内官一二部司と外官一〇部司にそれぞれ対応していたかのようである。すなわち宣納などを掌る三佐平は内官的であり、宿衛などを掌る三佐平は外官的で、その職事内容は六佐平が各々内・外二二部司を統属していたものと推測されている。

司軍部以下の外官一〇部司、前内部以下の内官一二部司によって分掌される整然とした中央官司組織は体系的に整備されており、その成立期の早期性と体系性は三国の中でも特異な位置を占めるなど、百済の国家制度の特徴をなしていた。ただし官僚制的機構の国制は佐平が中心的役割をはたし、佐平の職掌上、身分的な分化が著しく進んでいたものの官位制内官職という枠を打破できず、それに包含されたままおわったという点で未熟性を抱えていた。

支配集団が集住する王都の五部は、各部がまた五巷に別れ、各部は達率が領し、部ごとに王都の五分組織が行政的、軍事的性格を持っていた。部の族制的な性格はほとんど確認されておらず、百済には部の数よりも多い大姓八族《たいせいはちぞく》が伝えられている。この点は後に論じる新羅との大きな相違である。また、その支配層は高句麗系、新羅系、倭系、中国系など多様な出自で構成されていた。王都の五巷が力役動員の単位でもあったことは扶余出土の木簡によっても伝えられる。六世紀の百済では、支配層は五部と表現される地域区分の形態で結集して支配共同体を形成し、外方に対して優越的な地位を占めていた。

泗沘城遷都以後の五部には、各々兵五〇〇人の兵員が整備されそれ自体が軍事組織でもあった。この王都の五部に対して、地方には五方といわれる広域的な五区分があり、各々方城と呼ばれる拠点が周辺の諸城を領属させていた。方城は一〇ないし六、七の郡を統属し郡は五から六の城からなり、方―郡―城をなして郡には郡将（郡令）と道使《どうし》が併置され城には道使（城主）が置かれた。百済の地方統治もまた自然発生的な共同体が累層的に編成されていた。

三国期新羅の王権とその基盤

新羅は辰韓一二国の一国・斯盧《しろ》国に起源するが、その国際舞台への登場は、前秦の苻堅《ふけん》への朝貢（三七七年）に始まる。これらは高句麗の領導《りょうどう》によるものとみられ、その後、広開土王碑文には高句麗に朝貢を強いられ「属民」として高句麗の政治圏に位置づけられた姿が認められる。これを裏づけるように、五世紀の中原高句麗碑には新羅国内に高句麗の軍官（「新羅《しらぎ》土《ど》内幢主《ないどうしゅ》」）が派遣され、新羅を東夷と位置づけ、新羅の寐錦《みきん》（王）以下の支配層には高句麗の身分標識である衣服が賜与されていた。やがて新羅は百済との同盟関係を結ぶことによって高句麗に抵抗姿勢を示し高句麗の政治的影響から脱していく。

新羅が国制上、大きな展開をとげるのは法興《ほうこう》王代（五一四―五四〇年）とされ、それ以前とは画する変化が現れる。その第一に、王京六部人《おうきょうろくぶじん》を対象とする京位《けいい》一七等と外方の首長層を対象とする外位《がいい》一一等の制定（五二〇年）であり、二つの体系からなる官位制によって王権を支える人的基盤が整備されたことになる。

元来、新羅の六部は高句麗の五部と同様に、基本的には王都に結集した社会的、政治的な組織であり、それら相互に統属関係はないものの喙《たく》、沙喙《さたく》の二部が優越していた。当初、六部は族制的な色彩が濃厚であったが、各部には地域区分としての里が存在し、六世紀末には力役動員の単位ともなった。やがて六部は統一期には次第に行政区画的な性格に転化していく。この時期の碑石には個人名や官位と共に必ず六部名が明記されるように、どの部に帰属するかは重要な身分表象であった。

六部相互の関係について重要なのは、六世紀初頭の石碑によって王と副王的な存在である葛文王《かつぶんおう》とが喙部と沙喙部から輩出する事実が確認されたことである。葛文王とは実質的に三国期のみに存在が確認されるが、葛文王は高句麗五部の王妃族、本王族の部の族長が各々帯びていた古鄒加に淵源があるとされる。それゆえ、おそらくは王が喙部から出されれば、葛文王は沙喙部からだされ、その逆になれば両者は交差するように、王と葛文王は喙部と沙喙部で分掌されていたのであろう（六世紀初頭の新羅碑には、王が喙部ないしは沙喙部に属していたことが明記されているが、六世紀半ばの真興王《しんこうおう》代に至ると記されなくなる。この点から、この頃に王が六部支配共同体から超越したと見なす見解もある）。このように喙部と沙喙部が六部の中でも優越していた事実に注目される。その上で留意すべきは、新羅王族は各々喙と沙喙とに属し、両者が婚姻関係にあった事実である。しかも同じ父から生まれた兄弟王族であっても帰属する部は異なっていたことから、男子王族の帰属は母の帰属する部にあった可能性が高い。

第二に、最高職位である上大等《じょうだいとう》（上臣）の設置（五三一年）である。上大等は国王と一体となって国政の運営にあたり、高句麗の大対盧や百済の佐平が官位制の内部で形成され発展したのに対して、官位制外に成立した。上大等は新羅末期にいたるまで最高位の官職として存続したが、その性格は三国期には王権を掣肘《せいちゅう》する性格が強調されている。その由来は、言語的にも高句麗の大対盧（マカリタロ）にたどりうるように、上大等は、多数の大等《だいとう》（タロ[臣]）、を率い、その時々の職事を遂行する最高責任者であったが、その職責は国事の審議・決定に重心が置かれるようになる。

第三に、年号の使用である。新羅は法興王二二年（五三六）の建元《けんげん》に始まり太和《たいわ》（六四八年）まで七つの年号が知られている。建元は漢の武帝が最初に定めた年号であり、新羅が初めて朝貢した前秦の苻堅が最も長く用いた年号でもある。

こうした年号の使用とともに注目すべき第四の変化は、太王号の使用である。法興王は蔚州書石《うつしゅうしょせき》己未銘（五三九年）に

「另《む》即智《そくち》太王」と現れており、これは五二四年の蔚珍《うっちん》鳳坪《ほうへい》碑の「牟《む》即智《そくち》寐錦王」から大きな飛躍があったものとみなければならない。寐錦は新羅固有の王号であり、中原高句麗碑には「高麗太王」と対比的に記されていた固有の王号でもあった。年号の発布とともに新羅において高句麗の広開土王の時代に確認できるような自己の政治的勢力圏を基盤にした太王号がこの頃に新羅に成立した可能性がある。

第五に新羅の軍事的活動である。新羅最初の官司である兵部は、法興王三年(五一六)に兵部令を設置したとされている。新羅は普通二年(五二一)に百済に伴われて梁に朝貢した際に、新羅の国内事情として伝わる「六喙評《ろくたくひょう》、五十二《ごじゅうに》邑勒《ゆうろく》」は軍事拠点としての六部と、外方に新羅の法幢《ほうどう》軍団が設置された「五十二」の地域との解釈があるが、法興王代の兵部の設置はこうした内外の軍団創設に関わっていたとみられる。前述のように、五世紀には新羅領域内では高句麗の軍官・幢主の下に徴兵がなされていたが、法興王代に至って新羅による軍事的な反転攻勢がなされたのである。

新羅の地方支配は法興王代に始動し、次代の真興王代には飛躍的な発展を遂げる。新羅の地方支配とは端的に、六部支配共同体による外方の邑落＝村落共同体に対する支配・隷属であった。それらは本源的共同体からすでに脱皮・転成しているが、行政権力によって強力に編成されずに成長した自然聚落として、なお在地首長・村主の統率のもとにあるような聚落が想定されている。

新羅の地方支配の中心は州であり、その長官は軍主である。州は狭義には軍事的拠点の邑落をいうが、六世紀半ばを過ぎる頃には広域地域区分をも意味した。州のほかに郡が置かれた。統一期までは県はなく、州郡の基底にあるのは村・城であった。自然発生的ないくつかの聚落は在地首長の村主のもとに統率された。地方官としての道使や邏頭《らとう》が村・城に派遣された。新羅の地方統治は村城支配の直接的な把握にあった。

上述のように真興王代には領域拡大に伴って内外の諸制度を充実させていったが、当時の新羅碑を通して、旧高句麗領域に対する新羅の進出に伴う高句麗法から新羅法への支配の転換をみてとることができる。すなわち、六世紀の新羅碑には、新羅の法制を意味する「国法」の他に奴人《どじん》法、佃舎《でんしゃ》法などの固有の法名が散見され、それらが高句麗とのかつての境界領域を新羅が領域化した地域に現れていることから、新羅が軍事的、法的支配を新領域で展開したことがうかがえる。また、そのような地域への力役動員の一端は六世紀後半の咸安城山《かんあんじょうさん》山城木簡にも見いだせる。

こうした新羅の地方支配の展開と加耶地域をめぐる百済との抗争を経て、さらに七五年間に及んだ高句麗の漢江下流域の奪取とその地域への支配を実現させると、五六四、五六八年に南北朝(北斉・陳)への外交を実現させ、冊封を通じて国際的な地位の承認をえるにいたる。それを梃子に、高句麗との境界領域奥深くに示威行為として巡狩管境《じゅんしゅかんきょう》をおこなって立碑した真興王の黄草嶺《こうそうれい》碑、磨雲嶺《まうんれい》碑などをとおして、六世紀後半における新羅王権の世界観をかいまみることができる。碑文中には、真興太王が自ら定めた年号(太昌)を記し、「朕」を称して徳治政治による支配を宣言しているが、法興王代に太王号のもとに年号を定めた国家体制は継承され、それに基づく新羅勢力圏がこの頃から確実に形成されることになる。

二、新羅国制転換の画期と新羅王権

新羅史の展開は、『三国史記』や『三国遺事』の時代区分をもちいて、金春秋《きんしゅんじゅう》(太宗武烈王)の即位した六五四年以降を「中代」とし、それ以前を「中古」、それ以後を「下代」として時代を画して論じるのが一般的である。ただし、即位前の活動、とりわけ六四〇年代より三国の抗争が唐を巻き込んで熾烈化し、春秋の子・法敏《ほうびん》(文武王)、孫の政明《せいめい》(神文王)の三代にわたる約五〇年間に生起した百済・高句麗の滅亡、対唐戦争とその後の統一政策の過程において成立した国家体制には時代を画する大きな転換がある。そこで、この過程に即して新羅の政治、社会を中心とした国制の変化のあり方をみることにする。

六四二年の高句麗における内乱によって権力を掌握した権臣・泉蓋蘇文《せんがいそぶん》と、即位(六四一年)後に権力を集中した百済の義慈《ぎじ》王は連携して新羅を攻撃したが、その過程で劣勢にまわった新羅は唐の援軍要請に期待をかけることになる。この新羅の要請に対して唐太宗の支援条件には、女王(善徳王)統治の非難が含まれていたために新羅の支配層は分裂し、六四七年に唐に依存して女王廃位を訴える上大等・毗曇《ひどん》と、親唐を堅持しつつも自立をめざす春秋派との間に武力衝突が起こった。春秋は金庾信《きんゆしん》の軍事的支援をえて内乱を鎮圧し、再び女王(真徳王)を即位させ、その下で権力の集中を謀った。

実権を掌握した春秋は改めて唐に後ろ盾を求め、六四八年に自ら唐へわたり太宗に謁見して出師要請など軍事的連携をとりつけると、帰国直後より矢継ぎ早に親唐策を推進している。すなわち、まず六四九年に、五二〇年以来維持してきた新羅衣冠制を唐制に改め、次いで翌年に、五三六年から開始した新羅の年号を廃して唐年号を採用している。このように親唐政策によって唐との連携を盤石にしたうえでなされたのが六五一年における一連の官制改革であった。

改革の核心は、行政執行機関の中枢として国政全般を統括する執事部の設置である。執事部の起源は、六世紀半ばの真興王代に遡って稟典《りんてん》の存在が推定され、当初は王室の財政を掌る家政的機関(内廷)として出発したと推定されている。その長官は稟主と伝わるように倉稟《そうりん》を管掌する官司であった。その内官的な性格を外官化させ、六五一年に倉部を分立して執事部を設置し、国事遂行の最高官司に転換させている。この時、長官は中侍《ちゅうじ》に改められた。

執事部の成立とともに六五一年の官制の上で重視されるのは、真興王代(五四〇—五七六年)から真平王代(五七九—六三二年)に漸次設置された諸官司に、長官(令)を置くことによって主要官司として集中的に整備されていることである(ただし、五一六年に設置された兵部には当初より長官が置かれている)。調府(五八四年)、礼部(五八六年)、領客府(五九一年)などがそれである。これらの官司は、設置当初、長官(令)が設置されていなかったが(礼部は令のみ)、この時に令が置かれ、各官司には、令・卿・大舎《たいしゃ》・舎知《しゃち》・史《し》もしくはそれに相当する官職によって構成される五等官制がとられた

（第四等官の舎知が設置されたのは六八五年）。それらの官司の下には中・小の官司が属し、上・中・下級官司の間には統属関係があったが、これを総括するのが執事部であった。

また、執事部の他に、官司中で最古の淵源をもつ兵部と、稟典から分化した倉部の三つの官司は、景徳王一八年（七五九）の官司名・官職名の改称に際して、その長官・次官の官職名は侍中《じちゅう》（執事部のみ）、侍郎など唐の三省を意識的に採用している。こうした事実から唐において六部が政務を、九寺が事務を管掌していたことに擬《なぞ》らえて、新羅においては執事部を中心に、兵部と倉部の三官司が国政の基本方針を決定し、礼部以下の一〇の上級官司が国家支配の業務を分掌したと推定されている。

前述のとおり、執事部の長官は中侍であるが、その起源は稟主（あるいは典大等《てんだいとう》）と推定され、もともと王室の家政機関から出発した。新たに設置された中侍は六五一年の官制改革後は、王に直属して王権を支える中枢の官職となり、おおよそ任期は三年で交替することを原則としていた。

この改革以前の新羅においては、上大等が大等（無任署の六部出自の官人層）との合議によって王を支えていた体制であったが、執事部の設置後は、新羅の権力構造の様相は一変することになる。その第一は、それまで王は上大等と一体となり、大等層を束ねる上大等が王と進退をともにすることで国制の要をなしていたが、執事部成立後は、中侍がそれに代わり、しかも成立直後の段階においては武烈王の近親者が担うなど、王の側近官の性格を濃厚に帯びるようになったことである。第二は、かつて上大等は最上位の官職として国王在位中に唯一人在職し、王に代わりうる職位であったが、そのような性格を喪失することである。たとえば、春秋の即位の後に、春秋を全面的に支援した金庾信が上大等に就いた事実に端的にみられるごとく、六部の有力者で構成された大等層の代表としての上大等ではなく、王の影響力が大きくなることで、王権の掣肘的な役割よりは補佐的、融合的な性格を強めていく。政治的な実権は上大等から執事部に移ったとみられるのである。ただし、上大等の律令制的な官僚制に包摂されない性格は維持された。

第三に、金春秋が権力を掌握すると、上大等を頂点とする大等層の合議に代わって、宰相制が導入され、上大等や兵部の長官(令)が宰相を兼任し、さらにそうした官職に束縛されない人物を宰相に任命して権力集中を可能にする宰相制が制度化したことである。宰相制度は八世紀末から九世にかけて侍中や内省(内廷)から分離独立した御龍省《ぎょりゅうしょう》の長官・私臣が宰相の列に加えられるが、これは下代における新たな権力集中制度の変化であった。

いずれにしても、重要な点は、六五一年を前後して、上大等と大等の合議体制から、宰相による合議へと移行し、新羅の権力基盤は金春秋、金庾信らによって刷新されたことである。こうした新羅の権力構造の変化には六部を基盤とする有力者(大等層)とそれを束ねる上大等との政治的な実権が、権力を掌握した金春秋と彼をとりまく一部の近親者集団に移り、執事部を中心とした官僚機構による政治支配体制の形成がみてとれる。

執事部を中心とする新たな官僚機構で注目されるのは、内廷を管掌する内省である。内省は真平王七年(五八五)から四四年(六二二)にかけて整備されたことが『三国史記』職官志にみえているが、新羅内廷に属する内省被官のひとつに稟典《りんてん》がある。その官員の構成は、大舎(二人)・舎知(二人)・史(八人)となっており、史の八人は中央官庁の平均的な官員と同数であって、その規模から王室の財政を掌っていたと推定される。それゆえ、六五一年に稟典から執事部が転成し倉部が分離された際に、国家財政と王室財政は分離されたとみられる。たとえば、文武王九年(六六九)条によれば、全国に所在した馬阹《ばきょ》(牧養場)は「官」と「所内」とに別れているように、国家と王室とでは財政上の区分がなされていたことは明瞭である。

それまで内廷において王の側近的な役割を果たした執事部が外廷の中心に転化して官僚機構を掌握すると、内廷において私的側近の形態をとった直属官が新たな側近官僚層を形成したとみられる。というのも、内廷の官僚組織を統轄する内省の長官が「私臣」と命名されており、『三国史記』職官志にみられるような多数の官司群を擁した内廷の官僚機構を確認することができるからである。三国の統一以前に先だって、毗曇の乱を鎮圧した金春秋と金庾信は、擁立した真徳王の下で、その後の新羅国制の骨格を定め、王権の基盤として外廷と内廷を分離し、双方を強化させたことは前後を画する極めて大きな改革であった。

三、百済・高句麗滅亡と支配集団の再編

新羅の中核的身分制である骨品制は、新羅の国家体制の総体を規定するがゆえに「骨品体制的支配」ともいわれた。しかしながら、骨品制については、その制度の創設された時期やその具体的な性格についての共通した理解がない。通説的には八階層(聖骨《せいこつ》・真骨《しんこつ》・六頭品《ろくとうひん》・五頭品・四頭品・三頭品・二頭品・一頭品)からなるといわれながらも、その一方で聖骨は非実在説もあった。ただし、骨品制の本質は六部人に限られた閉鎖的な身分制であることに異論はない。また、骨品制の対象となる母集団としての六部とは新羅の支配集団が居住した慶州盆地を中心に所在する六つの地縁集団であり、彼らはその出自を常に対外的に標榜していた。

しかし、七世紀後半に入ると、地方人や来降者にも京位が授けられて外位が消滅し(六七四年)、京位は六部人に限定された身分標識としての対外的な意義を失う。そしてほぼ同じ頃に部名の冠称はみられなくなる。この部名冠称が消滅する時期とは、百済・高句麗滅亡にともなって外部から王京六部への人口流入の時期が重なるだけでなく、それと同時に、王京六部から九州・五京(後述)に六部人支配層が徙民《しみん》された時期に一致する。具体的にみれば、新羅は六七三年に帰属してきた旧百済人に、百済の官位を帯び新羅の王京に移る者には京位を、外方に止まる者には外位を与えることで新羅の政治秩序に編入した。しかし翌年における王京六部人の大量徙民策以後は、外位が廃され京位に一本化され、これ以後、旧百済・高句麗人には京位のみが授けられることになる。

こうした六部人の外方への徙民にともなって、京位に一本化されると、六部人への従前の特権を補償せざるをえな

い。つまりは、それまで六部人は、外位を帯びていた新羅領域内の在地首長をはじめとして、新たに編入された旧百済・高句麗官人やその旧領域にあった在地首長たちとは明確に区分されていた。ところが内外の標識を失った新たな事態に対して、六部人の従前の特権を補償し、六部人と外部者とを差別化する必要が生じたのである。百済・高句麗滅亡後の旧領域に設置された州や小京に居住した王京人は、六部の冠称を廃棄した場合、かつての王京内で占めていた身分や地位は何をもって維持されるのかに関わっており、六部構成員にとっては自己の既得権に関わる切実な問題であった。

要するに、骨品制とは三国期の新羅を支えてきた六部人総体の優越性を担保し、既存の六部内の階層秩序を織り込みながら、新たな原理のもとに再編し創出されたのが骨身分(聖骨・真骨)と頭品身分(六等品—一頭品)からなる八階層の階層秩序であった。すなわち、頭品身分の上位に位置する真骨とは、喙部と沙喙部の一部の集団間の婚姻をとおして形成された王族層の者たちである。それ以前にその名称はなかったものの、この階層は六世紀に遡って実在し、京位の上位五等を独占した。さらに真骨の上位に位置した聖骨は、国王個人に用いられるのに対して、真骨は国王をも含む王族集団をさしており、両者には用例に明確な違いがある。それゆえ聖骨は骨品制の確立期に、真徳女王以前の歴代王に追尊されたと推定される。また、頭品身分とは、六部の各部内で形成された階層を改めて六階層に弁別、再編したものと解される。

骨品制を創始したと推定される神文王(六八一年即位)は、こうした六部人への補償策として骨品制を制度化した一方で、六部人への規制策を講じている。たとえば、新羅の王京には元来、古代中国の都や藤原京・平城京のような条坊制はなかった。しかし、九州五京制が施行された頃に、四キロ四方の慶州盆地にも条坊制が施行されたことが道路遺構の発掘によって明らかにされている。神文王は、それまで支配共同体として六部が各々の自律性をもって各部の基盤としていた慶州盆地に、王者の空間支配を顕示するように直線道路を設けて条坊制を施行したのである。こうした条坊制は九州五京の都城にも確認されているので、まさに同時期に施行されたと見られる。

神文王の支配共同体への力の行使は、六部の上位に位置した支配層の特権に対しても及んだ。そもそも新羅の真骨層には、六世紀以来の新羅の領域拡大にともない六部各部は、国家としての支配とは別に、六部の各部支配層によって排他的に領有する禄邑《ろくゆう》が全国に保持されていた。神文王は、九州五京制が確立すると、その二年後には文武官僚に職田を支給し、翌年の六八九年には禄邑を廃止して租の支給を行った。こうして六部支配層の身分保障との引き換えに、経済的な既得権をそぎ落としつつ、特権層の官僚化を同時に進行させたのである。神文王の即位後の新羅支配層に対する施策は、恩典の付与と特権の剝奪という相異なる方向でなされた。

ところが、王権の強化という面では、骨品制は危うさを内包していた。かなりの範囲に及ぶ王族に対して最上位の真骨としての身分を認定することは、王室との差別化を困難にするからである。実際に、神文王は即位直後に舅・欽《きん》突《とつ》の叛乱の際に、多くの真骨層の粛正を断行しているが、骨品制の原理上、かれらも王族と同じ真骨であった。そのような骨品制の弱点を補強するために神文王が創出したのが宗廟制であった。

神文王は、六八六年に、唐の則天武后に許しを得て吉凶要礼などを新羅にもたらすと、その翌年に、宗廟の儀礼を挙行している。神文王が創設した宗廟は天子七廟に対して、諸侯王が許される五廟であったが、この五廟に祀られたのは、太祖大王、真智大王、文興大王、太宗大王、文武大王であった。ここに至って真智王に連なる男系宗族と真骨とは、五廟の創設によって明確に差別化されたのである。

ところで、武烈王はしばしば廟号の太宗とともに太宗武烈王と呼称される。これは武烈王陵碑の題額に記されることにもよるが、武烈王に太宗の廟号が贈られたのは、神文王代に唐から武烈王に対する太宗の廟号について咎められていることからも、宗廟創立の神文王代とみるべきである。神文王の宗廟設置に至って武烈王の廟号・太宗は実現したとみられるのである。

さらに宗廟制において注目すべきは、五廟の神主の中で、武烈王の父・龍春を文興大王とすることで、真智王以来、男系の王統がこのとき初めて顕示されたことである。始祖太祖大王は、金氏の始祖・味《み》鄒王《すうおう》とみなされるが、いずれにしても、実質的な系譜を真智王とする男系によって神文王に至ることが六部支配層に宣布された。このような男系王族の王統が確立したのも神文王代からである。

四、領域拡大と「三韓一統」意識の形成

新羅は六七〇年から六七六年に至るまで、六年にわたって唐との抗争を続け、それに勝利すると百済故地に安堵していた傀儡国家・高句麗国を滅ぼし（六八四年）、翌年に新羅領域と新たに収めた百済・高句麗故地に九州・五小京を設置した。九州制は、唐への対抗のために旧百済領域内の金馬渚《きんばしょ》に安置していた高句麗国を滅ぼした後に整備されることになるが、旧百済・高句麗領域と、元来の新羅の地に三州を均等に配分するがごとくに置かれている。

新羅が勢力圏に収めた従属共同体ともいうべき州、郡、県の各邑には地方官が派遣された。このほかに、王京が東南に偏在することから、それを補うために交通の要衝には五小京が設置されたが（統一期の幹線路と推定されている五通［北海通・鹽池《えんち》通・東海通・海南通・北傜通《ほくようつう》］の復元案が種々提起されている中で、概ねそれらの経路は五京と関連づけられている）、実権は九州の長官として都督が掌握し、五小京には仕臣、一一五の郡には郡太守、二八六県には県令・少守が派遣され、郡県支配は統一新羅の中央集権的な支配体制の土台をなした。こうした新羅郡県制の特色は、各々が独自の領域をもつ邑を単位としており、その基底は村落共同体であり、各邑はそれらの結合体として存在し、その代表としての村主は郡県制支配の接点に位置した（統一直後の新羅郡県制と地方村落との関係は正倉院所蔵のいわゆる村落文書（六九五年）をとおして、西原小京付近の事例をかいまみることができる）。

また、九州制で軽視できないのは、統一期に国土の東北端に所在する漢州・漢陽郡を「平壌」と呼称し、この地を高句麗の旧都・平壌に擬して九州内に包摂しようとした事実である。たとえ擬制であっても新羅領域内にかつての高句麗旧都を配置することで新羅が三国統一の理念的秩序をめざしていたことが認められる。九州五京制は六八五年に西原小京の設置をもって完成するが、その翌年に西原小京に立碑された「清州雲泉洞《せいしゅううんせんどう》新羅寺蹟碑」には「三韓(三国)を合せて地を広げ滄海《そうかい》に居りて威を振るわす」とあるのは同時代の新羅人の意識を示すものとして注目してよい。

そうした理念としての三国統一を醸成する上でみのがせないのは、八世紀末・九世紀初めの神文王代から聖徳王にわたる時期に、九州全土に所在する名山大川を国家祭祀の対象として組織化したことである。国家祭祀を大祀・中祀・小祀に三区分する制度は隋代に成立するが、新羅のそれが山川大川のみを対象とする点で隋・唐の制度と異なる独自の性格を有していた。旧百済・高句麗を統合し、いわば帝国規模に拡大された従属共同体を安堵するには国家的な祭祀が要請されたのである。新羅は隋・唐の大祀・中祀・小祀を形式的に踏襲するものの、大祀には三山、中祀には五岳・四鎮・四海・四瀆《しとく》および五山と一鎮、小祀には二四山を配している。それらを朝鮮半島の地図に置いてみれば、新羅の支配領域つまりは九州五京、諸郡県が置かれた地域にそのまま重なっている。

まずは全土を九州と表象することによって三国統一の理念が打ち出され、さらに九州に所在する祭場が大祀・中祀・小祀として位置づけられたのである。九州各地域における従前の祭祀が国家祭祀へ編入されることによって、統一を体現する祭祀共同体の創出がめざされたとみることができる。

次いで、民心の統合という点で注目されるのが中央軍団・九誓幢《きゅうせいどう》が九州制の成立した年に完備されたことである。すなわち、新羅最大の二一種の軍官から構成された歩・騎混成の総合的な軍団である九誓幢の民族構成は、新羅人(緑衿誓幢《りょくきんせいどう》、紫衿誓幢)、「百済民」(白衿誓幢)、「高句麗民」(緋衿誓幢、黄衿誓幢)、「靺鞨《まっかつ》国民」(黒衿誓幢)、「報徳城民」(碧衿誓幢・赤衿誓幢)、「百済残民」(青衿誓幢)から構成されるが、みられるように七軍団は異民族をもって編成された軍団であった。それらの軍団は郡県制が整備される六七五年を前後して六八七年までに六つの軍団が相継いで設置され、九州にあわせるかのように九軍団として成立した。九誓幢は新羅中枢の軍団であるとともに、政治的統合、民族的統合のシンボルでもあった。

こうした中央軍団が整備されると共に、神文王代には九州に配備された三千幢(十停《じってい》)の他に、同王一〇年(六九〇)には漢山辺、牛首辺、河西辺の三辺守幢などの軍団が東北、西北辺境に設置された。これらは設置当初は唐軍に備えるものであったであろうが、その後の渤海国の成立によって、その脅威は防衛的な機制となり、新たな統合の意識を高めたとみられる。というのも、東北辺には、七一五年に安北河に沿って鉄関城を設置し、次いで七二一年には長城(炭項関門)を築いているからである。

さらに西北辺には、七三二年の渤海の登州入寇の際に新羅は唐から派兵を求められたが、新羅は要請に応じることによって、七三五年に浿江《はいこう》(大同江)以南の地が割譲され、七四八年までに特殊軍事地帯(浿江鎮典《ちんてん》)として一四の郡県を設置している。八世紀半ばには炭項関門において境界を隔てた人びとに対する非人間的な異形のイメージ(長人)が新羅人に醸成されたことが確認されるが、隣接する異国に対するステレオタイプは社会的凝集性の契機ともなりうる。七世紀末から八世紀前半における対唐戦争と渤海国の成立による脅威は、骨品制によって再編された支配共同体と、新たに新領域に拡大された従属共同体との相互関係の強化に作用したであろうし、対外戦争と辺境の防衛によって新たな共同体意識を強化する端緒になったはずである。

ところで、統一後の新羅が唐の制度を最も意識したのは八世紀半ばの景徳王代(七四二―七六五年)である。景徳王は七五七年には九州各地域の地名を、七五九年には官司名を唐風の名称に改めている。これによって、全国の地名は、古名の音を伝えつつ、より好ましい字にあらためられたり(音改)、古名の義によって漢訳されたり(義改)、古名の三字あるいは四字よりなるものを二字につづめたりする(省改)など、大幅な改編が加えられ多くが後世に伝わることになった。一方、官司名は、例えば、領客府《りょうきゃくふ》を司賓府《しひんふ》、乗府《じょうふ》を司馭《しぎょ》府、位和《いわ》府を司位《しい》府、賞賜《しょうし》府を司勲《しくん》府とした。官職名は、執事部の中侍・典大等・大舎・舎知・史を各々侍中・侍郎・郎中・員外郎・郎と、唐の三省の官職名を意識的に採用し改めている。

また、景徳王代には検察制度に整備が加えられた。新羅の検察制度は、まず外廷には六五九年に司正府(粛正台)が置かれ、外方には六七三年に地方の検察を任務とする外司正が全国の郡に二人ずつ配されていた。七四六年に至ると、拡大された内廷に、内司正典が内省に置かれ、司正の名をもつ官署が整備され司正系列に属する新羅検察制度が整えられた。

五、骨品体制国家の変容

統一新羅後半期(下代)は武烈王系に替わって元聖王《げんせいおう》を始祖とする血統の近親者が王室を形成し、そこに権力が集中した。王京では王位争奪戦がくり広げられる一方で、地方では叛乱が頻発する。こうした下代の時代相のなかで、王位争奪に明け暮れた支配層のあり方については、中代の専制主義から中古の貴族連合時代への回帰とみなし、貴族連立と捉える視点もあった。しかし、こうした評価は王京内の権力闘争の一面からの解釈であって、そうした視点のみからは下代における新羅社会の変貌の全体像は捉えがたい。また、下代を文字どおり衰退期と捉える見方は依然として根強いが、この時代はそれ以前にも増して中国文明の影響が深く社会に浸透してゆき、政治、社会、文化の多方面にわたって中国化が促進し、新たな時代を準備していた事実が見落とされがちである。

まず、下代における権力構造の変化についてみると、最高官職である上大等や王のもとで政治的実権を握っていた侍中は、上大等と同時に任命される頻度が高くなる。中代の中核的役割をはたした執事部の侍中は、下代に入ると上大等と融合した性格を帯びるようになり、この点は権力構造の変化として注目されてきた。すなわち、侍中は中代においては国王の側近として専制主義的な王権を支える中枢的な役割を担ったものの、下代にいたると、侍中は王の近親者に集中し、侍中退任後には上大等を経て王位に即く者が多数におよぶ。

一方、上大等もまた、その性格を変え最高官職であることに変わりがないとしても宰相の上位者として王権を支える役割に変質していた。一方、侍中は上述のように下代に至ると王位への階梯となり、さらに上大等から王位に即く事例が多くなり、両者の独自の政治的な役割は喪失する。このような権力構造の変化を象徴するのは、下代の上大等二〇名中、侍中の経験者は九名、のちに国王となった者は五名におよんでおり、国王―侍中と上大等との関係は必ずしも対立的ではなく、むしろ相互に補完し合う関係に変質した。

他方で、王の側近としての役割を帯びていた侍中の政治的な機能の変容と呼応するかのように台頭してきたのは、国王の側近官であり、秘書・文翰《ぶんかん》機構である。そのような側近官の一つの部局として、かつては内省被官であった中事省(洗宅《せんたく》)が注目されたことがあった。しかしながら近年になって、中事省は元来、宮中の雑役を担う官司で、唐の内侍省に近似して宦官たちの所属する官司であったことが明らかにされている。ただし、中事省は下代に至って、新たに王に侍従する文翰機構の役割が高まるにつれ、王の側近官が中事省の職を兼ねる者が多くなり、王の私的領域で補佐する者がその職を兼ねることにともなって王の近侍的役割を担う官司となったという。いずれにしても下代に至り侍中の側近官としての機能の低下にともない、翰林台《かんりんだい》の後身である瑞書院《ずいしょいん》や崇文台《すうぶんだい》、宣教省《せんきょうしょう》などの近侍機構が拡張され、側近政治の志向性を強めていった趨勢は否定の余地はない。さらには下代の近侍機構が高麗朝へと継承されていくという歴史的な位置づけに関する議論もなされている。

また注目すべきは、それらの瑞書院、崇文台において活躍したのは唐留学を経験した者や、唐において外国人に開かれていた賓貢科に及第した経験をもつ者たちであり、彼らの役割が顕著になるという事実である。下代における新羅人留学生は増大の一途をたどり、僖康王《きこうおう》二年(八三七)年当時、唐の国学で修学していた新羅学生は二一六名と伝わり、文聖王二年(八四〇)には修学年限一〇年を経過した宿衛学生《しゅくえい》一〇五名が唐・文宗の命令によって集団帰国を命じられるまでに至っている。

賓貢科及第生たちは新羅と唐との外交にも関与し、新羅下代の対唐関係の緊密化に大きな役割を果たしていく。さらに、下代における唐との外交関係で注目されるのは、八世紀末に遣唐使経験者二人が王位に即いており(昭聖王・憲徳王)、九世紀にいたると、五人の王子が唐に使節として派遣されている。そのほかにも王族の唐への派遣が確認され、宿衛として派遣された者も少なくない。こうしたなかで、在唐新羅留学生の中には、唐代末期に宰相を輩出した馮氏家門との交驩関係を結ぶなど、新羅の儒教的な教養の深まりは下代の大きな特徴をなしている。

遡れば、下代の王系の始祖である元聖王は、読書三品科《どくしょさんぴんか》を七八八年に国学に設けることで儒教的な教養による人材を選抜する制度を強化したが、下代はこうした傾向が顕著となる。読書三品科の設置は、上述の瑞書院や崇文台などの近侍機構の拡張を促し、側近政治が王権の強化と結びつきを強めていく契機となったものとみられる。

一方、新羅下代を規定した社会構造の変化については、興徳王九年(八三四)の風俗規定に象徴的に現れている。この規定は骨品の各階層に応じて、色服《しきふく》・車騎《しゃき》・器用《きよう》・屋舎《おくしゃ》の各々の項目ごとに奢侈を禁じるためのものであるが、この規定の対象とする階層序列は、真骨・六頭品・五頭品・四頭品・平人・百姓からなっており、さらには外方の外村主、次村主は各々五・四頭品に準ずるものとして規定の遵守が命じられている。

従来、この規定は骨品制の閉鎖的な身分制の象徴として、その固有の性格が九世紀にまで墨守されてきたものと解釈されてきた。しかしながら、この規定は、そもそも新羅全土の百姓を対象にしつつ、①かつての六部人を再編して組織化された真骨・六頭品・五頭品・四頭品といった骨品身分の八階層中の四階層のみを対象としていること、さらに②骨品制外の身分でありながらも官位を保持する者(平人)が対象となっていること、③外方の在地首長である村主が五・四頭品に準ずる者として対象とされている事実にこそ目を向けなければならない。

三国統一を契機とした人的基盤の再編として制度化された骨品制は、その制定から一五〇年を経た興徳王代においては、すでに三頭品以下の規定が存在せず、もはやそれらは階層としての意味をなさなかったように、元来の多階層構造は変質し退化していた。

その上で、この規定から読み取れる最も重要なのは次の二点である。一つには、この規定の主体である新羅の王者は、骨品制の包摂から離脱している点である。中代において真骨は王族との間に原則的に区別はなかったが、ここに至って真骨は、規定の上限を設けられ規制を受ける一身分となっている。つまりは、国王及びその近親者集団が真骨の上位に位置して超越的な存在として君臨していたのである。下代における骨品制の変質は、前述したように侍中、上大等が王位へという階梯化したことや王族内の抗争にも関わっていたものとみられ、もはや貴族連盟といった規定が無効であることを認めざるをえない。むしろ専制主義が先鋭化を遂げたというべきである。下代の王位争奪戦の熾烈化とは真骨を離脱した極めて限られた範囲の血縁集団内の抗争とみられ、その背後には支配共同体内の族団の分枝化が進行していたことが伏在していた。いずれにしても、もはや骨品制は王京支配共同体に固有な血族的身分制としての実体を喪失していた点を認めなければならない。

また、二つには、王京支配者共同体を構成する基礎集団としての同族のみに局限されていた骨品制の基盤がここに至って広く地方の諸集団へ拡大・拡散されたことである。この変化は内部的に、同時に外延的にも生じていたのであって、骨品制がよって立ってきた前提条件が変化したことを意味する。支配共同体の外部に出自をもつ者が京位をもち、中央官職に進出した平人層の存在や、さらには、在地首長である村主層が五・四頭品に準ずる者と位置づけられたように、新羅地方社会における骨品的身分制の移入・定在という現象が生じている。

具体的な事例を考えてみよう。九世紀半ばには村主の中に新羅官位第八等の沙飡《ささん》の重位(三重沙干《さんじゅうさかん》)を帯びる者たちが現れている(八五六年「竅興寺鍾銘《きょうこうじ》」)。重位とは、特進階級を意味するが、五・四頭品に準ずる扱いであった村主が沙湌の三重の特進を認められるとすれば、真骨の得られる下限である大阿湌《だいあさん》(五等)相当の待遇を得ることができると解さなければならない。王京支配者共同体における特権として設定された閉鎖的身分制が、九世紀に至ると開かれた骨品制に大きく転換されたことになる。

重位制については、これまで骨品制の閉鎖性を示すものとして第六等の阿湌、第一〇等の大奈麻《だいなま》、第一一等の奈麻の重位制が注目されてきた。各々六頭品、五頭品、四頭品に対して、制度上の限界があった点のみに目を奪われていた。しかし重位制とは、その本質は制約を超え恩典として与えられるものであって、たとえば、五頭品の特進階級と推定される九重大奈麻は、第二等相当の官職に昇りうる恩典が与えられていたことになる。これは六頭品の特進階級を凌駕してしまうために、その実在が疑われたことがあったが、その可能性を積極的に支持されている。制度的には、かつては六頭品、五頭品では果たし得ない長官職にもつきうる四頭品の者たちが原理的に実在しうるのである。

すでに言及したとおり、下代の初期に読書三品科が設けられたが、新羅では儒教経典の学習が一層重視され、その学業は経典の種類と多寡で三品のランク付けがなされ、さらには「超擢《ちょうてき》」者の規定があって、各々出仕の際には、大奈麻、奈麻が与えられたという。それならば、その存在が認められる九重大奈麻や七重奈麻は読書三品科の「超擢」者にこそ相応しいと言えるであろう。

こうした骨品制の変容の中でも、下代末期の社会的混乱を観ていく上で、注目すべきは、先述の新羅地方社会における骨品的身分制の移入・定在という問題である。

骨品制が、下代に至り支配共同体を超えて新羅社会全体の中で位置づけられるようになったことに象徴されるのは、内部的には王京支配共同体内において、外延的には地方郡県すなわち従属共同体における相互の変容である。そうした変容は地方支配の弛緩をもたらし、地方勢力の独立、割拠をまねくことになる。

支配の弛緩にともなう従属共同体の離脱が顕在化し、各地域で進行していた地方分権的勢力が割拠する中で、かつて王京支配共同体に従属していた諸邑は、各地域で新たな統属関係を形成し、その主導的な勢力は、将軍、城主を名乗って独立的な勢力を形成していった。後三国時代とよばれる下代末期に、高句麗の復興を唱えて自立した弓裔《きゅうえい》や、百済の復興をとなえた甄萱《けんけん》も元来、そのような勢力の一つであった。やがて、開城において新たに支配共同体を形成した王建によって、分権的な諸勢力は次々に統合を果たすことになる。

かつて西原小京が置かれていた清州では王建の自立後には多数の者が高麗に参与したが、九六〇年(『清州龍頭寺幢《せいしゅうりゅうとうじどう》竿記《かんき》』)に確認される地方勢力としての小権力構造を見てみると、彼らは州司を設置し、数名の堂大等(後の戸長)を頂点に、兵部・司倉・戸部などの執行機関をもち、一〇〇名規模の人員を要していたと推定されている。堂大等は新羅の上大等に由来する州司の最高長官であった。彼らは姓氏を有し、邑司はそれらの姓氏集団を選出基盤として堂大等が邑を代表していた。清州は付近の清州同様に累層的な支配構造をもつ九邑を隷属させ、主邑—属邑関係を結んでいた。かつての西原小京は七世紀末の新羅村落文書にみられるように、いくつかの村落を管轄していただけであったが、新羅末の混乱の中で、管轄領域を拡大し、邑内外をあわせて、新たな累層的な邑支配を実現したのである。新羅の外方の従属共同体は、九州制が設置された当時とは全く次元を異にする大変貌を遂げていたことになる。また、清州に見られる一姓一村落を原則とする姓氏集団は、高麗初期になって生じた現象であり、地方人が姓をもつことは新羅時代にはみられなかったことであった。

高麗による従属共同体への支配は、一〇世紀末の成宗代をまたなければならなかった。いわゆる主邑が属邑を累層的に支配する関係からなる地方社会が、改めて再編成されるのがこの頃であり、これをもって高麗郡県制の成立とされる。

おわりに

中代以降の新羅は、金春秋の親唐政策によって固有の年号を廃棄して唐年号を用い続けた。高句麗以来の年号の使用は、ここで絶たれたようにも見える。しかし、新羅下代に高句麗の再興を訴えて興起した弓裔は、国号を摩震《ましん》とすると年号を武泰《ぶたい》、聖冊《せいさく》とし、国号を泰封と改めてからは水徳万歳《すいとく》、政開《せいかい》などの年号を用いたと伝えている。高麗の王建もまた天授、光宗は光徳、峻豊《しゅんぽう》の年号を定めている。こうした現象については、唐の衰亡と宋の興起、それに続く北族(契丹)の台頭がからまった三者の間隙に生じているので、この時期に限られた特殊な国際環境によって、それまで表面化しがたかった自主的エネルギーの噴出とみる見解がある。

しかしながら、遡れば、八二二年に叛乱を起こした中代王室の血を引く金憲昌もまた長安国(長安は高句麗の王都の別号)の建国を唱え、建元して慶雲と定めている。これらは新羅の年号廃止から時代を大きく隔てているものの、弓裔の先駆をなすともみなせる。その後に朝鮮半島における年号の使用はみられなくなるが、朝鮮半島の国家には表面化はせずとも自主的な情動が伏在しているとみられるのである。それがどのような情況の中で噴出するのかについての解明は今後の課題である。

それというのも、高麗時代においては、中国の天子(皇帝)を中心とする一元的な世界観に対峙して、高麗王もまた中国の天子(皇帝)と並ぶ存在であるとみなす多元的な世界をもっていたことが、高麗の祭祀をとおして提起されているからである。それらは中国から導入した圜丘祀《えんきゅうし》と高麗固有の王権祭祀である八関会という各々異なる天下観に由来するのであるが、両祭祀によって高麗を中心とする世界観の存在が主張されている。そのような高麗の世界観を「多元的天下観」と呼び、当時の支配層に共有された意識であるとの指摘もある。

本章で見てきたように、古代朝鮮の諸王朝は、中国王朝から冊封を受け、臣従しながらも、高句麗や新羅では自己を中心とする独自の世界観のもとに勢力圏を形成した。新羅を襲った高麗に認められる独自の世界観の由来には、本章で対象とした四世紀末の高句麗に遡って、その淵源があることを改めて提起してみたい。

参考文献

赤羽目匡由(二〇一一)『渤海王国の政治と社会』吉川弘文館。

植田喜兵成智(二〇二二)『新羅・唐関係と百済・高句麗遺民』山川出版社。

奥村周司(二〇二〇)「高麗の国家祭祀から見えてくるもの――円丘祀と八関会に見る世界観」『史滴』四二号。

木村誠(二〇〇四)『古代朝鮮の国家と社会』吉川弘文館。

佐川英二(二〇一八)「漢帝国以後の多元的世界」南川高志編『378年失われた古代帝国の秩序』山川出版社。

末松保和(一九五四)『新羅史の諸問題』東洋文庫。

武田幸男(一九六五)「新羅の骨品体制社会」『歴史学研究』二九九号。

武田幸男(一九六七)「魏志東夷伝にみえる下戸問題」『朝鮮史研究会論文集』第三集。

武田幸男(一九七〇)「新羅の滅亡と高麗朝の展開」『岩波講座世界歴史第九巻』、岩波書店。

武田幸男(一九七五)「新羅骨品制の再検討」『東洋文化研究所紀要』六七冊、東京大学。

武田幸男(一九八〇a)「朝鮮三国の国家形成」『朝鮮史研究会論文集』第一七集。

武田幸男(一九八〇b)「六世紀における朝鮮三国の国家体制」武田ほか編『東アジア世界における日本古代史講座 四 朝鮮三国と倭国』学生社。

武田幸男(一九八四)「朝鮮の姓氏」『東アジア世界における日本古代史講座 一〇 東アジアにおける社会と習俗』学生社。

武田幸男(一九八五)「新羅〝毗曇の乱〟の一視角」『三上次男博士喜寿記念論文集』歴史編、平凡社。

武田幸男(一九八九)『高句麗史と東アジア――「広開土王碑」研究序説』岩波書店。

武田幸男(二〇二〇)『新羅中古期の史的研究』勉誠出版。

田中俊明(一九九九)「朝鮮地域史の形成」『岩波講座世界歴史9 中華の分裂と再生』岩波書店。

橋本繁(二〇一四)『韓国古代木簡の研究』吉川弘文館。

橋本繁・李成市(二〇一五)「朝鮮古代法制史研究の現状と課題」『法制史研究』六五号。

濱田耕策(二〇〇二)『新羅国史の研究』吉川弘文館。

韓相賢(二〇二二)「百済夫余出自説と百済史の展開」『朝鮮史研究会会報』二二七号。

三﨑良章(二〇一二)『五胡十六国——中国史上の民族大移動(新訂版)』東方書店。

三谷博・李成市・桃木至朗(二〇一六)「「周辺国」の世界像——日本・朝鮮・ベトナム」秋田茂ほか編著『「世界史」の世界史』〈MINERVA世界史叢書 総論〉、ミネルヴァ書房。

矢木毅(二〇一二)『韓国・朝鮮史の系譜——民族意識・領域意識の変遷をたどる』塙書房。

李成市(一九八八)「渤海史研究における国家と民族——「南北国時代」論の検討を中心に」『朝鮮史研究会論文集』二五集。

李成市(一九九八)『古代東アジアの民族と国家』岩波書店。

李成市(二〇〇四)「新羅文武・神文王代の集権政策と骨品制」『日本史研究』五〇〇号。

李成市(二〇一八)『闘争の場としての古代史——東アジア史のゆくえ』岩波書店。

李基東(一九八〇)『新羅骨品制社会와 花郎徒』韓国研究院、ソウル。

李基白(一九七四)『新羅政治社会史研究』一潮閣、ソウル(李基白『新羅政治社会史研究』武田幸男監訳、学生社、一九八二年)。

李在睆(二〇一九)「新羅の宦官官府を探して——洗宅(中事省)の性格についての再検討」植田喜兵成智訳、三谷博ほか編『響き合う東アジア史』東京大学出版会。

盧明鎬(一九九九)「高麗時代의 多元的天下観과 海東天子」『韓国史研究』一〇五、ソウル。

新羅千年의 歴史와 文化編纂委員会(二〇一六)『概要 新羅千年의 歴史와 文化』慶尚北道文化財研究院。

朱甫暾(二〇〇九)「新羅骨品制研究의 새로운 傾向과 課題」『韓国古代史研究』五四。

焦点｜*Focus*

中華と日本
――日本国の成立

冨谷　至

一、「倭王」

『隋書』倭国伝に記載されている遣隋使に関しては、日本史、東洋史の研究者から数え切れないぐらいの論文が出されてきた。特に、『日本書紀』に記されていない開皇二〇年(六〇〇)の遣隋使は史実か、隋煬帝は、もたらされた国書の何に立腹したのか、この二点が最も論議を喚起し、私もこれに関して持論を述べた(冨谷 二〇一八：一一三―一四二頁)。

右の問題を今は繰り返し論じない。以下では、「倭王」という二字をとりあげて、中国(隋)と日本(倭)の対立する意識を確認し、その背景にある日本(倭)が中国から距離をおいていく過程と中華思想を考えてみたい。

「倭王」という称号は、歴代の中国王朝が遣隋使に至るまで、否それ以後においても、一貫して使ってきた名称である。いったい、「王」は、中国の皇帝が国内の皇族、功臣に与えた称号を異民族の首長にも転用したもので、皇帝に従属するものに与える称号であった。ここで、確認しておきたい重要なこと、それは称号は「王」であり、「国王」ではない、「国王」といった称号は存在しないということである。

晋・司馬彪《しばひょう》『続漢書』百官志には、「四夷国」との表題のもと、夷狄の首長などに与えられる称号を明記している。

四夷国、王、率衆王、帰義侯、邑君、邑長、皆な丞有り、郡、県に比《なら》ぶ。

表題が「四夷国」となっている以上、この条文を「四夷、国王……」として読むことはできない。

また『漢書』西域伝にも、「最凡、国は五十。訳長、城長、君、監、吏、大禄、百長、千長、都尉、且渠《しょきょ》、当戸、将、相より侯、王に至る、皆な漢の印綬を佩《お》ぶ、凡そ三百七十六人」とみえ、漢からは、「国王」ではなく、「王」という称号で印綬を与えられる。

さらに、いまひとつ史料を加えよう。

王莽は劉漢の「王」という称号を「公」にし、四夷にたいしても「王」から「侯」に降格した。そこにも「国王」といった語は確認できない

漢氏の諸侯、或いは王と称す、四夷に至るも、亦た之れの如し。古典に違い、一統に謬《そむ》く。其れ諸侯王の号を定めて、皆な公と称す、及び四夷の僭号して王と称するものも、皆な更めて侯と為す。

『漢書』王莽伝

一連の史料からは、「国王」という漢が賜与する称号はなかったとせねばならない。

中国側が周辺諸国にあたえる称号は、「国王」ではなく、「王」であることは、以後、唐さらには、明においても同じであり、そこに「国王」の称号は存在しなかったと、私は考えている。唐においては、周辺諸国の首長に「国王」と「王」の二つの称号がある区別をもって賜与されたとの解釈がある(金子 二〇〇一:「唐代冊封制一斑――周辺諸民族における「王」号と「国王」号」)。しかし、一般的に「蕃国」と称される周辺諸国にあって、史料には「蕃国王」(その略称が「蕃王」)と記され、それを「蕃の国王」「蕃の王」と読むことは不自然であり、やはり「蕃国の王」(「蕃王」と略称)なる表記とせねばならない。――「嗣王、蕃王、郡公、県公等世子、品並第四」(『隋書』百官志)、「開元八年九月。初。正冬朝会。宴見蕃国王」(『唐会要』巻二四)、「元日、冬至大朝会、宴見蕃国王」(『新唐書』儀営志)。

さらに明清時代にあっても、ことがらは変わらない。

「其賜蕃王印綬及礼物、宣制曰皇帝勅使爾某、授某国王印綬、爾其恭承朕命」（『明史』礼志）。『明史』巻二〇八外国伝にも、「帝遣符璽郎偰斯齎詔及金印誥文封顓為高麗国王」とあり、それを「高麗王」ともいっている（同、外国伝「高麗王顓被弑、奸臣窃命、」）。
また豊臣秀吉が最初に与えられたのは「順化王」（『明史紀事本末』巻六二）であり、琉球国にたいしては「琉球国中山王」（『皇朝文献通考』巻二九五、『清史稿』巻三一三）であった。

二〇〇〇年に及ぶ帝政中国において、中華帝国が周辺諸国に賜与した称号は、一貫して「王」である。「王」という称号を与えることで、帰順する周辺諸国の上に君臨する中華の理念を維持していった。このことを確認して、漢代にもどろう。

後漢光武帝の時代、倭（倭奴《わど》・倭奴国《わどこく》）が奉献の使者をおくった見返りに、光武帝は、倭の首長に倭王（倭奴国王）の称号を与えた、その印が志賀島《しかのしま》出土の金印であったことは、『後漢書』光武帝紀・東夷伝、『後漢紀』光武帝紀に記されているあまりにも有名なことがらである。

金印「漢委奴国王」は「漢の倭奴国《わどこく》の王」と読むべきであること、「倭国」はまた「倭奴国」とも呼ばれたこと、別の論考で明らかにした（冨谷 二〇一八：三三―三六頁）。

称号「倭王」は、魏明帝が邪馬台国の卑弥呼に与えた印「親魏倭王」のそれであり、倭の五王が南朝の王朝に求め続けた称号（爵位、官職、王号）「安東（大）将軍、倭国王（もしくは倭王）」も同じい。一世紀の倭奴国から五世紀の倭王武まで、中国王朝は皇帝に従属することを示す「王」なる称号を倭に賜与し、倭もそれを希求したのである。

六世紀に入ると、それまで続いていた倭と南朝の交渉は、お互いの国内情勢、倭と朝鮮半島との関係などから、鳴りをひそめ、ほぼ一世紀の疎遠をむかえる。倭と中国の外交関係は、いわば第一期「倭国王の時代」から、新たな段階へと向かった。その第二期のはじまりが冒頭の六〇〇年の遣隋使に他ならない。

二、『日本書紀』の「倭皇」

『日本書紀』は、推古天皇一五年から一六年(六〇八)にかけての条に遣隋使に関連する記事を載せている。そこにはいくつか不可解な事柄が目につくのだが(冨谷 二〇一八:第七章「日出る国の天子」)、ここで取り挙げたいのは、隋からの国書にみえる倭の首長に対する呼称である。

推古一六年、唐の使者裴世清《はいせいせい》が持参してきた皇帝からの国書は、次のような文面であった。原文とともにここに挙げよう。

皇帝問倭皇。使人長吏大礼蘇因高等、至具懐。朕欽承宝命、臨仰区宇。思弘徳化、覃被含霊。愛育之情、無隔遐邇。知皇介居海表、撫寧民庶。境内安楽、風俗融和、深気至誠。遠脩朝貢、丹款之美、朕有嘉焉。

『日本書紀』推古十六年八月

皇帝、倭皇に問う。使人長吏大礼蘇因高《そいんこう》等、至りて懐《おも》いを具す。朕、欽しんで宝命を承《う》けて、臨みて区宇を仰ぐ。徳化を弘めて、含霊に覃被《たんひ》せんことを思う。愛育の情、遐邇を隔つこと無し。知るに、皇は海表に介居し、民庶を撫寧す。境内は安楽、風俗は融和し、深気は至誠たり。遠きより朝貢を脩め、丹款の美、朕は嘉《よみ》すること有り。

注目したいのは、「皇帝問倭皇」と、倭の首長にむかっての「倭皇」なる呼称である。漢以後、中国側はいずれの場合、いずれの時代にあっても、一貫して「倭王」「王」という呼称を用いてきた。『隋書』東夷伝もこの原則に従い、「倭王」としている。

右の国書には、いまひとつ疑問の個所があり、それは、「知皇介居海表、撫寧民庶。……」の「皇」という字である。その前に位置する「知」は、相手方の書簡を引用する際に使われる常套語で（安田 二〇〇三：五三三―五三六頁）、ここは倭王からの国書をふまえたものだが、「介居海表」は唐皇帝が周辺異民族について述べる定型句でもある。

（天監二年〔五〇三〕）扶南王憍陳如闍邪跋摩、介居海表、世纂南服、厥誠遠著、重訳献賝。宜蒙酬納、班以栄号。可安南将軍、扶南王。　『梁書』諸夷　扶南

扶南王憍陳如闍邪跋摩《きょうちんにょじゃなばつま》、海表に介居し、世よ南服を纂《つ》ぐ、厥《そ》の誠は遠く著われ、訳を重ねて賝《たから》を献ず。宜しく酬納を蒙り、班するに栄号を以てすべし。安南将軍、扶南王たる可し。

右の『梁書』は扶南に宛てた書であるが、「扶南王」との呼称を用いているのと同じく、倭が受け取った隋煬帝の書も「王介居……」と「王」となっていたはずである。そもそも中華が周辺諸国の首長に「皇」と呼称した例は寡聞にして知らない。

隋からの国書には、「倭王」「王」と書かれていたことは、明らかである。それを「倭皇」と改めたのは、「倭王」の二字を隠蔽しようとしたからであり、「王介居」を「皇介居」と書き換えたのは、「王」という称号を忌避したからに他ならない。

「漢倭奴国王」「親魏倭王」「安東大将軍倭国王」と倭が享受し、またあるときには強く要求してきた「王」「倭王」という称号は、もはや負の忌むべきものとなったのである。

では、本来、唐からの国書にあった「王」が「皇」と書き換えられたのは、いつの頃だったのであろうか。想定される可能性は、①六〇八年に国書を受け取った段階、②大宝四年（七〇四）から始まり養老四年（七二〇）にいたる『日本書紀』編纂時、③『日本書紀』成立以後の伝承・伝写の過程、この三つが考えられる。

①にかんしていえば、推古朝以前から、倭国の首長の自称は「大王」、より正式には「〇〇宮治天下大王」であり、「大王」は「オオキミ」との和音をもっていた。六〇〇年の最初の遣隋使の時に、隋側が「倭王……　号阿輩雞彌《おおきみ》」

と認知したのは、倭が隋に「オオキミ」との自称を伝えた――このときに倭からの国書が存在し、その中に「阿輩雞彌」の四字が記されていたのか、それとも口頭で伝えたのか、私は後者だったと憶測している――からに相違ないが、この「大王」の「王」が同音であることから「皇」にかわり、「大皇」「天皇」へと転換されていく。それは、現存の造像銘文、墓誌などから検証でき、転換は天武朝あたりで（冨谷 二〇一八：第八章第二節「天武以前の資料」）、①の推古朝には、少なくともその動きはない。

では、②の『日本書紀』編纂の過程での作為なのか。『日本書紀』の編纂は、七〇四年から七二〇年の十数年の長きにわたり、その時点では、後にのべるように称号「天皇」、国号「日本」は成立していた。したがって、編者が「王」を嫌って「皇」に変えたことは、十分可能性がある。ただ、『書紀』が「王」を忌避しようとした意図はうかがえるものの、その代替表現には一種の揺れがみえ、「倭王」という表記も実は、『日本書紀』神功皇后摂政四三年の注に「魏志云。正始四年倭王復遣使大夫伊声者掖耶約等八人上献」とあって、一個所ではあるが、中国側史料にある「倭王」を変えていない。

ここに興味ある日本側の史料を紹介しよう。

「倭皇」という表現にかんしては、『日本書紀』が世に出た以後も、いくつかの書の中で取り挙げられてきた。その一つは、延喜一七年（九一七）に藤原兼輔《ふじわらのかねすけ》によって著わされたともされている（これには、異説があるが）『聖徳太子伝暦』下につぎのような「倭皇」についての記事が見える。

隋帝の書に曰く、皇帝、倭皇に問う……天皇、太子に問いて曰く、此の書、如何と。太子、奏して曰く、天子の諸侯王に賜いし書式なり。然れども皇帝の字は、天下、一つなるのみ、而して倭皇の字を用うるは、彼れ其の礼あればなり。

唯一絶対の存在である皇帝の「皇」は、特別な意味をもっているが、その「皇」をふくんだ「倭皇」は、倭の首長に対する特別な礼儀の表れである、と。

この部分は、後の北畠親房『神皇正統記』(一三三九年成立)、および文明二年(一四七〇)に瑞渓周鳳《ずいけいしゅうほう》がものした『善隣国宝記』にも引用されている。

隋皇帝が特別の意をもって「倭皇」という二字を国書に記したという解釈は、日本国の尊厳性を強調する流れのなかで出てきたものであることは、いうまでもない。ただ、ここで私が、指摘したいことは、ひとつには、『日本書紀』が世にでて以後、この「倭皇」という表現は、理由付けをせねばならないデリケートな表現であり、それがひいては対中国との関係における日本の対等、優位の思想と関連していくということである。

いまひとつ、実は『善隣国宝記』推古十五年(六〇七)に、「元永元年(一一一八)四月二五日、中原朝臣師安《なかはらのあそんもろやす》……日本書記の内の推古記を引き、また経籍後伝記を引きて曰く」として、小野妹子の遣隋使のことを述べ、こう展開している。

> 裴世清等十三人を遣わし、因高を送りて、来りて国風を観せしむ。その書に曰く、皇帝、倭王に問う。聖徳太子、甚だ天子の号を黜《しりぞ》けて倭王となすを悪みて、その使を賞さず。依りて書を報じて曰く、東天皇、西皇帝に白《もう》す。
> ……然れども、書籍後伝記に十二年甲子に曰くとし、また倭皇を倭王に作る。孰《いず》れが是なるや。

『書籍後伝記《しょせきこうでんき》』は『経籍後伝記』とも称され、選者、成立年代ははっきりしないが、『政事要略《せいじようりゃく》』(一〇〇二年前後の完成)に引用されている「儒伝」の別名とも考えられ(田中 一九九五:補注五〇四頁)、一〇世紀には存在していたともいえる。『経籍後伝記』の撰者は『日本書紀』の記事を参考にしたことは間違いなく、撰者がみた『日本書紀』には、「倭王」となっていた——撰者が意を以て「皇」を「王」にしたという可能性も排除できないが、時代の潮流の中で倭皇→倭王の逆進的改変の合理的理由を見つけることは、困難である。一〇世紀に伝わった『日本書紀』の写本のなかには、「皇帝問倭王」に作るテキストがあったと私は考えたい。

テキストの異同は、「倭王」の二字が、『日本書紀』編纂以後、伝写の段階で忌避されていったことを示しているのではないだろうか。先に挙げた『日本書紀』神功皇后摂政四三年注、「魏志云。正始四年倭王復遣使大夫伊声者掖耶約等八人上献」が「倭王」の二字をそのまま残していることも、その傍証を提供するかもしれないが、ここの「倭王」にかんして、『書紀』伊勢本(一四二三―二四)、熱田本(一三七〇年代)は、「倭女王」に作る(『日本書紀』一九六七:神功皇后　校異　六四七頁)。『魏書』はもとより「倭王」とあることで、この表記は『書紀』の伝写の過程で、『魏書』にもみえる「倭女王」という表現をもとに書き換えられたとみるべきだろう。選者ではなく写書者の意図的改変を示唆するとしたい。私は、「倭王」が「倭皇」と記されるようになったのは、『書紀』が書写されていた過程で生じた蓋然性が高いとみる。

以上、中国が周辺異民族国に賜与した王号の一環であった「倭国王(倭王)」という称号を倭国がどのように受け入れ、また次第に忌避するようになっていったのか、六世紀以前から一〇世紀にかけての史料をもとに考えてきた。ことがらは、「倭」「日本」という国号の問題とも密接な関係にある。

中国側は、周辺諸国に「王」という称号を賜与し、それを一貫して使ってきたことを述べてきたが、推古朝、遣隋使に関わる国書の中で使われる「倭王」は、文帝もしくは煬帝が王の印綬を与えて正式に倭国の首長を冊授したものではない。その意味では、六世紀までのあり方とは異なる。ならば、「倭王」「王」という呼称は、皇帝に従属する四夷の蕃国の「王」という意味でなく、単なる相手国の首長を呼ぶ便宜的呼称に過ぎないのか。しかし、隋および唐において、中国側は頑なに「王」という呼称に固執する。「倭王、姓は阿毎、字は多利思比孤、号は阿輩雞彌」(『隋書』東夷伝)、「倭王、姓は阿毎、名は多利思比孤、その国では阿輩雞彌と号し、華では天児と言う」(『通典』巻一八五・辺防)と、倭が首長の称号を「大王(オオキミ　阿輩雞彌)」との呼称を用いていたときにも、また「天皇(スメラミコト)」という称号を用いるようになっても、「勅、日本国王主明楽美御徳」(『文苑英華《ぶんえんえいが》』巻四七一・翰林制誥《かんりんせいこう》・張九齢)とオオキミ、スメラミコトは首長の名として表記して、元首としての称号は、「倭王」「日本国王」という「王」という王号を変えなかった。このことから鑑みれば、たとえ冊授、印綬の賜与という形式をとらなくても、中国各王朝は、この「王」という呼称を使うことで、

一　朝貢すべき従属国と見做していたと私は考える。

三、倭国から「日本」へ

倭が国号を「日本」に変更することを中国側にはじめて伝えたのは、武則天長安二年（七〇二）、日本の年号では大宝二年のことであった。これは、中国側の史料にも、また日本側の史料からも検証することができる。

① 武后、倭国を改め日本国となす。

『史記』五帝本紀　張守節「正義」

② 日本国は、倭国の別種なり。其の国、日の辺に在るを以て、故に日本を以て名と為す。或いは曰く。倭国は自ら其の名の雅ならざるを悪《にく》みて、改めて日本と為す。或いは云う。日本は旧《も》と小国なり、倭国の地を併《あわ》す。其の人、入朝せしもの、多く自ら矜大にして、実を以て対《こた》えず。故に中国、疑えり。

『旧唐書』東夷伝

③ 咸亨元年（六七〇）、使を遣わして高麗を平ぐを賀す。後、稍く夏音を習い、倭の名を悪みて、更めて日本と号す。使者、自ら言う、国は日の出る所に近し、以て名と為す。或いは云う。日本は乃ち小国なり、倭の并す所となる、故に其の号を冒《と》るなり。使者、情を以てせず、故に疑う。

『新唐書』東夷伝　日本

④ 秋七月甲申朔。正四位下粟田《あわた》朝臣真人《まひと》、唐国より至る。初め唐に至りし時、人あり来りて問うて曰く。何処の使人なるや。答えて曰く。日本国の使なり。我が使、反問して曰く。此れ是れ何れの州界なるや。答えて曰く。是れ大周楚州塩城県の界なり。更に問う。先に是れ大唐、今、大周と称す。国号、何に縁《よ》りて称を改めん。答えて曰く。永淳二年、天皇太帝崩ず。皇太后、登位す。称号は聖神皇帝。国号は大周。

『続日本紀』巻三慶雲元年（七〇四）

粟田真人と唐人との会話から、真人が武周革命を知らなかった(渡邊 二〇〇一：八四頁―八五頁)との解釈があるが、そうではなかろう。真人は、唐から周に国号が代わったことを十分に承知していて、「そちらも国号を変えたではないか、それは何故か」とやり返すことで、日本側の国号改変の行為を問題の無いものと主張したと、この史料は読むべきと考える。

「日本」への国号の改称をめぐっては、指摘しなければならない重要な視点がある。以下、箇条書きにして述べてみよう。

(1) 唐へ正式に国号の変更を告げたのは、七〇二年一〇月に長安に到着した第八回遣唐使であった。日本国内では、七〇一年には、初めての年号「大宝」が制定され、また「大宝律令」がこの年に施行された。つまり、唐への国号変更の告知は、日本が新しい国家の仕組みを完成させたこととの一環であった。特に、外交面では、倭という中国側が卑下する国号を日本が独自に作った呼称に変更すること、また中国の年号ではなく、日本で創作した年号を制定することで、中国とは一線を画する立場の表明でもあった。取り分け、独自の年号の制定は、中国の歴代王朝がそれまでの王朝との継続性を絶ち、独立した途を歩み始めるときには、不可欠の政治的儀式であり、「大宝」の年号制定もそれと通底した行為とせねばならない。

(2) 日本の国号は、七〇二年にはじめて唐に伝えられるのだが、日本国内においては、それ以前にすでにこの名称が誕生しており、それを国外に告示したという流れと見るのが自然である。名称がどのような経緯で定まっていったのか、その水面下の動きの詳細を明らかにすることには限界があるが、【国内での名称の創成】→【制度としての確立】→【外交上の正式国号の成立とその告知】の三段階を考えていかねばならない。

(3) 倭と日本との関係

「倭」という国号は、あくまで中国が一方的に決めた呼称である。その意味は、「従順」であり、志賀島出土金印に

「委」と刻字されているのも、「従順」という同義をもつからに他ならない（『説文解字《せつもんかいじ》』八篇上「倭とは、順なる皃（貌）」（段玉裁注。倭、委と義は略ぼ同じ。委は随なり。随は従なり）。倭国がこの「倭」を「日本」に変更したのは、中国王朝に従属するという卑下した字義の「倭」を忌避したからである。

「「倭」は卑語ではない、対外的に卑語だと自覚しているならば、国内で使い続けることはおかしい」（河内 二〇二〇）という説があるが、それには同意できない。中国が名付けた「倭」「倭人」は、「倭」の原義からして明らかに卑下した意味をこめての命名であることは、否定できない。『旧唐書』倭国伝に「倭国は自ら其の名の雅ならざるを悪みて、改めて日本と為す」とあるのは、中国側は、「倭」を雅名ではないことを認識していることを巧まずして示している。問題は、中国側が卑語として使ったこの字を、日本側が自分たちを蔑む字義をもつと認識したかどうかである。かりに、倭国がこれを卑下した字ではないと考えているなら、どうして対外的に国名の変更をせねばならなかったのか。後述するように、「日本」の二字は、和語ではなく「東方」という意味の漢語であり、それに関連する「日出」は外典・内典に典拠をもつ「東方」の雅語である（冨谷 二〇一八：一二八―一三〇頁）。倭国は、それを「倭」に代わる国名として採用した。また、日本側も、和銅六年（七一三）の段階で、国内の郡里の名称には好字・嘉名つまり雅名を使用する通達が出されている（『続日本紀』和銅六年五月甲子、『延喜式』民部上）。『旧唐書』倭国伝の「倭の名が雅ではないことを嫌って日本とした」という説明は首肯できる。倭国内でも、漢語の意味がもつ雅・卑には敏感であり、漢語「倭」は蔑称と認識していたのだ。

天平九年（七三七）に大倭《やまと》国の漢字表記を大養徳《やまと》国に改めている（『続日本紀』天平九年（七三七）十二月条）。これは、国名ではなく地域名としての表記であり、その直接の意図は、疫病流行により「大いに徳を養う」ということからの改名だが、用いた好字に意味を込めた一環であったことは、確かである。ただ、その一〇年後の天平一九年（七四七）には、再び「大倭国」の表記にもどる。これは橘諸兄《たちばなのもろえ》を巡る権力闘争が背景にあるとされる（『続日本紀』一九九二：四六五頁 注一〇）。

また、地名表記で「倭」という表記が後にも使われ続けるのは、七・八世紀における地名表記の多様性、漢字表記よりも音声呼称こそが重要とされたこと（館野 二〇一四）を背景にもつ現象であると私は考えている。

ここで、留意しておきたいのは、国号「日本」の変更と告知は、あくまで対外的、対中国への外交的措置、具体的には、国書に記される正式な称号の変更で、かつそれは文字表記であり、「日本」をどう発音するかといった音声表記とは関係が無いということである。また「日本」にかんして、両国は文字表記では、かかる二字を共通するが、漢音と和音は異なる発音を持っていた。和音においては『日本書紀』に「日本。此れ耶麻騰《やまと》と云う。下、皆な此に効《なら》う」(『日本書紀』巻一「大日本」注)とあるように、「ヤマト」であった。

(4) 唐側の反応

「倭王」「王」については、中国側は、一貫してこの称号を改めようとはしなかったことは、先の一、二節で述べた。それに対して、国号を「日本」に変更することに関しては、唐は速やかに対応したといってよい。

『六典《りくてん》』巻三・戸部尚書には十道の地誌が記されており、河南道の条の最後に、「遠夷は則ち海東の新羅・日本の貢献を控える」と、確かに「日本」と記されている。『六典』は開元一〇年(七二二)に編纂がはじまり、開元二七年(七三九)に完成したのだが、七〇二年からさほど経ずして「日本」の国号が『六典』でその地位を得ている。また『文苑英華』巻四七一・翰林制誥・張九齢にも、「勅、日本国王主明楽美御徳《すめらみこと》、彼れ礼義の国、神霊の扶《よ》る所、……」と「日本国」が勅に明記されている。これは、天平五年(七三三)に遣唐使として入朝した平群広成《へぐりのひろなり》が翌年に帰国の途につき遭難したときに出された勅である。

王朝の行政関係の書籍、詔勅だけではない。かの阿部仲麻呂の帰国にあたっての友人李白の詩句、「日本晁卿辞帝都——日本晁卿《ちょうけい》 帝都を辞す」、また王維の詩題も「送秘書晁監還日本国——秘書晁監の日本国に還るに送る」とある。詩人達にも「日本」の二字は、早く定着していたのだ。固執した王という称号とのあまりの対称をどう見ればよいのであろうか。

以上のいくつかの観点を踏まえて、国号日本の成立についてその経緯を総括して、本章の小結としたい。

四、「日本」の成立

二〇一〇年のこと、西安市で盗掘品から採取した墓誌拓本が出現し、のちに、西安市長安県郭鎮《かくちん》の周辺にある禰氏《でいし》一族の墓に副葬されたものと推定される墓誌そのものも没収された。件の拓本と墓誌は、禰軍《でいぐん》という百済人のそれであり、彼は顕慶五年(六六〇)に唐に帰順し、朝鮮半島の百済の故地に置かれた熊津《ゆうしん》都督府に所属する軍人として、百済滅亡後の戦後処理に従事し、倭にも使いした。墓誌に記された彼の没年は儀鳳三年(六七八)であり、墓誌の作成はその前後の頃であろう。

注目されたのは、この墓誌に「日本」の二字が明記されていることである。

于時日本余噍、拠扶桑以逋誅、風谷遺甿、負盤桃而阻固。万騎亘野、与盖馬以驚塵、千艘横波、援原虵而縦沴。

時に日本の余噍《よしょう》、扶桑《ふそう》に拠りて以て誅を逋れ、風谷の遺甿《いぼう》は、盤桃《ばんとう》を負いて阻固す。万騎、野に亘《め》ぐり、盖馬と以て塵を驚かし、千艘、波を横《わた》りて、原虵《だ》に援《たよ》りて沴《わざわい》を縦《ほしいまま》にす。

条文の詳しい内容、記されている用語の典拠と意味にかんして、私は別のところで解説したので(冨谷 二〇一八:一九二―一九八頁)、ここでは繰り返さない。要するに「日本余噍、拠扶桑以逋誅、風谷遺甿、負盤桃而阻固」という「風谷」と対になる「日本」は、東方を指す普通名詞であり、「日本余噍」――東方の残党――とは、滅亡した百済を指しているのである。

墓誌が六七八年前後に作られた、ということであれば、六七八年段階では、「日本」は「倭」に代わる国名として、少なくとも対外的には、認知されていなかったということになろう。

いまひとつ、この墓誌が語る重要なことがある。それは、「日本」の二字は、中国において創作された熟語であり、それが東方の意味であるすれば、二字は、『礼記』祭義「日出於東、月生於西」、『詩経』斉風・東方之日《とうほうしじつ》「東方之日(毛伝、日出東方)」などの経書に淵源をもち、「出処」と「本処」の通義が「日出」から「日本」への展開をもたらしたということである。すでに漢語として存在していた「日本」を、倭国が東方の国である自国の国名に転用したということになるが、ではそれはいつのことなのか。まず、国内でこれが確定した、つまり制度化された時期から考えていこう。

養老公式令《くしきりょう》・詔書式《しょうしょしき》には、「明神御宇日本天皇詔旨」とあり、この条に関して、『令集解《りょうのしゅうげ》』所引の『古記』に「御宇日本天皇詔旨、隣国及び蕃国に対して詔するの辞」との注が見える。『古記』は大宝令の注釈書であることが明らかになっており、『古記』にかく説明されているということは、とりもなおさず七〇一年段階では、「日本」という二字が大宝令には、明記されていたことが分かる。さらにいえば、「日本天皇」とある「天皇」という称号も大宝令で確立しており、国号「日本」と称号「天皇」は「日本天皇」として密接不離な関係をもって成立したといってもよい。

称号「天皇」にかんしていえば、近年飛鳥池工房遺跡から出土した木簡がすでに天武朝に存在していたことを明らかにしている(『木簡研究』第21、22号)。さらにそれを側面から証明するのが、「皇后」という称号の成立である。『令集解』儀制令および職員令《しきいんりょう》に引用されている『古記』には、皇后にかんする言及がみられ、そこから大宝令には、その規定が存在していたと考えてよい。皇后・妃以下の区別は、『日本書紀』天武二年(六七四)二月、『続日本紀』文武元年(六九七)八月の条に記され、七〇一年の大宝令以前からすでに存在していたといえる(岸 一九六六)。

大宝令はそれに先立つ飛鳥浄御原令《あすかきよみはらりょう》に基づくとされる――「律令(大宝律令)を撰定し、是に始めて成る。大略、浄御原朝廷を以て准正とす」(『続日本紀』文武天皇大宝元年八月)が、この浄御原令は天武一二年(六八四)に編纂が開始され、持統三年六月(六八九)に中央官署に法典の副本が配布された。ただ、天武一四年(六八六)には、令の一部が単行令の形で施行されている(井上 一九七六:七五六頁―七六四頁)。

つまり天武朝から持統朝初の成立にかかる飛鳥浄御原令には、皇后の名称が記されていたと考えてよかろう。いま、「天皇の后」が「皇后」だとすれば、「天皇」という称号に関する規程も飛鳥浄御原令まで遡ることができる。以上、天皇の称号がすでに飛鳥浄御原令に記されていたとすれば、それは、公式令の「日本天皇」としてであり、国号「日本」も浄御原令に規定されていたとせねばならない(冨谷 二〇一八：第八章「天皇号の成立」)。

では、それ以前の段階ではどうであったのだろうか。

『神皇正統記《じんのうしょうとうき》』(序論)には、天智天皇の代、唐咸亨《かんこう》元年(六七〇)には、唐への返牒には「日本」という国号が用いられたという。中国においても、『仏祖統紀《ぶっそとうき》』(一二六九年成立)に高宗咸亨元年に「日本」に改めたことが記されている。

高宗、高麗を平らげ、倭国は使いを遣わして来たりて賀す。始めて日本に改む。その国東に在りて日の出る所に近きを言う。(巻三二・世界名体志三二)

しかし、これは、『新唐書』東夷伝「咸亨元年、遣使賀平高麗、後稍習夏音、悪倭名、更号日本」の誤読に基づく説であり、「後稍」とある文脈から、改名は咸亨元年ではなく、具体的には七〇二年の第八回遣唐使による告知にかかる。事実、『唐会要』では、はっきりと時間の差を記している。

咸亨元年三月。使を遣わし高麗を平らぐを賀す。爾後、継いで来りて朝貢す。則天の時、自ら言う、其の国は日の出る所に近し。故に日本国と号す。『唐会要』巻九九

咸亨元年(六七〇)の朝賀は、白村江《はくそんこう》の戦い以後、敗れた倭国が唐に対して、いわば恭順の意を伝える仕儀であったが、その段階では、唐側に国号変更は伝わっていないのみならず、倭国国内に限ったとしても国号「日本」の徴証は見つからない。

翌六七一年に、唐は使節郭務悰《かくむそう》を倭に派遣する。これは白村江の戦いの戦後処理であったとされるが、彼が筑紫に滞在中、一二月に天智天皇が崩御し、翌年六七二年三月にその訃報が伝えられる。郭務悰は所持してきた書函と信物

を筑紫より献上して、五月に帰国の途につくことになる。

『日本書紀』天武天皇元年は「三月壬子、郭務悰等再拝　進書函与信物」と記すのみであるが、『善隣国宝記』巻上・仁安二年の条に、この郭務悰が携えてきた国書のことが言及されている。そこでは、文書には「大唐帝敬問日本国天皇」と記されており、別に書函の上書きには「大唐皇帝敬問倭王書」とあったという。しかし、「大唐帝敬問日本国天皇」とするのは、後世に書き換えたもので、本来は、倭に対する慰労制書としての書式「敬問倭王」であったと考えられる(金子 二〇〇一：二三八—二四二頁)。

かりに六七〇年段階で、国号「日本」が国内では成立していたとすれば、文書の函題と制書にみえる「倭」と「日本」の表記の違いは出来しない。倭国内で「倭」という国号表記を用いていたからこそ、後に日本と改名されてから、この部分が書き換えられたと考えるのが自然であろう。つまり天智朝には、国号日本はいまだ正式国号としては存在していなかったのである。それは、天皇号が天智朝には成立していなかったこととも(冨谷 二〇一八：一五九—一七二頁)、符牒があう。

では、天智天皇の時代に、正式とは言えないが、東方という普通語を転用して「日本」が国名として民間で「倭」にかわって使われていた、もしくは使う場合もあったという可能性はどうなのか。私はこれには否定的である。天智朝に日本という名称が国名として登場していたことを示す資料は見つからないこと、この時代に漢語の国名が必要なのは、外交の場であること、さらにかかる国名の設定・変更は、為政者のある強い政治的意図をもって決められ、それが立法化したという流れをもつもので、自然発生的な、いわば「下から熟成された」ものではないと考えられるからである。

倭国は、六六三年に白村江で唐に大敗する。それ以後、倭国内では、近江遷都、六七〇年の唐への朝賀、六七一年の天智天皇の逝去、そして壬申の乱(六七二年)へと政治情勢がめまぐるしく展開し、六七三年からの天武朝が始まる。

天智朝から脱却して新しい政治体制を築く天武天皇は、対外的には漢代から続いた対中国関係、つまり臣従関係を清算し、独立した立場を打ち出す。それが中国側から押しつけられた卑語「倭」にかわる国名表記と、中国の皇帝に従属する「王」にかわる称号「天皇」であり、前者「日本」は「東方」を意味する漢語を国名へと転用し、それを令に明記したのである。「日本国天皇」という表記の立法化は飛鳥浄御原令にはじまり、七〇一年の大宝令に引き継がれ、唐への告知が七〇二年の第八回遣唐使によってなされた。

小結──華夷秩序と日本の独立

最後に、以下のことをのべて締めくくりとしたい。

繰り返し述べてきたが、「日本」「倭」は書写された文字を伝達手段とする漢字表記である。その発音は中国では、当時の漢音によったことは言うまでもないが、日本国内では和音呼称(和訓)を用いていた。つまり「ヤマト」であり、「日本」も「倭」もおなじく「ヤマト」と発音されたのである。正確にいえば、むしろ先に和音呼称が存在し、それにあわせて複数の漢字表記があてられたというべきであろう。「倭」「大倭」「日本」さらには「和」「大和」などがそうである。

七〇二年に中国側に告知された「倭」から「日本」の変更は、あくまでも漢字表記に関してであり、日本国内での国名呼称は、そのまま「ヤマト」として変わることなく、あらたに採用した「日本」も和訓で「ヤマト」であった。漢字表記は異なり、漢音も異なるにもかかわらず、「倭」も「日本」も「ヤマト」の呼称をもつ、このことは中国側には理解が難しかったに違いない。『旧唐書』東夷伝には、倭国についての条に継いで「日本国」の条があり、「日本国は、倭国の別種なり」と説明し、また『新唐書』東夷伝には、「日本は乃ち小国なり、倭の幷す所となる。故に其の号を冒るなり。使者、情を以てせず、故に疑う」と記しており、この中国側の混乱した認識は、「倭」「日本」「ヤマト」の関係がはっきりと理解できなかったことから生じたものだったと私は考えている。

「天皇」においては、ことがらがいささか異なる。「天皇」にさきだつ称号は「王」「大王」であり、その和音呼称は、「オオキミ」であった。倭国内では、「王」をそのように呼称することで、漢語の「王」がもつ臣従の意味を回避せんとしたとも言える。その後、「治天下大王」から「天皇」という日本独自の称号が創作されたのだが、その和音呼称は「スメラミコト」(もしくは「スメミマノミコト」)であった。「王」と「皇」の同音をもって「倭王」を「倭皇」と表記したことは、すでに述べたが、「天皇」すなわち公式令などに記された正式名称「御宇天皇」は「あめのしたしらす すめらみこと」との和訓をもち、その音仮名表記は『古記』によれば「須売良美己止」(令集解・喪葬令・服紀所引)であった。つまり「大王」から「天皇」に称号を変えたとき、それまでの和音呼称も一新することで、「王」が与える意味を払拭したといってもよい。

倭から日本への国名表記の変更は、呼称から生ずる混乱があったにしろ、中国は受け入れた。しかしながら、「王」から「天皇」への変更に関しては、中国の王朝は一貫して「王」「日本国王」という呼称を維持しつづけた。天皇の称号を日本側が中国への国書に明記したのか、はっきりしないが、憶測すれば、「天皇」号をさけて「スメラミコト」の字音仮名表記を使ったのではないだろうか。「勅、日本国王主明楽美御徳」(『文苑英華』巻四七一・翰林制誥)と勅にその字音仮名が見ることは、中国側にもそれが伝わったことを示している(西嶋 一九八七)。しかしその「主明楽美御徳」を中国は日本国の首長の姓、もしくは号と見做し――あえて意図的にそのように操作したのか、実際にスメラミコトは姓だと信じたのか定かではないが――制度上の称号としては、依然として「日本国・王」であった。

国号の名称は、中国側では蔑む意味を込めたとしても、それはいわば感覚的なものともいえる。相手国の要望で雅名に変更したとしても、絶域の国であることは変わらず、両国の上下関係を左右するものではないし、礼制度にかかわることでもない。しかし、「王」は、中華と夷狄の関係がその一字に込められ、王号を維持することは華夷秩序の理念、礼的秩序にかかわることであり、中華を存在たらしめる称号にほかならなかったのだ。

八世紀初頭に新たにはじまる日本と中国の外交は、同じ漢字を共通とするが、和音呼称と漢字表記の微妙な均衡のうえに展開されたのである。

参考文献

井上光貞(一九七六)「日本律令の成立とその注釈書」日本思想大系『律令』岩波書店。

金子修一(二〇〇一)『隋唐の国際秩序と東アジア』名著刊行会。

河内春人(二〇二〇)「書評冨谷至著『漢倭奴国王から日本国天皇へ』」『古文書研究』第八九号。

岸俊男(一九六六)「光明立后の史的意義」『日本古代政治史研究』塙書房。

『続日本紀』(一九八九)新日本古典文学大系『続日本紀 一』岩波書店。

館野和己(二〇一四)「荷札木簡に見える地名表記の多様性」角谷常子編『東アジア木簡学のために』汲古書院。

田中健夫(一九九五)『善隣国宝記 新訂続善隣国宝記』集英社。

冨谷至(二〇一八)『漢倭奴国王から日本国天皇へ――国号「日本」と称号「天皇」の誕生』臨川書店。

西嶋定生(一九八七)「遣唐使と国書」西嶋定生ほか『遣唐使研究と史料』東海大学出版会。

『日本書紀』(一九六五、一九六七)岩波古典文学大系『日本書紀 上下』岩波書店。

安田二郎(二〇〇三)「王僧虔「誡子書」攷」(二、「誡子書」の性格)『六朝政治史の研究』京都大学学術出版会。

渡邊晃宏(二〇〇一)『日本の歴史四 平城京と木簡の世紀』講談社。

コラム｜*Column*

中国語上古音の最近の推定から見た本邦最古の漢字音

遠藤光暁

中国語音韻史では紀元後五世紀後半の劉宋末・南斉より前を「上古」、以後を「中古」としている。文学史では南斉の永明年間(四八三―四九三年)に沈約《しんやく》らが「平上去入《ひょうじょうきょにゅう》」の四声説を唱えたのが新体詩の始まりだとされている。その頃ちょうど去声が入声と通押しなくなり、仏典の漢字音訳で梵語などの-rなどに対して中古の去声字を当てることがなくなるという屈曲点にあたることを水谷真成が明らかにしている。そして、それ以前は音節末の声門閉鎖音-ʔや-sで区別されていた上声・去声が声の高さの昇降パターンによって区別されるようになった。声調の発生である。詩文の押韻基準を示す隋・陸法言撰『切韻』(六〇一年)という韻書が標準的な中古音の規範を示す。

『切韻』の頃は本邦では聖徳太子らが活躍していた推古朝にあたり、推古朝遺文と呼ばれる資料群に主として現れる日本最古の漢字音(「古韓音」ともいう)が存在している。それは呉音を反映する『古事記』(七一二年)・漢音を反映する『日本書紀』(七二〇年)より一〇〇年ほど早いだけで、同じく中国語中古音の時期にあたるのに上古音の特質を示すことを明治の碩学・大矢透が示していた。ところが、考古学でも早い年代ほど学説が塗り替えられるような大発見が相次いでいるのと似て、上古音研究の近年の進展は目覚ましい。その最新の学説を代表するのが Baxter & Sagart, *Old Chinese: A New Reconstruction*, Oxford UP, 2014 である。五千字ほどを網羅したその推定音リストがネット上で簡単に入手できる(以下ではBSと略称)。それによって説明できる例をいくつかとりあげよう。

まず、稲荷山鉄剣に「加差披余」という人名が現れ、佐伯有清・大野晋らは発見当時から安閑《あんかん》紀に現れる武蔵国造の乱の当地の豪族・笠原直使主《かさはらのあたいおみ》に比定していた。この四字はふつう漢音でカサヒヨと読まれているが、大野晋・藤堂明保は上古音を参照してカサハヤと読み、大野はヤとラは交替することがあるので、これでカサハラを指すので差し支えないとした。当時の上古音の推定によるとそうなるのだが、「余」はBSでは*la(*は推定音であることを示す)であり、ヤとラの交替を考えなくともそのまま日本語のラに相当するものとしてふさわしい。上古から中古にかけてl->j-(ヤ行の冒頭の半子音)、a>oという音韻変化が生じたこととなり(>はその前の音が後ろの音に変化したことを表す)、鉄剣銘にある辛亥《しんがい》年が四七一年だとしても五三一年だとしてもその境目の時期であった。

l->j-という変化については、朝鮮半島南部の地名である加羅(四一四年の広開土王碑《こうかいどおうひ》に初見)と加耶、安羅(『日本書紀』の読音は(アラ)と渡来系の氏族・漢氏アヤといった平行例がある。

　a>o については類例が多く、三世紀中頃の魏志倭人伝の「卑弥呼」をヒムカ(日向)と訓む説を松本清張が出しており、中国音韻学者の長田夏樹も同意見である。また『上宮記』佚文の引く継体天皇の系譜中の「凡牟都和希」は応神天皇ホムタワケに当てられ、「都」は上古魚部・中古模韻字なので、「タ」に対してこの字が当てられるのは、この系譜の早期の部分が記紀の用字法より古い伝承に由来することを表すものである。ほか、外国の例になるが『漢書』に現れる「烏弋山離」を Alexandria に宛てる説も「烏」が a>o、「弋」が l->j- となる変化からしてよく説明できる(「離」も r->l- という上中古間の変化を反映している)。タイ語でも「余」が ra と発音され、上古音を反映するものとされる。

　また、中古以前には -r で終わる音節があった。中古音・上古音推定のパイオニアであるカールグレンも既に上古音に一部 -r を推定しており、本邦の地名である播(磨)はり(ま)もそれによって理解できる(BS は *pˤar-s)。

　その後、更に -r をもつ音節がもっと多く推定されるようになり、本居宣長『地名字音転用例』(一八〇〇年)に出ている(平)群—(へ)ぐり *[g]ur、群(馬)—くる(ま)*[g]ur、駿(河)—する(が)*[ts]ur-s([ ]の中の音は他の音である可能性もあることを示す)、讃(良)—さら(ら)*tsˤarʔ-s(BS には讃が挙がっていないので賛の音で代用する)、敦(賀)—つる(が)*tˤur などの日本の古地名も BS の推定音とよく一致する。ただし、敦賀については『日本書紀』に都怒我阿羅斯等という人名が現れ、ツヌガと発音されていたふしもある。その他の例として、(八)信(井)—(は)しり(い)*s-ni[ŋ]-s、訓(覇)—くる(へ)*l̥u[n]-s、訓(覔)—くる(べき)、が挙がっているが、BS は *-r としていない。しかし先に注記したように[n]で表示された音は r など別の音である可能性があり、本邦のこうした例に基づいて逆に上古音に *-r を立てることもありうる。他にも大和言葉だとされている中には雁—かり *C.[ŋ]ˤrar-s のような古い漢語も含まれているかもしれない。

　韓—から *[g]ˤar、鮮(卑)—ser(bi)*[s][a]r といった国名の例もある。また、朝鮮半島南部に紀元前後にあった三韓のひとつ・辰韓は斯盧という名称を経て、五〇三年に新羅と改められた。上中古間の a>o の音韻変化を考慮に入れると斯盧も新羅も同じくシラという音を表していた(しらぎの「ぎ」は城の意)。更にその前身の「辰」は BS では *[d]əər であり、その -r を受け継いだこととなる。

　「平群」は奈良北西部の地名で現在でも「へぐり」といい、「讃良」は大阪北東部の川が現存するが、発音は「さらら」の他に「ささら・さら・さんら」などに変化している。平群は考古学的には六世紀になって朝鮮半島南部・特に南西部からの渡来人によって形成された遺跡が現れ、こうした漢字音の由来地と時期を暗示する。

焦点｜*Focus*

交拝する夫婦
——婚礼からみた中国ジェンダー史の一コマ

下倉 渉

はじめに

まずは『周易』序卦伝の一節を引用することから始めよう。

> 天地有りて然る後に万物有り、万物有りて然る後に男女有り、男女有りて然る後に夫婦有り、夫婦有りて然る後に父子有り、父子有りて然る後に君臣有り、君臣有りて然る後に上下有り、上下有りて然る後に礼義錯《お》く所有り。

天地開闢から礼の成立までの歴史(すなわち創世以後の人類史)が、ここでは語られている。万物発生の後、次いで現れたのが、男女(性差)であり、夫婦(交合)であった、と叙述されている点は甚だ興味深い。『荀子』大略篇にも「夫婦の道は正しからざるべからざるなり、君臣・父子〔の道〕の本なり」と記されているように、儒家は夫婦の関係が社会秩序の根幹をなしていると見なしていたのであり、如上の『周易』の記載はこうした認識を発生史的な観点から整理した結果の言説に他ならない。

儒学の説く男女・夫婦の関係はまさに上下・尊卑の関係であった。たとえば『周易』であると、男(夫)は天・乾・剛にあたるから高貴、女(婦)は地・坤・柔であるため卑賤、と繰り返し述べる。〝男尊女卑〟〝夫尊妻卑〟こそが儒家のジェンダー観に違いなかった。

ただし、その教説を丹念に見ていくと、こうした全体のトーンとはやや趣を異にした言説もなかには確認される。『周易』中に例をとれば、次の「咸」の卦がそれに該当する。

> 彖《たん》に曰わく、咸は、感なり。柔上《かみ》にして剛下《しも》なり、二気感応して以て相い与《くみ》す。止まりて説《よろこ》ぶ。男女に下る。是《ここ》を以て亨《とお》る、貞《ただ》しきに利あり、女を取《めと》るは吉なり。

卦とは、「爻《こう》」と呼ばれる記号(陽をあらわす「⚊」と陰をあらわす「⚋」の二種がある)を組み合わせた図像で、三爻の組み合わせが八種あることから、これを「八卦」という。更に八卦を二つずつ組み合わせて六爻からなる図像をつくる。これが合計で六四種あり、その一つが咸(䷞)である。上の三爻である☱は「兌《だ》」といい、「少《わか》い女」を象徴して「説ぶ」の意があり、下三爻の☶は「艮《ごん》」といい、「少い男」を象徴して「止まる」の意がある。つまり、この卦は若い男女が感応して「相い与する」(一緒になる)ことを示した図像であると『周易』彖伝は解説している。

ここで興味深いのは「男女に下る」という一句である。これは「少い女」☱が「少い男」☶の上位にあるからであって、本来の男女の位置関係からすれば、咸は卦の配置が上下転倒していると、この句はいう。「柔上にして剛下なり」なる一文も、所説の内容は同じである。すなわち、咸は〝男尊女卑〟の原理と完全には一致しない卦なのであった。そして彖伝は、このような解釈を施した上で、当該の卦が占って出た場合は嫁取りに吉、と説くのである。『周易』彖伝は図像の形から卦の意義をとらえようとする傾向が強い。妻を娶《めと》るに良しという咸の占断も、当然その上下構成に基づいて導き出されたものであろう。男女の序列が逆転した図像であると解されるゆえに、これは女性を娶るのに吉の卦と認定されたのである。では、なぜ男性下位の卦が嫁取りに良しと判断されたのか。かかる疑問を窓口に、本章では六朝隋唐時代を中心に、中国(正しくは漢族)における婚礼の歴史について考えてみたい。

一、親迎

経書の説く婚礼は、納采・問名・納吉・納徴・請期・親迎の六段階(六礼)に分かれる。以下『儀礼』士昏礼篇に基づいてそれを説明すると、請期までが結婚の準備段階で、男家がまず女家に婚姻を申し込み(納采)、新婦となる女性の名を聞いて(問名)、良縁であるかを占ってその結果を女家に告げる(納吉)。その後、結納が行われ(納徴)、新婦の輿入れの日取りが決められる(請期)。そして期日になると、父親の命令を受けて、新郎は親《みずか》ら新婦を迎えるべく女家に向う。ここから花嫁が男家に至るまでの一連の儀式を親迎という。

女家に到着後、そこでの儀礼をすませると、新郎は迎えの車に乗って御者(運転手)の座に着く。そして、綏《すい》(車に乗る際に手がかりとするひも)を渡して花嫁が乗車するのを助けた。新婦が乗って出発するが、新郎は車輪が三周する距離だけ自ら御し、その後は自分の車に乗り換えて行列を先導するのである。

こうした復路の式事をふまえて、『礼記』郊特牲篇は親迎について「男の女に先《さきだ》つは、剛柔の義なり。天の地に先ち、君の臣に先つこと、其の義は一なり」と解説する。更にこの後文では「男 女を帥《ひき》い、女 男に従うに、夫婦の義は此れ由《よ》り始まるなり。婦人は人に従う者なり。幼ければ父兄に従い、嫁げば夫に従い、夫 死すれば子に従う」と述べる。「幼ければ」以下は、いわゆる〝三従〟の思想である。この両記載から帰納できる親迎とは、婦が夫に付き随う存在であることを可視化したパフォーマンスに他ならない。あたかもそれは〝夫唱婦随〟なる行動規範を新たに婦となる女性にあらかじめ訓示するためのデモンストレーション、といいえようか。

かような〝男尊女卑〟的な親迎解釈が見える一方で、郊特牲篇は如上の記載に挟まれた箇所で次のようにも記す。

婿 親ら御して綏を授けるは、之《これ》を親しむなり。之を親しむ者は、之を親しましむるなり。敬して之を親しむは、先王の天下を得たる所以なり。

新郎が御者を務めること、および綏を渡すことは、新婦に親愛の情を示す行為である。情愛をこちらが示せば、相手もおのずから同じ感情を抱き、従順に付き随うようになる。「敬して之を親しむ」ことこそがまさに「先王の天下を得たる」秘訣だ、というのである。

この記述を理解するためには次の『礼記』哀公問篇の記載をふまえなければならない。

古えの政を為すは、人を愛するを大と為す。人を愛するを治むる所以は、礼を大と為す。礼を治むる所以は、敬を大と為す。敬の至りは、大昏を大と為す。大昏は至れり。大昏 既に至りて、冕《べん》して親迎するは、之を親しむなり。之を親しむ者、之を親しましむるなり。是《こ》の故に、君子は敬を興して親しむを為す。敬を舎《す》つるは、是れ親しむを遺《わす》るるなり。愛せざれば親しまず、敬せざれば正しからず。愛と敬とは、其れ政の本なるか。

これは、孔子が魯の哀公に政治の要諦を唱えた件りである。「政を為す」にあたって最も心がけるべきは「敬」の心であって、その発露といえるのが親迎の儀礼である、と孔子は説く。つまり「敬して之を親しむ」ことは、儒学において「天下を得る」ための要訣であって、その神髄というべき礼が親迎に他ならなかったのである。

同様の考え方は『礼記』以外の儒家文献でも確認できる。先に一部を引いた『荀子』大略篇の一節にも「易の咸は、夫婦を見《あらわ》す。夫婦の道は正しからざるべからざるなり、君臣・父子の本なり。……、高きを以て下きに下り、男を以て女に下り、柔 上にして剛 下なり。聘士《へいし》の義・親迎の道は、始めを重んずるなり」と見える。「聘士」「親迎」は、ともに尊者(君・夫)が卑者(臣・婦)を迎え入れる儀式で、その眼目は両者の関係の「始めを重んずる」ことにある。迎える時に尊者は必ず卑者にへりくだるべきであって、まずは易の咸卦のような「剛柔」(上下)逆転の心情を持つのが極めて肝要、と説かれている。この卦が嫁取りに良しとされた理由は、まさにここにあった。

儒家は、夫婦の関係を君臣の関係の基と位置づけ、前者が後者に先立ってこの世に出現したと物語っていた。このような発想を招来した要因について、それを経書中に求めると、一つは、夫婦成立の儀式である親迎の中に男女(上下)関係の転倒を想起させる儀礼が含まれていたからであろう。たとえば、新郎が御者を務めること、新婦に綏を渡すことなどがこれに該当する。ただし同時に『礼記』では、復路の行列についてそれを〝男尊女卑〟的秩序の投影とも解説している。つまり、親迎に関わる解釈には二様のあり方・方向性が見受けられるのである。これが経書のスタンスであった。では、以上の理解を前提にして、次に魏晋以降の歴史的展開について議論を進めよう。

二、交礼

拙論(下倉 二〇一八)で論じた如く、曹魏時代に「尚公主」の制度が改められた。公主(皇帝の娘)と結婚することを「公主に尚す」というが、漢代において公主の婚儀はその邸宅で行われ、成婚後夫は公主の居宅に通って妻の面倒をみた。これは〝夫尊妻卑〟の原理に抵触する婚姻の形態であり、それゆえ後漢の終わり頃にはその是正を求める意見があらわれた。結果曹魏のとき、公主の婚礼でも親迎の儀式が行われるようになったのである。実行された輿入れの儀は至極形式的なものであったけれども、皇帝の娘という特別な身分の女性に対しても〝夫尊妻卑〟の論理が適用されることとなったのであり、こうした原則を例外なく強制しようとする気運がこの頃高まっていたと理解できる。

また、西晋時代には礼の規定を法源とした本格的な律令(泰始律令)が制定された。唐代以降の律令では、礼典に定められた父系重視の親族制度(これを「五服」という)に基づいて、家族間の犯罪に対する刑罰の軽重が定められたが、泰始律令はこのような量刑方式を採用した最初の法典であった。その成立は〝律の儒家化〟へと向かう転機であり、更にいえば、王朝の制度全体が〝父系化〟を目指し始めた象徴的な出来事であったと評せよう。

ところが以上の趨勢をこの時期確認できる一方で、こと婚礼においてはかかる傾向と必ずしも一致しない変化が見て取れるのである。それを説明するために、まずは前節で取り上げた婚礼儀の続きを紹介しよう。

輿入れの行列が男家に到着すると、新郎は花嫁をエスコートして宅内に導く。その中で両者は介添えに助けられながら同牢《どうろう》（共食）・合巹《ごうきん》（共飲）の儀式を行う。これが成婚の儀礼で、当該の式事を『礼記』昏義篇は簡便にまとめて「婦至らば、婿 婦に揖して以て入り、牢を共にして食《く》い、巹を合わせて酳《の》む。体を合せ尊卑を同じくし以て之を親しむ所以なり」と記す。これによれば、同牢・合巹もまた「之を親しむ」ための儀礼であった。

さて、ここで如上の式次第と後世の成婚儀礼とを比較してみたい。たとえば、朱熹の『家礼』（巻三・昏礼・親迎）には「其の家に至れば、婦を導き以て入る。婿婦 交拝す。坐に就《つ》きて飲食し畢《お》わりたれば、婿 出づ」とある。共食・共飲の前段階に新郎・新婦の「交拝」が加わっていることに気付くであろう。『東京夢華録』（巻五・娶婦）では北宋代の習俗として、いま少し具体的に「男女各おの争いて先後対拝す」と記している。

交拝の儀に関しては、司馬光に以下のような指摘がある（『書儀』巻三・婚儀上）。

古えに婿婦交拝の儀無し。今の世俗 始めて相い見《まみ》えて交拝す。拝して恭を致すも、亦た事理の宜しきなれば、廃すべからざるなり。

「恭を致す」は「之を親しむ」と同義で、「拝して恭を致す」とは「交拝することによって新郎（男）が新婦（女）に親愛の情を示し、恭敬の限りを尽くす」の意に違いない。司馬光は、これもまたある種道理に適っているわけだから、廃止すべきでないと述べるが、そのコメント全体には何ともいえない歯切れの悪さが感取される。引用文の最初で指摘されているとおり、「婿婦交拝の儀」は「古え」の経書中に確認できない。儒学の教説上では〝根拠なき〟成婚の儀礼に他ならないのであった。

では、交拝はいつから行われるようになったのか。陳鵬は、後掲の『世説新語』の説話に基づいて晋代に始まると説く（陳 一九九〇：二六三頁）。しかし、『魏志』（巻九・夏侯玄伝注引「魏氏春秋」）には「許允の妻阮《げん》氏 賢明にして醜し。

允 始めて見ゆるに愕然とし、交礼し畢えるも、復た〔室に〕入るの意無し」とあり、更に古い事例が確認される。「交礼」は「交拝の礼」をつづめた表現であり、それが済むと婚礼は寝室での儀式に進む段取りとなっていたが、新婦の阮氏があまりにも醜女であったため、新郎の許允は入室を拒んだと記されている。以上は曹魏時代の話であるから、交拝の開始はこの頃、ないしはそれよりやや遡って後漢代の後期あたりと見なすのが穏当であろうか。

興味深いのは、陳が着目した『世説新語』（尤悔篇《ゆうかい》）の次の説話である。

王渾《おうこん》の後妻は、琅邪《ろうや》の顔氏の女《むすめ》なり。王 時に徐州刺史と為る。交礼して〔顔氏の〕拝し訖《お》わり、王 将に答拝せんとするに、観る者 咸《み》な曰わく「王侯は州将にして、新婦は州民なり。恐らくは答拝するに由《よし》無し。」王 乃ち止む。武子 其の父の答拝せず、成礼さざれば、恐らくは夫婦に非ざるを以て、之が為に拝せず、謂いて「顔妾」と為す。顔氏 之を恥ずるも、其の門の貴なるを以て、終《つい》に敢えて離れず。

王渾は西晋の人で、武子はその子王済の字《あざな》である。父との交拝の礼が完了していなかったので、王済は継母の顔氏を軽んじて「父妾」扱いしていたという。この説話に基づけば、交拝は結婚（夫婦関係）の成立・不成立を判定する婚礼上の重要な儀式と当時目されていたことになる。具体的な考証は省くが、交拝なる敬礼方式は婚儀以外の場でも当然行われていたのであり、それは通常身分差のある者同士の間で交わされる拝礼ではなかった。つまり、対等者間の式礼がこの時期新たに、しかも同牢・合卺といった同じく「之を親しむ」ための儀式の前段階に重複して加えられたのである。こうした事実は、漢から六朝へと時代が移る過程で夫婦の関係性に一つの変化が生じていた可能性を示唆していよう。そして、それは〝男尊女卑〟の原理を強化しようとする王朝制度レベルの推移とは異なった方向への転換であったと予想されるのである。

三、拝時

以上のような婚礼上・習俗上の変移が進行していたと思われるちょうど同時期、士人の間では「拝時」と称される特殊な嫁娶の方式が広く行われていた[1]。これについては次の杜佑の解説が参考になる（『通典』巻五九・「拝時婦三日婦軽重議」の「議曰」）。

　拝時の婦は、礼経 載せざるも、東漢・（曹）魏・（西）晋より東晋に及ぶまで、咸な此の事有り。其の儀を按ずるに、或るいは時艱虞《かんぐ》に属するも、歳 良吉に遇えば、嫁娶に急ぎて、権《か》りに此の制を為す。紗縠《さこく》を以て女氏の首《こうべ》を幪《おお》い、而して夫氏 之を発《ひら》き、因りて舅姑を拝して、便《すなわ》ち婦道を成す。六礼 悉く捨てて、合巹 復《ま》た乖《もと》り、政教の大方を隳《やぶ》りて、容易の弊法を成す。

杜佑によると、拝時は東漢（すなわち後漢）から東晋の間で流行した権宜の婚礼であった。当然経書に記載はない。ここに見える「艱虞」とは、具体的には親族の死を指す。儒家においては嘉事である婚礼よりも凶事である喪礼の実践が重んじられたのであり、もし喪に服すべき期間に婚儀を挙行すれば、当事者は検挙・審理された。しかし服喪の間に結婚の良年がめぐってくる場合もある。喪礼違反者と認定されるのを回避しながら、吉歳に嫁娶を実現する方法として案出されたのが拝時婚であった。

その具体的な中身を解説するためには、まず経書の説く婚礼の続きを確認しておかなければならない。成婚の翌日、新婦ははじめて舅姑に見《まみ》える。これを「婦見舅姑」という。その儀は花嫁が夫家の「婦」となるための重要な過程であり、『儀礼』は士昏礼篇の最後でその式次第を詳しく記す。

早朝、花嫁は身支度をきちっと調えて舅姑と対面する。拝礼を済ますと、二人にそれぞれ進物を捧げ、また食事を勧めた。これらはいずれも以後の孝養を誓う儀式で、もし両名が既に死没していた場合は、成婚の三か月後に廟見の礼を行って、亡親に新来したことを報告した。『礼記』曾子問篇によれば、この儀を全うしてはじめて花嫁の「婦と成る」儀式——女家から男家への移籍——は完了したと判断されたのである。

拝時では、新婦となる女性が新郎である男性の父母（すなわち将来の舅姑）に拝謁することを儀礼の核とした。この挙行によって「婦見舅姑」ないしは「廟見」の礼が達成されたと見なされたのである。その具体的な式次第については、上掲の『通典』が記すところで、まず紗縠（縮織りのうすぎぬ）で女性の頭部を覆い、それを男性が持ち上げてはずす。このようにして両者初対面の儀を行った後に、続いて女性が男性の両親を拝す。これが「舅姑を拝」する礼に相当し、それを済ませた女性は「婦道を成」したと認定された。つまり、結婚（男家への移籍）が成立したのである。

かかる婚儀では、女性の輿入れも男女の合巹も行われない。親迎は拝時の儀礼と切り離されて、後にあらためて挙行されたのだろう。ただしそれが実際に執り行われたとしても、既に婚儀（移籍手続き）を済ませた新婦が夫家に向かうのだから、どんなに派手な行列をなそうとも、当該の一行は長期の里帰りから戻る既婚女性の一団に過ぎない。この時に夫家（および実家）の不幸が重なっても、喪礼違反にはあたらないのである。

拝時とは以上の如き「容易」な婚儀であって、その儀礼の核は「舅姑を拝する」ことにあった。ところが東晋時代になると、このような属性に変化があらわれる。東晋の陳仲欣なる人物は当時の拝時について次のように述べている（『通典』巻九九・「已拝時而夫死服議」の「陳仲欣拝時婦奔喪議」）。

> 尋ぬるに、今人の拝時は、婿 身《みずか》ら蒙を発きて交拝する者にして、往往《のち》に長迎[2]して婦人の礼を尽くす。……。夫れ拝時は、古えに非ずと雖も、既に女の交拝したれば、亦た敬慎重正[3]たり。但だ未だ姑に親婦せざるも、然れども夫妻の分は定まれり。

また、以下のようにもいう（同書同巻同項の「仲欣又書曰」）。

今人の拝時、皆な未だ敬を舅姑に施さざるは、誠に婚して已に交礼し未だ三日に及ばざるに準じるの故なり。

如上の記述が信頼できるならば、この頃の拝時では「姑に親婦す」「敬を舅姑に施す」——これらは「舅姑を拝す」と同種の典礼であっただろう——といった儀式は行われていなかったことになる。夫の父母に対する儀礼は、もはやこの婚礼の核心ではなくなった。代わって最重要の式事と目されるようになったのが「交拝」「交礼」であったと、右の記載からは推論できるのである。

そして南朝時代に至ると、ついに拝時そのものが廃れてしまった。劉宋の庾蔚之《ゆいし》によれば、拝時は「三日」に取って代わられたという（『通典』巻五九・「已拝時而後各有周喪迎婦遣女議」）。「三日」も経書には見られない特殊な婚礼の方式で、『通典』（「拝時婦三日婦軽重議」）には「礼経を按ずるに、婚嫁に「拝時」「三日」の文無し。後漢・魏晋以来、或るいは拝時の婦を為し、或るいは三日の婚を為す」と記されている。拝時と同様、これもまた後漢時代以来の婚姻習俗であった。

その内容に関しては、以下の記載が参考となる（『世説新語』方正篇・第一八話の注引く「孔氏志怪」）。なお、これは志怪小説の一節であり、話自体はフィクション（物語）であるが、その内容（場面設定など）には当時の現実が反映されていると見なして大過あるまい。

話の主役は范陽《はんよう》の盧充《ろじゅう》という人物。彼は冬に狩猟へ出かけ、その最中に異界へ迷い込んだ。そこで崔《さい》少府なる亡霊の娘と結婚することになったのである。続きは次の通り。

崔 即ち内に勅して、女郎をして荘厳たらしめ、充をして東廊に就かしむ。充の至るや、婦 已に下車して、席頭に立つ。共に拝す。三日を為し畢わりたるに、還りて崔に見ゆ。崔 曰わく「君 帰るべし。女に娠相有り。男を生まば、当《まさ》に以て相い還すべし。女を生まば、当に留めて自ら養うべし。」

娘が妊娠したというのだから、それより以前、二人は同室で同食し、同床で同衾していたのだろう。これを三日間続けたことによって、盧充との結婚は成立したのである。男女の共同生活を契機とする婚姻が「三日」の実態であったと思われる。

注目すべきは、三日の同棲が始まる直前の儀式である。そこには「共に拝す」と見える。その前文に「婦 已に下車して」云々とあるのは、親迎の花嫁下車に相当しよう。続く「共に拝す」は「交拝」の言い換えに違いない。そしてその後の三日の共同生活は、同牢・合巹の儀に該当する。つまり、三日婚とは、〝交拝→同牢・合巹〟と続く――要するに「之を親しむ」儀式だけからなる――婚儀であったと理解されるのである。

以上の推測が正しいとすると、おそらく次のような結論が導き出せるであろう。本来「舅姑を拝する」ことが儀礼上の要諦であった拝時は、東晋の頃になるとその性格が変質して、夫婦の交拝を儀式の中核とする婚儀に変わった。その結果、「三日」と呼ばれる婚姻と違いがなくなり、やがて拝時婚は三日婚に吸収され、消滅してしまったのである。このような拝時・三日の歴史から我々は、この当時夫婦交拝の礼が婚礼中で重要視されるようになっていった事実を帰納できよう。

四、青廬

『東京夢華録』(巻五・娶婦)によれば、交拝の儀礼は、宋代であると新郎の寝室(新婚初夜の場所)で行われた。元代以降でも、基本的にはこれに準じていたと思われる。では、時代を遡るとどのようであったか。

この点を考える上での格好の材料が以下の『酉陽雑俎《ゆうようざっそ》』(続集巻四・貶誤《へんご》)の引く『聘北道記《へいほくどうき》』の記載である。

北方の婚礼は必ず青布の幔《まく》を用いて屋と為す。之を青廬と謂う。此《ここ》に於いて交拝し、新婦を迎う。

『聘北道記』の著者は南朝・陳の江徳藻《こうとくそう》で、この書は彼が北斉に赴いた時の旅行記である。これによると、当時北方では婚礼において「青廬」(屋外の仮設テント)が設けられ、そこで交拝の儀が行われたという。また、その北斉時代、皇帝高恒は御馬の交配にあたって人間の婚儀と同様に「青廬を設け、牢饌《ろうせん》を具《そな》え」た、と『北斉書』(巻八・幼主紀)は記す。悪道天子の無軌道ぶりを伝えるこの逸話によれば、当時青廬では交拝だけでなく、「牢饌を具える」(すなわち同牢・合巹)の儀式も行われていたのだろう。交拝以降の成婚儀挙行の場として青廬は設営されていたと推察される。

婚礼時に屋外テントを造設する風習は唐代にも受け継がれていたようで、徳宗の建中元年(七八〇)にはその造営をめぐって次の如き建議がなされている(『冊府元亀』巻五八九・掌礼部・建中元年十一月の礼司奏議)。

奠雁《てんがん》(新郎が花嫁宅で行う儀式)の時に当たりて、男女相い見え、親迎して以て帰り、然る後に牢を同じくして食い、巹を合わせて酳む。近代別に氈帳《せんちょう》を設け、地(屋外の吉祥な場所)を択びて置く。乃ち元魏(北魏)の穹廬《きゅうろ》の制なれば、准と為すべからず。当に室中(屋敷内)に於いて施帳し、紫綾《しりょう》の縵(幔)を以て之と為すべし。

「氈帳」(フェルトのとばり)で設営されたのは、青廬と同種の施設であろう。礼官はこれを「室中」の「施帳」に改めるべきだと主張している。

上掲の史料に「北方の婚礼」「元魏の穹廬の制」と記されているから、野外に幕屋を仮設する婚姻習俗は北族由来のものと考えたくなるが、このように即断するのはよろしくない。なぜなら、青廬の初出は後漢後期まで遡りうるからで、『世説新語』(仮譎《かけつ》篇)に見える逸話によると、曹操と袁紹は若かりし頃、挙式中の花嫁を「青廬の中」から拐かしたことがあるという。このやんちゃ話が事実であれば、青廬の設営はすでに後漢時代、漢族社会において始まっていたことになる。後に華北で胡族の支配的地位が確立すると、その外見が穹廬《パオ》を連想させるものであったため、青廬は北族の風俗と関連付けて理解されるようになった。つまり、異種文化間における偶然的な事象の一致が如上の解釈を生み出したのだろう。しかし、青廬と密接な関わりを持っていたのは胡俗ではない。結び付けて考えるべきは、夫婦交拝の礼——まさに青廬と時を同じくして始まり、かつそこで執り行われていた儀式——である。

青廬と交拝は、敦煌書儀においてもセットであらわれてくる。たとえば、唐前期の書儀（S一七二五号書儀）には、次のような婚礼の次第が示されている。

> 婦を扶けて下車せしめ、門の西畔に於いて同牢の盤を設く。……。連瓢もて共に飲む。……。男女 倶《とも》に起《た》つ。……。男女 相い当たりて、一時に再拝す。答拝して既に訖われば、即ち新婦を引きて青廬に入る。

同牢・合卺と男女交拝の順番が入れ替わっていること、また拝礼が入幕前に行われていることなど、以上に紹介した式次第と些か異なるところは見受けられるものの、交礼と青廬が成婚の重要な儀礼上の構成要素として位置づけられている点では、この西北辺に残された儀礼書の中に特殊性は見いだせない。

更に興味深いのは『新定吉凶書儀』（P二六四六号書儀）である。張敖《ちょうごう》が撰したとされる当該の敦煌書儀では、婚礼（正しくは親迎と成婚）の式次第を⑴「成礼の夜に児家にて先霊を祭るの文」、⑵「女家の帳を鋪設するの儀」、⑶「同牢の盤・合卺の盃」の三項目に分けて説明している。注目すべきは⑵項で、「帳」（同牢・合卺の儀が挙行される場所）の設営は「女家」（新婦側）が担うと表題に明示されている。当項内では「帳」の設置場所を「宅上の西南角の吉地」と指定しているのだが、前後の流れから推定すると、この「宅」は新郎ではなく新婦の宅地を指している可能性が極めて高い。もしそうであるならば、帳は女家に設けられたのであり、同牢・合卺の儀礼もそこで挙行されたことになる。なお、帳が青廬に相当するであろうことは贅言するまでもない。

つまり『新定吉凶書儀』では、妻方での挙式を前提にした（正確を期せばそれを妨げない）婚儀のマニュアルが語られているのである。これ以外にも前掲の唐前期書儀中には「近代の人 多く親迎入室せず、即ち是れ遂に婦家に就きて成礼」し、「婦人 已に成礼すと雖も、即ち夫党に於いて元《もと》より相い識《し》らず」とも記されている。親迎すら行われない「婦家に就きて」の婚礼も、敦煌においては珍しいものではなかったと推測される。書儀の伝える当地の様々な習俗はどれも極めて興味深い。このような西北地方の風俗をすぐさま唐代社会全体のそれに同定することは厳に慎まなけ

ればならないが、以上で確認した婚姻礼俗に関してのみは、これを敷衍してもあながち不当ではないと私は考える。(4)

ポイントとなるのはやはり青廬である。それは仮設の屋外テントであり、設営しようと思えばどこでも可能であった。男家はもちろんのこと、女家においてでもある。かかる青廬造設の普及は、すなわち妻方で婚儀が行われる〝婦家挙式型〟とでも称すべき婚礼の広まりと、密接に相関した現象であったのではなかろうか。また、あわせて注目したいのが、上述した拝時婚である。前節で論じたこの婚礼の一連の儀式が、では一体どこで行われていたかといえば、拙論(下倉 二〇二二)でも指摘した如く、それは新郎宅でなく、新婦宅であったと見なさないわけにはいかない。つまり、拝時もまた婚姻の儀式が女家で催された婦家挙式型婚礼の一形態と想定しうるのである。

更に憶測をたくましくしよう。着目すべきは三日婚である。本来「婦見舅姑」の礼を必須としていた拝時婚は、東晋時代になるとその儀礼に変化が生じ、夫婦の交拝を中核的な式事とする婚儀に改まった。そしてやがてこの婚礼は三日婚に吸収されてしまったのである。三日婚について、前節で紹介した「孔氏志怪」の記載がその実際を正しく反映していたとすると、当該の婚儀は夫婦の交礼と同牢・合卺の儀式からなる婚礼であった。しかもその成婚式は妻方で挙行される場合(すなわち婦家挙式)もありえたと考えられるのである。では、もしこうした三日婚にも定型の次第があったのならば、具体的な式次はどのようであったか。思うにそれは張敖撰『新定吉凶書儀』にうかがえるものと極めて似通っていたのではあるまいか。あるいは、この敦煌書儀に記された婚礼こそが三日婚そのもので、たとえば前掲の(3)「同牢の盤・合卺の盃」は、同棲三日内の初日に催される同牢・合卺の儀に関して、指南した項目であったのかもしれない。いずれにせよ、三日婚とはまさに敦煌書儀が伝える婚礼の一類例なのであって、それを前提にして創作されたとおぼしき「孔氏志怪」の物語は、かような婦家挙式型の婚礼が当時中国社会において広く通行していたことを証する格好の史料であると、私には思われてならないのである。

敦煌書儀所載の婚礼マニュアルをふまえたとき、〝青廬〟〝拝時〟〝三日〟という諸事象は一本の線で結ばれることになる。これらは全て、六朝隋唐期に行われていた〝特異〟な婚儀――夫家での挙式という儒家的な婚礼とは相反する婚姻儀礼――に関わる、同根の歴史的現象と評せよう。おそらくその始まりはともに後漢の後期頃であっただろうか。つまり、それ以降の時代においては、経書の説く男家中心の婚礼に明らかに背反した婚姻儀礼が中国社会の方々で展開していたと、我々は想定すべきなのである。

おわりに

南朝・陳の徐陵が撰した『玉台新詠』に「焦仲卿の妻の為に作る」と題された長編の詩が著録されている（同書巻一）。「孔雀東南飛」とも呼ばれるこの詠み人知らずの詩は、ある夫婦の悲恋を題材とする。後漢末の建安年間（一九六―二二〇）、廬江の府吏であった焦仲卿は妻の劉蘭芝と仲睦まじかったが、嫁を嫌う母に押し切られて劉氏を里に戻した。元妻は決して再婚しないと誓うも、生家に帰ると母親になじられ、ついには実兄の圧力に屈して、太守の息子のもとへ嫁ぐことに同意した。その後、焦仲卿と劉蘭芝はお互いの気持ちを確認し合い、「黄泉の下に相い見えん」と死を決意するのであった。以下は、二人が命を絶つシーンである。

其の日　馬牛嘶《いな》き（親迎の行列が到着すると）／新婦は青廬に入る。／菴菴《あんあん》たり　黄昏の後／寂寂《せきせき》たり　人定まるの初め。／我が命は今日絶えん／魂　去りて　尸は長《とこし》えに留まらん。／裙《もすそ》を攬《と》りて糸履《くつ》を脱ぎ／身を挙げて清池に赴く。／府吏　此の事を聞き／心に知る　長えの別離なるを。／庭樹の下に徘徊し／自ら東南の枝に掛《か》く。

親迎の日に劉が入水自殺すると、それを知った焦も後を追う。この前段で母は思いとどまるよう息子を説得したが、それを押し切っての自決であった。離別された妻の自死を悼む詩は多いけれども、前夫がともに死を択ぶ心中物は、中国では珍しい。

如上の古典詩は、青廬があらわれる古い事例でもある。ここで青廬は、婚礼の挙行をビジュアル的にイメージさせる舞台装置として用いられている。全ての儀式が終了し、人も立ち去ると、幕屋の内は静寂につつまれた。その静けさの中でひとり劉は、自身と夫の二つの「尸」が黄泉の下、睦まじく並んで「長えに留まらん」とする情景を最後に思い描く。(5) そして青廬を抜け出し、その身を池に沈めるのであった。

続いて元夫が後追い自殺する。母に背く焦仲卿の行動は、親への従順を説く儒教的な道徳観にあまりそぐわない。そこに強くうかがえるのは、旧婦に対する篤い親愛の情である。この夫婦だった二人の間柄を〝男尊女卑〟の一言で説明するのは難しい。むしろ「之を親しむ者、之を親しましむる」ことによって愛情深く結ばれた、一種フラットな夫婦と形容する方が、詠み手の想いに近いのではないか。少なくともこの詩は、婚礼に「之を親しむ」儀礼(対等な者同士が行う交拝)が加重された時代であったればこそ生まれたのだろう。

経書の説く婚礼でも夫婦の心情的な結びつきは重視されていた。序節・第一節で確認した如く、親迎は「男 女に下る」儀式と位置づけられ、「之を親しましむる」効果がそれにはあると解釈されていたのである。後漢後期以降の展開は、婚礼のこうした側面が強まっていく過程と理解できよう。成婚式に夫婦の交礼が追加され、かつそれが婚礼上重要視されるに至ったことは、かかる趨勢を証明する具体的な事例と見なしうる。また、この時期には敦煌書儀に記されたような婦家挙式型の婚礼が中国社会で広く行われていたと想定される。その実例が拝時婚・三日婚と呼ばれる婚礼であり、青廬の設営という当代の婚姻習俗がかような婚儀を可能にさせていたと考えられる。儒家的な婚礼というものが〝女家から男家への女性の移籍〟を目的とした儀式であったとするならば、当該期に通行した如上の婚儀はこれに反する。「婦見舅姑」の儀を必須とした本来の拝時婚も、実質的な移籍(夫家への輿入れ)は挙式と連動していなかったのだから。女性の男家への移籍は、婦家挙式型の婚礼であると、成婚式の挙行だけでは完了しなかったのであり、当時実際に移籍未了のままであった結婚が多かったことは、前節で紹介した敦煌書儀(唐前期書儀)が伝えるとおりであろう。

つまり、この時代〝男尊女卑〟〝夫尊妻卑〟を基本理念とした儒家的な婚礼は婚姻儀礼上における絶対的なスタンダードではなかったと考えられる。たとえば夫婦の交拝と同牢・合卺の儀をメインの儀式として、妻方で成婚式を挙げるといった婚礼(上述した三日婚のような)でも、周囲は〝異常〟と感じなかったのであろう。こうした状況が生まれた歴史的要因については今後の課題とする他ないが、ここでは関連した現象として次の点も指摘しておかなければなるまい。すなわち、六朝隋唐時代はまさに〝婦強き時代〟であった。南朝の時に編纂された『世説新語』(特にその中の賢媛篇《けんえん》)には夫に勝る婦(妻)の話が収められているし、また同じ頃妬婦(嫉妬深い妻)の記録を集めた書物も著された。妬婦の凄まじさについては、これを当該時代の特徴と見なして大澤正昭が興味深い研究を行っている(大澤 二〇〇五:一〇二―一一四頁)。このような当時の婦の中には、夫を実家の男性陣と比較してその欠点を誹る勝ち気な妻(東晋の謝道韞《しゃどううん》)もいれば、それが政治的な判断を誤らぬよう常にうかがって逐一助言した妬婦(隋文帝の皇后独狐氏)もいた。唐代の則天武后や中宗皇后韋《い》氏なども含めて、かような〝強き婦〟たちの存在もまた、当該期の婚礼形式にうかがえるジェンダー秩序の動揺と密接に関連した事象であったに違いない。彼女らの中にも、生家に設営された青廬において挙式し、以後続いて実家の強いバックアップを受けていた者が、必ずやいたであろう(6)。

さて、最後に婚礼のその後についてふれて、本章を締めくくろう。宋代以降、夫婦交拝の儀礼は上述したように新郎の寝室でなされた。親迎の前日に室内の飾り付けなどが行われたのだが、このねやごしらえを「鋪設」といい、新婦側がそれを担当した(『東京夢華録』巻五・娶婦)。唐代において青廬の設営を女家が担当したこととこれは一致する。婚儀の空間を設える作業は、妻方が担うのが古くからの伝統であったのだろうか。

ただし、唐代までと宋代以後とでは整備の場が異なった。従来は屋外の仮設テントであったが、室内の、しかも新郎宅の一角にそれは限定されたのである。これにともなって、交礼以下の儀式も挙行の会場が固定されるようになった。基本的には男家に定められたのである。前節で紹介した唐・建中元年の建議がこのような変更を促す契機であったのだろうか。いずれにせよ、成婚の儀礼は儒家が説くそれに重ね合わされていったと理解できる。

また、夫婦の行う拝礼にも変化があった。宋代では交拝に先だって新郎・新婦による家廟の参拝が行われたという。この「廟見」の如き儀式については『東京夢華録』だけでなく、南宋の臨安（杭州）の風俗を記した『夢粱録』（巻二〇・嫁娶）もふれる。そして元代以降になると、拝廟の他に二人で父母（妻からすれば舅姑）を拝する儀礼も追加された（陳 一九九〇：二六四―二六五頁）。こちらは「婦見舅姑」の儀を彷彿とさせよう。かつて交拝が新たに加えられたように、宋以後「廟見」や「舅姑を拝す」といった〝夫尊妻卑〟の原理に基く拝礼が順次加増されていったのである。

実は交礼前の夫婦廟見に関して、南宋の朱熹はこれを行うべきではないと批判している（『家礼』巻三・昏礼・親迎）。『儀礼』などでは新婦の廟見を成婚後の儀式と定めているから、交拝以前の挙行は古礼に非ずと否定するのである。しかし、たとえば一八世紀末に長崎で出版された『清俗紀聞』（巻八・婚礼）を見ると、交拝の礼の後ではあるが、「父母（舅姑）を拝す」と並んで「家廟を拝する」ことが清国の婚儀であったと記録されている。朱子の批判（学説）も影響力の及ばないところがあったのである。社会はこの大儒の思惑を超えて〝夫尊妻卑〟の度合いを増していったと評せよう。要するに、中国では宋代を転換期として、以後時代が下るにつれ、王朝の制度ばかりでなく社会の習俗までも、その変化の方向性を〝父系化〟に純化させていったのであった。(7)

注

（1） 拝時婚に関しては拙論（下倉 二〇二一）をあわせて読まれたい。
（2） 「長迎」は「婦となった女性を迎えに行く」の意であろう。「親迎」を意識してこのような表現が用いられたと推測される。
（3） この四字句は『礼記』昏義篇に見える。「慎んで厳正に婚礼を挙行した」の意である。

（4）敦煌書儀に見える婚礼については別稿にて論じる予定であるが、とりあえずは周一良、伊藤美重子の論考（周 一九八六、伊藤 一九九六）を参照。

（5）後漢時代になると、中国の墳墓は塼築の室墓が主流となり、やがて墓室内に夫婦を合葬する埋葬方式が普及した。「黄泉の下に相い見えん」「尸は長えに留まらん」は、地下の墓室内に夫婦の遺体が並べて安置されている状態をふまえた表現である。

（6）大澤もこの時代における「妻族」の重要性を説く（大澤 二〇〇五：六三―六八頁）。

（7）誤解なきようあえて付言しておくと、中国社会の〝父系化〟は段階的に進行していったと理解すべきで、社会習俗に関わる事象においても、宋代以前に既にその方向へと変化を見せ始めていた方面があったと推測される。たとえば拙論（下倉 二〇一九）で述べた如く、魏晋時代になると、父祖を家廟で祭祀しようとする考え方が強まった。これは父系親族関係の強化が目指された当時の社会的風潮とリンクした現象であったのだろう。まずは個別具体的に〝父系化〟の道程を跡づけることが当面の課題であると思われる。

参考文献

伊藤美重子（一九九六）「敦煌の婚礼資料について」『富山大学人文学部紀要』二四号。

大澤正昭（二〇〇五）『唐宋時代の家族・婚姻・女性――婦《つま》は強く』明石書店。

下倉渉（二〇一八）「父系化する社会」小浜正子ほか編『中国ジェンダー史研究入門』京都大学学術出版会。

下倉渉（二〇二一）「「拝時」「三日」婚攷（上）――『通典』所掲礼議試釈・その2」『アジア流域文化研究』Ⅻ号。

下倉渉（二〇一九）「「招魂葬議」攷――『通典』所掲礼議試釈・その1」『日中韓周縁域の宗教文化』Ⅴ号。

周一良（池田温付記）（一九八六）「敦煌写本の書儀に見える唐代の婚礼と葬式」『東方学』第七一輯。

陳鵬（一九九〇）『中国婚姻史稿』中華書局。

【執筆者一覧】

佐川英治(さがわ えいじ)
1967年生．東京大学大学院人文社会系研究科教授．中国古代史．

鈴木宏節(すずき こうせつ)
1976年生．神戸女子大学文学部准教授．中央ユーラシア史．

辻 正博(つじ まさひろ)
1961年生．京都大学大学院人間・環境学研究科教授．中国中世史・敦煌学．

戸川貴行(とがわ たかゆき)
1979年生．お茶の水女子大学基幹研究院准教授．中国古代史．

桃木至朗(ももき しろう)
1955年生．大阪大学名誉教授．東南アジア史・海域アジア史．

岩尾一史(いわお かずし)
1975年生．龍谷大学文学部准教授．古代チベット史．

李 成 市(り そんし)
1952年生．早稲田大学文学学術院教授．東アジア史．

冨谷 至(とみや いたる)
1952年生．京都大学名誉教授．中国法制史．

下倉 渉(しもくら わたる)
1966年生．東北学院大学文学部教授．古代中国・中世史．

吉田 豊(よしだ ゆたか)
1954年生．京都大学名誉教授．ソグド語文献研究・イラン語史．

中田美絵(なかた みえ)
京都産業大学文化学部准教授．中国唐代史．

齊藤茂雄(さいとう しげお)
1980年生．帝京大学文化財研究所講師．古代トルコ遊牧民族史．

影山悦子(かげやま えつこ)
1972年生．名古屋大学人文学研究科特任准教授．中央アジア文化史．

遠藤光暁(えんどう みつあき)
1958年生．青山学院大学経済学部教授．中国語音韻史．

【責任編集】

荒川正晴(あらかわ まさはる)
1955年生. 大阪大学名誉教授. 中央アジア古代史, 唐帝国史. 『ユーラシアの交通・交易と唐帝国』(名古屋大学出版会, 2010年).

岩波講座 世界歴史 6　第4回配本(全24巻)

中華世界の再編とユーラシア東部 4~8世紀

2022年1月7日 第1刷発行
2023年5月25日 第2刷発行

発行者 坂本政謙

発行所 株式会社 岩波書店 〒101-8002 東京都千代田区一ツ橋2-5-5
電話案内 03-5210-4000 https://www.iwanami.co.jp/

印刷・法令印刷 カバー・半七印刷 製本・牧製本

 ISBN 978-4-00-011416-5

岩波講座

世界歴史

A5 判上製・平均 320 頁（黒丸数字は既刊，＊は次回配本）

全㉔巻の構成

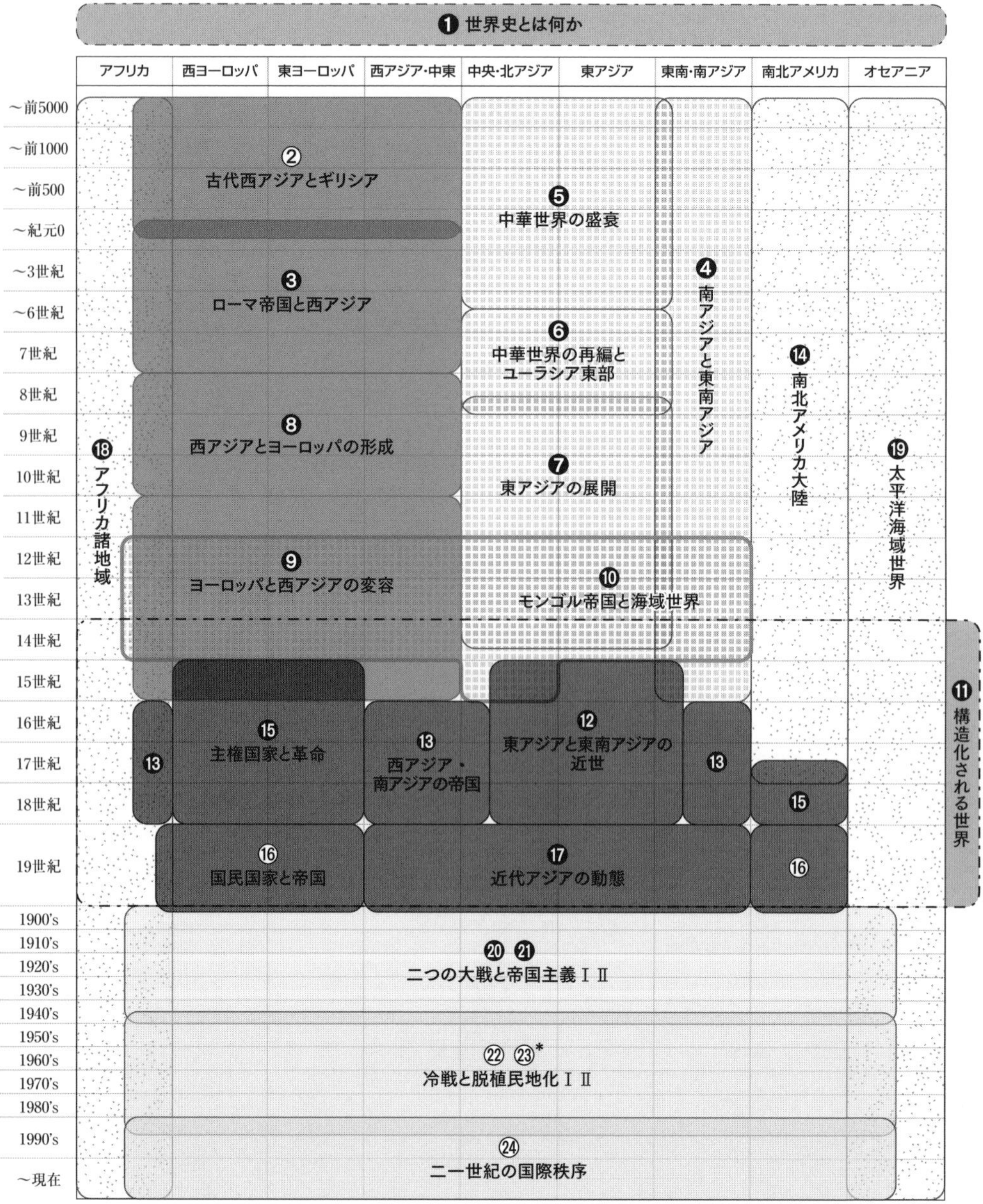

※本図は各巻の内容を厳密に反映したものではなく，便宜的に図示したものです．